B

Biblioteca Universale Rizzoli

Giuseppe Berto

Il cielo è rosso

BUR

SCRITTORI CONTEMPORANEI

ISBN 88-17-10621-6

Prima edizione BUR: giugno 1980
Prima edizione BUR La Scala: settembre 1998
Quinta edizione BUR Scrittori Contemporanei: ottobre 2006

Di sera voi dite: Tempo bello, perché il cielo è rosso; al mattino, poi: Oggi, tempesta, perché il cielo è rosso cupo. Ipocriti! Voi sapete distinguere l'aspetto del cielo e non sapete conoscere i segni dei tempi! Una generazione malvagia e adulta domanda un segno, ma non le sarà dato altro segno che quello di Giona.

Matteo, XVI, 2, 4

I

Il fiume era un corso d'acqua pigro e non molto lungo, che nasceva dalla palude, proprio dove cominciava la grande pianura. Di lì si potevano vedere varie catene di monti più o meno azzurri, che spuntavano dietro la linea dei colli, i quali erano di differenti forme, alcuni alti e a punta come coni, altri bassi e tondi, come delle gobbe. E sui colli c'erano prati e case e alberi di castagne e filari di viti, e la lontananza dava a tutte queste cose un'apparenza lieve e anche un po' malinconica, quasi che non fossero fatte per gli uomini.

Dove finivano i colli cominciava la grande pianura. Dapprima era stretta, chiusa fra i monti e il mare, ma poi si ampliava verso altri monti assai remoti, di cui si aveva incerta conoscenza. Guardando dai colli nei giorni sereni, si vedeva la distesa dei campi, che da un lato era limitata in distanza dalla linea del mare, e dall'altro lato pareva non aver fine. Tuttavia raramente lo sguardo poteva arrivare così lontano quanto il mare, perché quasi sempre una nebbia leggera era posata sulla pianura e chiudeva il paesaggio.

Fin dai piedi dei colli la terra della pianura era fertile. Gli uomini l'avevano divisa con fossi e filari di gelsi e di pioppi, e la coltivavano intensamente, con antico amore, e forse più antica rassegnazione. Poi le vigne e i campi s'interrompevano ai margini della palude.

La palude era una vasta zona di acquitrini coperta da canne e da alte erbe, e l'improvvisa diversità della vegetazione faceva subito venire tristezza. Non vi erano case all'intorno, e una sola strada stretta e poco battuta s'inoltrava tra gli stagni andando sopra una serie di terrapieni collegati da vecchi ponti di mattoni. Solitudine e luce e silenzio erano sulla palude.

Di lì nasceva il fiume. Tra gli acquitrini s'apriva una quantità di polle piccole e poco profonde, con un'acqua chiara che continuamente filtrava dal fondo erboso e si riuniva in canali, cercandosi senza rumore un passaggio verso il mare. Molti anni o addirittura secoli aveva impiegato il fiume a trovarsi il passaggio per il mare, perché il terreno da percorrere era piano, e il mare solo di poco più in basso della palude. Perciò il corso era venuto fuori incerto e pigro, e anzi per un lungo tratto il fiume appena nato conservava un'apparenza di palude, dove si distinguevano due qualità d'acqua, quella stagnante e coperta di muschio degli acquitrini, e quella limpida e fluente delle polle e dei canali.

Proseguendo nella pianura i canali si univano, e assumevano a poco a poco l'aspetto di fiume, benché permanessero alle sponde due larghe strisce paludose con canne ed erbe, che davano una nota solitaria e quasi segreta, e sempre malinconica e dolce, mentre durava la visione dei colli, e delle catene di monti più lontano.

Era un fiume che non aveva piene. Anche nel caso di piogge abbondanti e continue, come accadeva in primavera, il livello si alzava di poco, perché l'acqua si raccoglieva nella zona paludosa, da dove poi fluiva senza fretta. Qualche volta, quando le piogge erano molto violente, l'acqua diventava torbida e arrivava al mare ancora gialla, con un più forte odore di melma e di muschio. Il fiume continuava a scorrere così fasciato di paludi per oltre dieci chilometri, e poi di quando in quando le rive si presentavano più solide, e allora ai canneti si alternavano file di salici, e infine qualche casa si affacciava alla corrente, povera e con l'intonaco per lo più scolorito, in basso mangiato dall'umido.

Tuttavia il corso era sempre lento, e l'acqua dispersa e poco profonda, tanto che ad un certo punto gli uomini l'avevano costretta entro due argini, per racchiuderla e così aiutarla a raggiungere il mare. E ora le grosse barche del mare potevano risalire la corrente fin dove cominciavano gli argini.

Poco più a monte di quel punto era sorta la città, nei tempi antichi. Il fiume l'attraversava con un ramo principale e due secondari, e altre due derivazioni erano state scavate per cingere le mura con un canale. Così si poteva dire che la città fosse stata originata dal fiume, perché il fiume le dava tre cose indispensabili a quei tempi, acqua e sicurezza e modo di comunicare con la costa, dove si apriva il mondo.

Si notava subito che la città era antica di molti secoli. Vista dall'esterno appariva ristretta nella cerchia delle mura, come una moltitudine di tetti da cui uscivano le torri e le chiese e il vecchio palazzo della Signoria. La stazione ferroviaria, le larghe strade asfaltate e le case razionali si trovavano al di fuori delle mura. Dentro tutto era diverso. C'erano sì le radio, e i caffè luccicanti di cromo, e perfino una linea d'autobus. Ma piazze e strade avevano conservato un aspetto quasi medievale.

Le strade erano in gran parte strette e contorte, e le piazze sghembe, austere, delimitate dai grossi muri di qualche chiesa o dalla fila irregolare di case chiuse e grigie, dai portici bassi e diversi l'uno dall'altro.

Due strade più importanti congiungevano le porte monumentali delle mura, e dividevano irregolarmente la città in quattro quartieri, che si chiamavano di San Tommaso, di San Francesco, di San Sebastiano e di Sant'Agnese. Ciascun quartiere aveva la sua chiesa principale e un vario numero di chiese secondarie.

Fin dai primi tempi si era stabilita una specie di gerarchia fra i quartieri, secondo la gente che li abitava. All'ultimo posto si trovava il quartiere di Sant'Agnese. Era come raccolto entro due rami del fiume, e aveva più degli altri mantenuto il suo aspetto medioevale. Un'antica chiesa di mattoni si ergeva su di una vasta piazza, ed era quello l'unico luogo nel quartiere dove si aprisse il cielo. Tutto il resto era un intrico di viuzze, dove la pavimentazione era ancora fatta con sassi, e leggermente a conca, perché l'acqua potesse scorrervi nel mezzo e scaricarsi nel fiume. La via di Sant'Agnese, che era solo di poco più larga delle altre, veniva chiamata la via grande.

Le case sorgevano serrate le une alle altre, scure e misere nella maggior parte. Ma vi erano pure palazzi che conservavano un certo decoro nell'armonia della costruzione o in qualche finestra o nei resti di intonaco affrescato dove il disegno e il colore erano ormai sbiaditi. Però le vecchie nobili famiglie li avevano abbandonati da tempo, e la miseria li aveva invasi. Nei grandi portoni erano state ricavate piccole porte, e nell'interno le vaste sale erano state suddivise con tramezzi, perché potessero contenere un maggior numero di gente. Così le case e i palazzi erano tutti simili al di dentro, locali piccoli e bui, dove stagnava l'odore della sporcizia.

Le cose e le persone del quartiere apparivano accomunate da un eguale squallore, che tuttavia portavano con non poco orgoglio, le cose per la loro antíchità, e le persone non si capiva se per fierezza o per dispetto.

Di tanto in tanto appariva una porta pulita, incorniciata da piastrelle colorate, con una targa di metallo lucido. Quello era un postribolo. Tutti i postriboli della città erano situati nel quartiere di Sant'Agnese.

Gli abitanti appartenevano agli strati più bassi della popolazione. Le donne facevano quasi tutte le lavandaie, o le prostitute, se non erano brutte. Gli uomini facevano i venditori ambulanti e i raccoglitori di stracci, o anche i ladri. In genere passavano da un mestiere all'altro con grande naturalezza, rispettando negli intervalli lunghi periodi di riposo. I vecchi e i bambini fornivano alla città un numero considerevole di mendicanti. Era gente rassegnata alla propria condizione. Chi voleva lavorare in modo diverso cambiava quartiere.

Vi era stato un lungo discorrere nella città circa il risanamento del quartiere di Sant'Agnese. E finalmente cominciarono anche i lavori. Fu aperta una strada larga e dritta che collegava la piazza del Duomo con una nuova porta delle mura, e tagliava soltanto una zona periferica del quartiere. Alcuni palazzi medioevali rimasero in piedi ai lati, e furono raschiati e puliti e poi ricoperti di finti affreschi antichi, secondo i suggerimenti degli studiosi. Alla fine apparvero molto interessanti. Al loro fianco fu costruita qualche casa a cinque o sei piani, che la popolazione accettò con entusiasmo e chiamò subito grattacieli. Non sapendo dove andare, la gente povera cacciata dalle case demolite si rifugiò nel centro intatto del quartiere.

Avevano iniziato anche un altro lavoro, all'estremità opposta. Un palazzo antico era già stato isolato e restaurato e ridipinto. Poi venne la guerra e tutto fu sospeso.

La guerra non cambiò molte cose. Se scarseggiavano gli oggetti da vendere era tuttavia aumentato il denaro, e i commercianti si facevano pagare a prezzi più alti la loro merce. Solo un po' più di miseria si aggiunse per quelli che erano già miserabili.

La gente senza dubbio pensava che la guerra fosse un male. Ma quella era una guerra che andava bene e si combatteva altrove, perciò la gente diceva che era santa e giusta e necessaria. Ma oltre a questo non faceva niente. Aveva solo una vaga speranza che finisse presto.

Naturalmente anche molti ragazzi della città partirono e andarono a combattere, e di qualcuno giunse anche la notizia che era morto. Ma questo accadeva in luoghi lontani, in Grecia e in Africa, e in seguito più lontano ancora, in Russia. La gente non riusciva neanche ad immaginare luoghi così lontani e diversi, e non pensava alle sofferenze dei soldati e dei popoli. Ciascuno si affannava soltanto per sé, cercando di vivere come prima.

Questo accadeva in principio, quando la guerra andava bene ed era lontana.

Poi la guerra cominciò ad andar male, e ad avvicinarsi, e aumentarono i pericoli e i disagi. Allora la gente fu palesemente scontenta. Disse che la guerra era una cosa orrenda e bestiale, e desiderava la pace, qualsiasi pace. Crollò il governo e l'ordine della nazione, e il popolo fu diviso. Quasi tutti vissero aspettando. La guerra sarebbe finita un giorno o l'altro, forse presto.

La gente della città si credeva al sicuro dai pericoli. Era una piccola città che non aveva industrie. E neanche la stazione era molto grande. Aveva una sola linea principale, alla quale si allacciavano alcune altre linee secondarie. Nessuno sarebbe venuto a bombardare una città di così scarsa importanza per la guerra, dove la gente viveva aspettando la pace.

Ogni giorno, alle dieci, la sirena sulla torre della Signoria suonava per prova, e forse per ricordare ai cittadini che vi era una guerra. Spesso la sirena suonava anche in altre ore, adesso che la guerra era vicina. Gli abitanti non s'impressionavano granché. Alcuni scendevano nei rifugi e nelle cantine per prudenza, la maggior parte restava alle proprie occupazioni o al proprio riposo. Tuttavia un timore incerto entrava nel cuore di tutti e durava fino a quando l'allarme non fosse finito. E quando era finito pensavano che, grazie a Dio, anche questa volta era stato per gli altri.

Alcune città più importanti all'intorno erano state colpite e devastate dai bombardamenti, e molti profughi si erano rifugiati nella piccola città tranquilla. Portavano con sé dolore e miseria, perché avevano perduto tutto ciò che possedevano. La gente non li guardava con simpatia. Essi costituivano un disagio che tutti avrebbero preferito allontanare, o almeno ignorare. Ormai ognuno era chiuso in se stesso, e come smarrito, e gli uomini erano divisi, e senza pietà gli uni per gli altri.

Così la gente continuava a vivere, come poteva, perché qualcuno dava loro abbastanza cibo per non morire. Aspettavano che la guerra finisse. Questo era essenziale, arrivare vivi a quel punto. Poi qualcun altro li avrebbe aiutati a vivere ancora, in un mondo che pensavano migliore.

II

L'autista arrivò nel piazzale con la sua macchina verdenera, e la fermò davanti all'uscita della stazione. Mise una coperta sopra il radiatore, per mantenerlo caldo, quindi camminò attraverso il piazzale, verso la fermata della linea filoviaria. Era una linea interurbana, che veniva da un'altra città distante una trentina di chilometri.

Tirava il vento dell'est, perciò faceva freddo e sereno.

Giunto alla fermata, l'autista guardò per terra, dove le lampadine proiettavano sull'asfalto l'ombra dei fili della linea. I fili oscillavano, segno che la vettura era ormai vicina. Quindi l'autista decise di aspettare fuori, nonostante il freddo. Oltre a lui, nessun'altra persona aspettava perché quella vettura era l'ultima, e sarebbe rientrata vuota al deposito.

L'autista si mise a camminare avanti e indietro, pestando forte i piedi per terra. Intanto i fili oscillavano sempre più, poi la vettura spuntò dall'alto del cavalcavia, scese frusciando e si fermò con cigolio di freni.

« Tassì, tassì » disse l'autista ai pochi che scesero.

Il guidatore della vettura lo vide restare senza clienti. « Magra, questa volta » disse con malizia.

L'autista non sembrò raccoglierla. « Beato te che hai finito » disse. « Io devo aspettare il treno, ancora. »

« E io? » disse il guidatore. « Io ho da farmi cinque chilometri di bicicletta per arrivare a casa. »

« Proprio una passeggiata, con questo fresco » disse l'autista ricambiando la malizia.

« Cinque chilometri, dal deposito a casa mia » disse il guidatore, e subito mosse una leva, e l'aria compressa soffiò passando per le valvole, e le porte si chiusero.

L'autista guardò la vettura fare la curva lentamente, a scatti, e risalire veloce la rampa del cavalcavia, con rumore di ruote sull'asfalto e scintille sui fili. Quindi riattraversò il piazzale, dirigendosi verso il caffè. L'orologio luminoso, alto sulla facciata della stazione, segnava l'una e quaranta. Ed era l'anno 1931, la fine di gennaio.

Il caffè della stazione rimaneva aperto fino a tardi nella notte, per l'arrivo dell'ultimo treno, e dentro c'erano cinque o sei persone in tutto. L'autista andò direttamente al banco. Voleva ordinare un caffè e attaccare discorso con la ragazza. « Fa un freddo cane, questa sera » disse.

« Pazienza » fece la ragazza del banco. « Ormai siamo quasi fuori. »

« Eh, non possiamo ancora dire di essere fuori » seguitò l'autista. Aveva spinto il berretto indietro sulla nuca, e stava con un gomito appoggiato al banco. La ragazza aveva i capelli ossigenati, con una permanente a ricciolini.

Il caffè cominciò a gorgogliare dal beccuccio, ed entrambi guardarono in silenzio.

« Ci metto un po' di grappa? » domandò la ragazza.

« Sicuro » fece l'autista, e la sua faccia si concentrò. « Non so se vi ricordate, » disse « ma due anni fa il gran freddo è venuto proprio in febbraio. »

« Oh, si capiva subito che doveva venire più freddo, allora » disse la ragazza del banco.

« Non si sa mai » disse l'autista. « Può capitare un'ondata di freddo dalla Russia, o da chi sa dove. Ne capitano qualche volta di queste ondate improvvise, no? E si casca subito a venti gradi sotto zero. Io dico che il peggio ha ancora da venire. »

La ragazza del banco non fece osservazioni. Essa ammirava moltissimo l'autista e il suo giubbotto di pelle nera, ma aveva sonno, e intanto si scaldava le mani contro la macchina.

L'autista beveva a lenti sorsi il suo caffè con la grappa. « Mi dispiacerebbe per i fichi » disse. « Avevamo molte piante di fichi nel ventinove, e son morte per il freddo. Adesso ne abbiamo solo due, davanti alla casa. Dovrebbero far frutto quest'anno, io penso. Mi dispiacerebbe se morissero. »

Il campanello della stazione prese a suonare per l'arrivo del treno, e la ragazza del banco si rallegrò un poco al pensiero che presto sarebbe andata a casa. Si guardò sulla macchina luccicante, aggiustandosi qualche ricciolino con gesti assonnati. I clienti ad uno ad uno vennero al banco per pagare, e se ne andarono. Gente che aspettava qualcuno con l'ultimo treno.

L'autista aveva già invitato la ragazza a casa sua, per mangiare i fichi, e adesso aveva ripreso l'argomento del freddo, noiosamente. Poi si udì il rumore del treno che si avvicinava, e allora anch'egli uscì sul piazzale e andò a collocarsi presso la sua macchina.

Alcune persone gli passarono davanti, tutte in gruppo, dirette verso il centro della città. Nessuno chiese la macchina, e l'autista non fu scontento perché pensava di condurre a casa la ragazza del banco. Invece per ultima venne fuori dalla stazione una ragazza con due grosse valigie, e si fermò davanti a lui, domandandogli se fosse libero.

« Sì » rispose l'autista e guardò attentamente la ragazza, e poi le valigie, e poi ancora la ragazza.

« Bene » disse la ragazza con indifferenza, e salì sulla macchina.

L'autista caricò le valigie dietro, e prima di chiudere lo sportello domandò all'improvviso: « Vuoi che andiamo a fare un giro, bellezza? ».

« Portatemi in via San Bernardo » rispose asciutta la ragazza.

L'autista alzò le spalle e finse una grande disinvoltura mentre toglieva la coperta dal radiatore e si sedeva al volante. Tuttavia era seccato, e rimase di malumore per tutto il tragitto. La ragazza gli piaceva abbastanza, ma era scontrosa, e sarebbe stato meglio che non fosse arrivata, se era così scontrosa. Con la ragazza del banco qualche cosa avrebbe potuto scappar fuori.

Egli fermò la sua macchina in via Sant'Agnese, all'angolo con via San Bernardo. « Dove devo andare? » domandò.

« Va bene, basta qui » disse la ragazza.

L'autista si girò indietro. « Ma qui non c'è nessuna casa » disse.

« Non importa » rispose la ragazza scendendo. E siccome l'autista non si muoveva, scaricò da sola le due valigie.

« Sono sette e venti » disse l'autista. « C'è il supplemento notturno. »

La ragazza cercò il denaro nella borsetta, e glielo porse senza parlare. Quindi rimase ferma, aspettando che la macchina se ne andasse.

« Bene, bellezza » disse ancora l'autista. « Non mi vuoi dire da chi vai? Verrò a trovarti, se me lo dici. »

« Non importa » disse la ragazza.

L'autista innestò la marcia brontolando e partì. Allora la ragazza prese le due valigie e camminò lungo la via di San Bernardo, che era in leggera discesa verso il fiume. Quindi si fermò davanti ad una piccola porta disadorna e bussò forte più volte.

La ragazza era impaziente. Appena le parve di sentire rumore dal di dentro, uscì dai portici e si fermò in mezzo alla strada, guardando verso l'alto. La casa era bassa, a due piani.

Una finestra fu aperta con rumore, e una vecchia si affacciò. « Chi è? » gridò.

« Sono io » rispose la ragazza con la voce bassa.

« Oh, come mai? » disse la vecchia. « Non ti aspettavamo. » Parlava sempre troppo forte, e le sue parole risuonavano fino in fondo alla strada silenziosa.

« Fai presto ad aprirmi, per piacere » disse la ragazza. « Fa freddo qua fuori. »

La vecchia richiuse la finestra, prese dal letto il suo scialle nero per coprirsi. Quando fu sul pianerottolo delle scale, una voce d'uomo dall'altra camera domandò: « Cosa c'è? ».

« È arrivata Giovanna » rispose la vecchia scendendo. La ragazza entrò con le due valigie, non appena la vecchia ebbe aperto la porta. Anche dentro faceva freddo, ma almeno non vi era l'aria tagliente di fuori. Si sentiva un odore di fuoco spento e di immondizie in fermentazione, ma presto ogni altro odore fu coperto dal profumo della ragazza. Era un profumo carico, quasi denso.

Essa aveva il viso esageratamente dipinto, e buone calze di seta, e una pelliccia molto vistosa. Scostò con cura la pelliccia prima di sedersi vicino alla tavola, sotto la luce cruda della lampadina. La vecchia si sedette egualmente, aspettando. Da sopra si sentiva rumore, e un bimbo aveva cominciato a strillare.

« Come stanno? » domandò la ragazza, accennando con la testa le scale.

« Bene » disse la vecchia.

« Anche la piccola? » domandò la ragazza. Aveva un tono di voce basso e stanco, e forse parlava soltanto per passare il tempo.

La vecchia rispose: « Sì, abbastanza bene ».

« Piange » disse la ragazza.

« Si è svegliata » disse la vecchia. « Avrà fame, penso, per questo piange. Di solito è buona, non piange molto. »

Ci fu una pausa di silenzio, e la vecchia aspettava.

E ad un tratto la ragazza disse: « Son venuta a casa per restare, mamma. Devo avere un bambino ».

« Tu? » fece la vecchia.

« Sì » disse la ragazza. « Credo che mi manchino tre mesi. » Parlando, essa non guardava la vecchia, ma un disegno scrostato di rose rosse, che era sull'incerata della tavola. Con un dito grattava la vernice distrattamente.

« E non sai chi è il padre? » domandò la vecchia.

La ragazza sorrise con amarezza. « Come vuoi che si faccia a saperlo, col nostro mestiere » disse.

« Ma non hai neanche in mente qualcuno? » domandò acida la vecchia. « Qualcuno che possa credere di essere lui il padre? Voi avete sempre qualcuno. »

La ragazza fece un gesto di fastidio con le spalle. « Sì » disse. « Qualcuno da pagare. »

Ancora rimasero in silenzio, a causa del risentimento e dell'incomprensione che vi era fra loro. Il bimbo di sopra continuava a piangere. Poi si sentirono dei passi sulla scala di legno, e un uomo entrò nella cucina. Aveva più di trent'anni, e la barba non rasata, e un pastrano logoro, color tabacco. « Oh » egli disse verso la ragazza.

E lei disse: « Salve, Augusto » dandogli appena un'occhiata.

« Si è messa a strillare e non la finisce più » disse l'uomo. « Non si può dormire. » Quindi tacque, e fissò la vecchia per interrogarla.

« È tornata » disse la vecchia. « Deve avere un bambino. »

« Un bambino, un bambino » disse l'uomo, guardando con stupore la ragazza. « Cosa ti salta in testa, adesso? »

« Hai sentito, no? Mi pare che la mamma abbia parlato chiaro. »

La voce dell'uomo suonò cattiva: « Dovresti essere proprio senza cervello, per fare un bastardo ».

« Ma cosa importa a te? » disse la ragazza quasi piangendo. « Ti era pur comodo che facessi quel mestiere, non è vero? E così adesso avrò un bambino, lo avrò. »

L'uomo si era venuto a mano a mano infuriando, e mosse verso la ragazza per picchiarla. Ma la vecchia si alzò e gli si mise contro con le braccia alzate. « No, non così, per l'amor di Dio » gridava.

L'uomo tornò indietro lentamente, e andò a sedersi di

fronte alla ragazza, senza mai abbandonarla con lo sguardo. Essa stava con la testa china, e le sue dita non si muovevano più sull'incerata.

La vecchia si agitò un poco per la stanza, poi si mise di nuovo vicino alla ragazza. « Ascolta, Giovanna » disse. « Augusto non avrebbe dovuto parlarti in quel modo, ma in fin dei conti ha ragione. Un bastardo è sempre una cosa sbagliata. Ci son già tanti disgraziati al mondo, che non c'è proprio bisogno di mettercene degli altri. E poi, come farai col tuo mestiere? Devi pensarci bene. Non potrai lavorare portandoti dietro un bambino. »

La ragazza stava attenta alle parole della vecchia, ma non rispose.

Così la vecchia continuò: « Secondo me, c'è una sola cosa da fare. Con un po' di coraggio, ti liberi subito. E non occorrono neanche tanti soldi. C'è qui della gente sicura, che lo fa per poco ».

La ragazza teneva ostinatamente la testa bassa, e non rispose.

« Quanto ti manca? » domandò l'uomo.

Ancora la ragazza non rispose, e la vecchia si affrettò a dire: « Dice di essere di sei mesi. Si potrebbe fare ».

« Sicuro che si può fare » disse l'uomo. « Basta fare presto. È una faccenda di pochi giorni. »

« Sì, sì » disse la vecchia persuasivamente. « Ci penserà sopra questa notte, e vedrai che domani si sarà decisa. È l'unica cosa da fare. »

La ragazza sollevò infine la testa. « Senti, mamma » disse. « In principio, appena me ne sono accorta, io non lo volevo. Ho fatto di tutto per liberarmene. Ho preso tanta di quella roba che qualsiasi altra se ne sarebbe liberata. »

« Non avrai fatto le cose come si deve » disse la vecchia.

« No » disse la ragazza. « È stato proprio lui che non ha voluto andarsene. E poi ho cominciato a sentirlo muoversi dentro, e a volergli bene. E adesso lo voglio. Sarò una stupida, ma lo voglio. Non m'importa, anche se è bastardo. »

L'uomo era di nuovo infuriato, e si alzò in piedi facendo cadere la sedia. « Disgraziata » gridò. « Anche un bastardo, vuole. Non ha vergogna. »

La vecchia cercava di calmarlo. « Stai buono, Augusto » diceva. « Stai buono. Non farti sentire da fuori. È meglio che non lo sappiano. »

Ma l'uomo era quanto mai infuriato e gridava agitando le braccia verso la ragazza. « Te lo darò io il bastardo » gridò. « Ti darò tante di quelle botte che ti farò abortire per forza, com'è vero Dio! »

La ragazza si sollevò rabbiosamente con la testa, e si mise anch'essa a gridare. « Ah, sì » disse. « Mi vuoi far abortire per forza, non è vero? Credete che non lo sappia perché mi volete far abortire? Gridate bastardo e vergogna, ma è ai soldi che pensate. Finora vi ho mantenuti io, tutti quanti, anche quella baldracca che hai sposato. E adesso avete paura per i soldi. Pensate che se avrò un figlio mi curerò solo di lui e non vi passerò più niente. È così che pensate, non è vero? Fuori, abbiate almeno il coraggio di dire quello che pensate. »

« Ma no, ma no » diceva la vecchia. « Non è così come tu credi. »

« Come, non è così » gridò la ragazza. « Credi che non abbia il cervello per ragionare? Anche troppo, capisco. Ma ormai so quello che devo fare. Me ne andrò via di qui. Ho abbastanza soldi per vivere fino al parto, e se non mi bastano lavorerò. E andrò a partorire alla maternità. Là non stanno tanto a guardare se uno è bastardo. Non crediate che sia venuta qui per bisogno. Son venuta perché pensavo che questa fosse ancora la mia casa. Pensavo che qualcun altro gli avrebbe voluto bene, oltre a me. »

La voce della ragazza si era venuta alterando per la commozione, e alla fine essa posò la testa sulla tavola e si mise a singhiozzare forte e disperatamente. « Andrò via, andrò via » ripeteva quasi di continuo.

L'uomo adesso era indeciso, e solo borbottava delle parole che non si capivano. Muovendosi con le braccia e con la testa, la vecchia gli fece segno di tornare di sopra, ed egli se ne andò. Nella cucina rimasero la ragazza che piangeva, e la vecchia che la guardava piangere. Non si sentiva più strillare il bimbo.

Lentamente il pianto della ragazza si fece meno disperato. Allora la vecchia le posò una mano sulla testa, accarezzandola, e le parlò con voce che si sforzava di far sentire affettuosa. « Non devi prendertela così, Giovanna » disse. « Noi ti consigliamo per il tuo interesse. »

« Andrò via » disse ancora la ragazza.

« Ma dove vuoi andare? Non credere di trovare un posto migliore della tua casa. Qui tutti ti vogliono bene, anche tuo fratello, benché sia così ruvido. E insistiamo solo perché tu ci pensi, finché sei in tempo. È soprattutto a lui che devi pensare, come starà in questo mondo dopo che ce l'avrai messo. Vedi, io ho avuto voialtri due, vi ho allevati come ho potuto, e siete diventati grandi. Adesso non so se vi sentite contenti di vivere, noi non parliamo mai di queste cose. Ma forse non siete contenti, non si può essere contenti di vivere nella nostra miseria. Tante volte anch'io mi son sentita male, e ho pensato che sarebbe stato meglio se non fossi nata. È meglio non essere niente, piuttosto che essere disgraziati. »

« Il mio non sarà disgraziato » disse la ragazza. « Non gli farò mancar niente. Voglio che sia contento di vivere. »

« Contento di vivere » disse la vecchia, e la sua voce adesso era bassa e pensosa. « Noi crediamo che per essere contenti di vivere basti avere quello che non abbiamo mai avuto, abbastanza da mangiare e da vestire, e una bella casa. E forse non è neanche così. Ma anche se fosse così, cosa sei sicura di poter dare tu a tuo figlio? Se ti va bene col lavoro, gli potrai dare abbastanza da mangiare e da vestire, per qualche anno. E poi? E credi che pur mangiando bene non sentirebbe la vergogna di non avere un padre, e di essere nato da una che fa il tuo mestiere? Non potrebbe mai essere contento di vivere. Il mondo è troppo cattivo per queste cose. »

La ragazza alzò la testa di scatto. « È inutile che tu insista, mamma » disse. « Prima di venire a casa ho pensato bene, in tanti mesi. E ormai ho deciso che deve nascere. Io e lui vogliamo così, ne sono sicura. E se a te o a mio fratello non piace, prendo la mia roba e me ne vado. »

La vecchia sentì che vi era troppa decisione nelle parole della ragazza. Ormai aveva in testa quell'idea, e nessuno gliel'avrebbe più tolta. Perciò rispose quasi umilmente. « Ecco che ti arrabbi un'altra volta » disse. « Non dovresti arrabbiarti se ti raccomandiamo di pensarci sopra. Noi ti diamo consigli, ma tu puoi fare quello che vuoi, alla tua età. È affar tuo metterlo al mondo e mantenerlo, noi non c'entriamo. »

La ragazza per molto tempo non disse nulla. Aveva ripreso a guardare l'incerata con gli occhi fissi, e silenziosamente delle lacrime le scendevano lungo le guance già impiastricciate. Non era più tanto sicura di se stessa, e di lui che voleva nascere, e di ciò che sarebbe accaduto dopo. Per lunghi mesi aveva portato la sua maternità nei postriboli, tra l'indifferenza e gli scherni, e sempre si era fatta coraggio pensando che a casa avrebbe trovato un rifugio, e anche un po' di conforto. A casa invece era peggio che altrove, una faccenda da conteggiarci sopra, per il denaro e la convenienza. Senza un padre che pagasse per lui, un bimbo non era conveniente, e non sarebbe dovuto nascere.

La vecchia guardava la ragazza e nel silenzio pensò lungamente per trovare qualcosa da dirle, anche una cosa qualsiasi, e non trovò nulla. Allora disse: « Forse è meglio che andiamo a dormire, Giovanna ».

« Pensavo di chiamarlo Giulio, mamma » disse la ragazza. « E pensavo che se doveva somigliare a qualche uomo, doveva somigliare proprio a lui. »

« Chi sa » disse la vecchia. « Se fosse vissuto lui, molte cose sarebbero diverse. »

Tutte e due tacquero per qualche tempo. Quindi la vecchia domandò: « Da dove vieni? ».

« Da Parma » disse la ragazza. « Son partita stamattina presto. »

« Avrai anche fame » disse la vecchia. « E adesso non abbiamo niente. Non ti aspettavamo. »

« Non importa » disse la ragazza.

« C'è un po' di latte per domattina » disse la vecchia. « Lo puoi mangiare. Ne compreremo dell'altro. »

« Non lo voglio, mamma. Non ho fame. »

Egualmente la vecchia si mosse per prendere il latte, e ne preparò una scodella sulla tavola, con il pane. « Mangialo così freddo » disse. « Ti farà bene. Io intanto vado di sopra a prepararti un posto per dormire. Dovrai accontentarti di un posto per terra, questa notte. Il tuo letto l'ha preso Augusto per la bambina. Ma domani troveremo qualche altra cosa per la bambina. È così piccola che può stare in una cesta. »

« Mi piacerebbe dormir da sola » disse la ragazza. « Posso sistemarmi qua sotto, se c'è posto di là. »

« Sì, sì » disse la vecchia. « Domani vedremo. Di là c'è una gran confusione di roba, ma domani metteremo a posto. Metteremo tutto a posto. » Si avviò su per le scale, e saliva i gradini di legno cercando di non far rumore.

La ragazza ascoltò i suoi passi sulle scale, e poi di sopra, attraverso il soffitto che era pure di legno. E intanto guardava i muri scrostati, e la vecchia cucina economica, e i piatti sporchi accumulati da una parte, tutto l'aspetto di miseria che offriva la sua casa. E nella sua mente vi erano solo pensieri vaghi e lenti, perché aveva la testa vuota e debole per il troppo piangere.

Poi, quando non sentì più i passi muoversi di sopra, andò all'acquaio e si lavò la faccia in un catino. E infine trasse da una valigia alcuni indumenti per la notte, e uno specchio. Si guardò a lungo nello specchio. Aveva gli occhi stanchi e il viso pallido, eccessivamente pallido adesso che era lavato, e due cerchi scuri sotto gli occhi. Anche questo doveva dipendere dalla gravidanza, forse.

Quindi spense la luce e salì le scale, cercando anch'essa di non far rumore. Lasciò la scodella di latte e il pane sull'incerata a rose rosse. Non poteva mangiare. Sempre, quando la miseria di vivere la faceva soffrire, il dolore la prendeva alla bocca dello stomaco, e non poteva mangiare.

Ma poi si rasserenò un poco, mentre sotto le coperte aspettava di riscaldarsi per prendere sonno. Si toccava il ventre con le mani, dolcemente, e le pareva già di accarezzare il bimbo che sarebbe nato. Di nuovo si sentiva sicura. Lo voleva a qualsiasi costo, per sé, per continuare a vivere.

La via principale della città era quella che andava dal Duomo alla stazione, passando per la piazza della Signoria. Là erano gli alberghi, i caffè e i negozi più moderni.

Ad ore fisse, due volte al giorno, la via principale si riempiva di gente che camminava avanti e indietro, e pareva che non avesse nient'altro da fare. Solo andare avanti e indietro, e chiacchierare pacatamente insieme, e ammirarsi o criticarsi a vicenda. Non era, questa, cosa di poca importanza per la piccola città. Era la vita elegante, che si svolgeva nella via principale due volte al giorno, ad ore fisse.

Due bimbe vennero da via Sant'Agnese e voltarono per la via principale, e presero a camminare più adagio, perché adesso molte erano le cose e le persone da vedere. Persone ben vestite, che non mandavano cattivi odori.

Tuttavia le bimbe si stancarono presto di guardare la gente, perché la gente badava a loro soltanto quel poco che era necessario per scansarle. Allora esse si rivolsero alle cose.

Vi era dapprima un negozio di biciclette, e poi uno di apparecchi ottici, e le bimbe non si fermarono. Quelle cose erano al di fuori della loro curiosità o del loro desiderio. Si fermarono davanti alla vetrina di un terzo negozio, che era un grande negozio di mode. Oggetti dai meravigliosi colori stavano in mostra, cravatte, fazzoletti, sciarpe.

« Questa è roba per uomo » disse una delle bimbe, che si chiamava Carla.

Esse guardarono un poco nelle vetrine tenendosi a un passo di distanza, poi insensibilmente si avvicinarono al cristallo, fino ad appoggiarvi le mani, e alla fine anche il viso. Poterono guardare appena per breve tempo, perché un commesso venne sulla porta del negozio e le mandò via. Partendo, esse lasciarono sul cristallo delle macchie grasse, dove avevano appoggiato le mani e il viso.

E subito vi era un'altra vetrina dello stesso negozio, con oggetti dai colori ancor più vistosi, perché era roba per donne. Le bimbe camminavano adagio, con la testa un po' storta all'indietro. Sulla porta c'era sempre il commesso, che le guardava minaccioso. Allora Carla prese l'altra bimba per mano, e la condusse dalla parte opposta della strada, davanti al primo albergo della città.

Il primo albergo della città le interessava, ma non molto. Non tanto quanto le mostre dei negozi, ad ogni modo. Tuttavia passando davanti all'ingresso lanciarono delle occhiate curiose dentro la grande sala, dove lampadari di vetro erano accesi, e la gente stava seduta nelle poltrone rosse, senza far niente. Forse si sarebbero anche fermate per guardare, se non fosse stato per un uomo con la divisa dai bottoni d'oro.

Passato l'albergo, le bimbe si ritennero sufficientemente lontane dal commesso, e riattraversarono la strada, verso il negozio dei profumi.

Era una meravigliosa vetrina, con scatole e bottiglie di diversa forma e colore, e le bimbe ammirarono quasi trepidanti, tenendo le braccia strette dietro la schiena.

« Carla? » disse poi l'altra bimba, che si chiamava Giulia.

« Eh? » fece Carla, senza distogliere lo sguardo dalla vetrina.

« Se tu fossi una signora, cosa compreresti? »

Carla rispose d'impulso. « Questa » disse verso una bottiglia verde che stava appena dietro il cristallo, di fronte a lei.

« Io comprerei quella » disse Giulia accennando col mento a una bottiglia viola, quasi rotonda, che costava venti lire.

« E io quella, allora » disse Carla, e indicò un'altra bottiglia più grande, piena di un liquido giallo trasparente.

Giulia la vide sporgere il dito, e disse severamente: « Sta giù con la mano, se no ci mandano via ».

« Oh, » fece Carla con superiorità « di qua non ci manda via nessuno. » Però diede un'occhiata di preoccupazione verso la porta del negozio, e ritirò la mano dietro la schiena, ma lentamente, perché Giulia non potesse credere di essere lei a fargliela ritirare.

Giulia considerò la sua compagna con sospetto, quindi cercò ancora nella vetrina. Vi era nel centro una bottiglietta sfaccettata e scintillante, dentro un astuccio di seta rosa. La bimba esitò un attimo, perché costava cinquanta lire. Poi disse: « Io mi comprerò quella in mezzo ».

Carla guardò la bottiglia e il cartellino del prezzo attaccato all'astuccio, e fece con la bocca un suono di disprezzo. « Tu non avrai mai cinquanta lire. »

« Cosa ne sai tu? » domandò Giulia vivacemente.

« Sei una pidocchiosa » disse Carla.

« Tu sei una pidocchiosa » disse Giulia con dispetto. « Se proprio vuoi saperlo, mia mamma aveva una valigia piena di bottiglie come quella. »

« Bugiarda » disse Carla.

Tutta rossa in viso, Giulia insistette. « L'ho proprio vista, mi ricordo quando veniva a casa » disse. « Mia mamma aveva soldi, quanti ne voleva, e poi non era una serva. »

Carla strinse le labbra per la collera, e disse pesando le parole: « Meglio una serva di una puttana ».

Giulia tacque, questa volta. Con il volto di nuovo pallido e un'aria avvilita, aveva ripreso a guardare le bottiglie, e forse non le vedeva neanche. Carla non avrebbe dovuto parlare così, adesso che sua mamma era morta.

Per qualche tempo le due bimbe rimasero ancora davanti alla vetrina dei profumi, ma non provarono più gusto a guardare, perché la parola pesava dentro di loro.

« Andiamo » disse poi Carla avviandosi, e Giulia la seguì a qualche passo di distanza.

Al negozio del fiorista Carla si fermò. Giulia la raggiunse e stette al suo fianco, malinconica e silenziosa.

Anche la vetrina del fiorista era meravigliosa. Una lieve

cascata d'acqua scendeva lungo il cristallo, dalla parte di dentro, e faceva come un velo davanti agli occhi. Dietro stavano i fiori, grandi vasi di rose gialle, rosse e rosa, e garofani splendidi, e crisantemi enormi, e tanti altri fiori, di cui esse non sapevano neanche il nome. Era bello, benché non capissero come mai ci fosse un negozio di fiori, e della gente che spendeva soldi per comprarli.

Rimasero a guardare, ma con poca gioia, perché stentava a disperdersi quel senso di disagio che era caduto fra di loro.

Allora Carla disse di nuovo: « Andiamo » e prese l'altra bimba per mano e la condusse davanti alla grande pasticceria.

Ogni cosa era ben disposta nella vetrina della grande pasticceria. Vi erano enormi dolci nel centro, con bei disegni, e vasi pieni di cioccolatini tutti di un colore, o di colore diverso, e mucchi di caramelle, e tante scatole che dovevano contenere cose buone, forse anche più buone dei cioccolatini e delle caramelle.

Guardavano con gli occhi ingranditi, e un poco alla volta il desiderio sorpassò la meraviglia, e il senso di disagio fu dimenticato.

« Giulia, cosa ti piacerebbe? » domandò Carla.

Dopo aver pensato, Giulia rispose: « Non so ».

Ci fu una breve pausa, quindi Carla disse: « A me piacerebbero le caramelle ».

« Tutte? » fece Giulia.

« No, non tutte » disse Carla. « Cinque. Cinque per me e cinque per te. »

Giulia non rispose. Pareva che stesse riflettendo, con una mano sulla bocca.

« Scommetto che con una lira si possono comprare dieci caramelle » disse Carla.

Giulia manifestò un imbarazzo improvviso. « Andiamo a casa, Carla » disse. « Ho da fare le lezioni. »

« Che lezioni? » domandò Carla.

« Un problema » disse Giulia. « È difficile, è un problema sulle frazioni. »

« Oh, siete già alle frazioni? » disse Carla. « Bene, lo farai dopo mangiato. »

Giulia non disse nulla, e continuava a guardare nella vetrina pensando.

« Se si vuole, » disse Carla con lentezza « se si vuole, si possono comprare, dieci caramelle. »

Giulia la guardò seriamente. « Perché parli? » disse. « Noi non abbiamo soldi. »

« Se si vuole, si fa presto a fare una lira » disse Carla, sempre con lentezza.

Ancora Giulia stette in silenzio, fissando i dolci.

« Be', sei diventata muta? » disse Carla.

Giulia girò gli occhi su di lei. « Io non ho coraggio di domandare la carità » disse. « Mi vergogno troppo. Anche l'altra volta mi sono vergognata. »

« Sei stupida » disse Carla. « Perché vuoi vergognarti? Loro hanno le tasche piene di soldi, e te ne danno, perché tu non ne hai. Anche se ti dessero una lira tutto in un colpo, non se ne accorgerebbero neanche. »

« Fallo tu » disse Giulia.

« Credi che abbia paura? » disse Carla irritata. « Lo faccio, ma coi soldi che prendo compro le caramelle per me sola. Guarda come si fa. »

Osservò bene intorno, e appena vide un signore uscire dalla pasticceria gli si appiccicò al fianco, con la mano tesa. Dopo due o tre passi il signore le porse una moneta, ed essa tornò trionfante. « Hai visto come si fa? » disse.

« Quanto ti ha dato? » domandò Giulia.

« Venti centesimi. »

« Mostra. »

Carla aprì gelosamente la mano, e Giulia poté vedere per un attimo la piccola moneta lucida.

« Prova anche tu » disse Carla.

« No, no, mi vergogno » disse Giulia in fretta.

Con un'aria di grande indifferenza Carla disse: « Bene, io me ne vado ».

Giulia la lasciò allontanarsi, ma poi la rincorse fra la gente, fino a che le fu di nuovo a fianco.

« Aspetta » disse.

« Cosa vuoi? »

« Aspetta. »

Carla si fermò e le fissò gli occhi addosso. « Allora domanderai la carità? »

Giulia accennò di sì con la testa.

« Tu ci metti sempre troppo tempo a fare le cose » disse Carla. « Sbrigati, adesso. Io sto attenta che non vengano le guardie. »

« Stammi vicina » disse Giulia. « Ho più coraggio, se mi stai vicina. »

« Fa presto » disse Carla. « Non stare lì come un'oca. E non smettere se prima non hai fatto una lira. » Essa si portò fuori dalla corrente delle persone che camminavano, e si mise a guardare in giro, come per distrazione.

Giulia rimase sola e cominciò ad osservare turbata le facce di quelli che passavano. Tutti camminavano disinvolti. E doveva essere perché mangiavano bene e avevano bei vestiti e certo non gli mancavano i soldi in tasca, che erano così disinvolti. E non si accorgevano di lei. Pensava che se l'avessero vista così com'era, con le scarpe e i vestiti logori, le avrebbero fatto la carità anche senza che lei la chiedesse. Ma pareva che nessuno si accorgesse.

Carla le faceva segni di sbrigarsi, e lei sentiva la confusione crescere dentro. Dei pensieri improvvisi le venivano alla mente. Bisognava farsi coraggio, perché nessuno si accorgeva di lei. Avrebbe chiesto la carità a cinque persone soltanto, e avrebbe cominciato da una signora. Le sembrava più facile cominciare da una signora.

Venne avanti una signora ben vestita, e la bimba fece un gesto timido, e ritrasse immediatamente la mano, e la signora proseguì senza darle niente. Forse non l'aveva neanche vista.

Provò con un'altra signora, e questa si fermò, e si mise a

cercare nella borsetta, per un tempo troppo lungo. Infine le diede una moneta di rame.

« Grazie » disse la bimba, e la voce le uscì asciutta, avvilita dall'attesa troppo lunga.

Pensò di chiedere a un signore, adesso. Ne aspettò uno che sembrasse buono, ma poi si sbagliò del tutto circa la bontà del signore. « Via, via » egli disse seccato, e lei si ritrasse vivamente, e andò a finire tra le gambe di un altro signore.

Il nuovo signore si fermò a guardare verso il basso quella bimba sudicia che gli era capitata addosso. La vide mortificata, quasi sul punto di piangere. « Cosa vuoi? » domandò.

La bimba che in un primo momento aveva alzato la testa, ora la riabbassò, mettendosi a guardare le mani che teneva strette davanti. Da lei non venne alcuna risposta.

« Mendicante? » domandò ancora il signore.

La bimba stava ostinatamente con la testa bassa, e il signore non poteva vedere se non i suoi capelli quasi biondi, legati in due gruppi, con della fettuccia nera, e le sue scarpe in fondo, sformate e senza più colore.

E intanto la gente continuava a passare vicino a loro, e la bimba pensava che adesso l'avrebbero messa in prigione, e avrebbe già voluto esserci, in prigione, e non trovarsi più in quel posto. Invece il signore le aprì una mano e vi mise una moneta.

La bimba impiegò molto tempo a rendersi conto della cosa, e quando volle vedere il signore, egli non c'era più, né lo poté distinguere tra la gente che camminava. Non si ricordava neanche come fosse il suo viso, e neppure di che colore fosse il vestito, e tuttavia continuò a guardare tra la gente, con gli occhi incantati e una grande commozione nel cuore, perché aveva incontrato la bontà sulla terra, per la prima volta nella sua vita.

Sentì Carla che la chiamava, e allora corse da lei, ancora turbata e con gli occhi lucidi.

« Cos'hai? » domandò Carla.

« Niente » essa rispose, e con un gesto lento le porse la

moneta lucida che le aveva dato il signore, e poi anche quella di rame, che aveva nascosto in una tasca. « Uno solo mi ha dato cinquanta centesimi » disse.

Carla prese le monete e le osservò. « Non sei arrivata a una lira » disse.

La commozione per avere incontrato la bontà sulla terra fu un poco sciupata nel cuore di Giulia. « Basta, oggi basta » essa disse.

Carla ebbe un'espressione di dispetto, ma si dominò, e disse con semplicità: « Bene, vuol dire che compreremo meno caramelle, allora ».

Insieme tornarono alla grande pasticceria e discussero intorno alla qualità di caramelle che avrebbero comprato. Era Carla che sarebbe dovuta andare a comprarle. Così, quand'ebbero scelto, essa camminò in direzione della porta, ma passò avanti senza entrare. Quindi tornò indietro, guardò ancora attraverso la porta, e non entrò.

Venne da Giulia, cercando di nascondere l'imbarazzo. « Ho pensato, » disse « ho pensato che se non c'è una lira, è inutile entrare qui, perché qui costano troppo. Forse costano più di dieci centesimi l'una. Conviene andarle a comprare da un'altra parte. »

Giulia avrebbe voluto protestare. Più di ogni altra cosa desiderava quelle caramelle, le caramelle della grande pasticceria. Tuttavia seguì Carla senza dir nulla. Già sapeva cosa avrebbe eventualmente fatto Carla, e neanche lei aveva coraggio di entrare nella grande pasticceria.

Camminavano in fretta, ora, senza più interessarsi alla gente o alle vetrine. Tornarono nella via da dove erano venute. Là vi erano degli altri negozi, scuri e modesti, dove era più facile entrare e farsi dare ciò che si voleva.

Poi, succhiando cautamente le caramelle, e a passi lenti, quasi cercando di perdere tempo, le due bimbe si avviarono alla loro casa di via San Bernardo. Vi giunsero quando già cominciava la sera.

Nella cucina la luce era spenta e il poco chiarore che entrava dalla strada faceva apparire le cose tutte di un uguale color cenere. Dentro doveva esserci la vecchia, ma non si vedeva. Le bimbe si fermarono esitanti presso la porta.

Solo dopo qualche istante la voce della vecchia si fece sentire. Era sgradevole, rauca e profonda, come la voce dei vecchi. « Ah, siete qui? »

« Sì » disse Carla.

« E dove siete state finora? »

« In giro » disse Carla.

« In giro, eh, vagabonde? E adesso vorreste mangiare, non è vero? »

Carla non sapeva bene cosa rispondere. « Sì » disse, senza convinzione.

« Bene » disse la vecchia. « Non c'è niente da mangiare. Fino a che non torna tua madre non c'è niente. » Pareva come se fosse soddisfatta di ciò.

Le due bimbe erano ferme, allineate contro il muro. Non si preoccupavano molto per il tono della vecchia, e neanche per il mangiare si preoccupavano. Sapevano che poi la madre di Carla sarebbe tornata portando qualcosa da mangiare. Portava sempre qualche cosa, magari solo il pane e il latte che comprava coi buoni della congregazione di carità, o anche cibi avanzati dalla casa dov'era a servire.

Un po' di tempo corse via, quindi Giulia chiuse la porta e accese la luce e prese dalla cartella il quaderno d'aritmetica per lavorare sulla tavola. Sempre seduta nell'angolo la vecchia non parlò, e le bimbe capirono che il momento difficile del ritorno era ormai superato. Carla venne a sedersi di fronte a Giulia, e si mise a guardarla oziosamente.

« Tu non hai niente da fare, Carla? » domandò Giulia.

« No, » disse Carla « non ho voglia. »

Neanche Giulia aveva voglia, eppure il pensiero di andare a scuola domani senza aver fatto le lezioni la spaventava. Non le riusciva ancora di fare come Carla. Piegò la testa sul quaderno, e a lungo meditò intorno al problema sulle frazioni che non le veniva. Nessuno parlava nella cucina.

Poi tornò la madre di Carla. Era una donna passata, molle e grassa, con un viso sofferente che non mutava mai espressione. Depose sulla tavola il latte e il pane, molto pane, e formaggio, e un gran pezzo di carne.

La vecchia venne dal suo angolo, e guardò prima le cose che la donna aveva portato, e poi la donna in viso, curiosamente. « T'han pagato? » domandò.

« Sì » rispose con stanchezza la donna.

« Allora hai finito? » domandò la vecchia. « Anche lì hai finito? »

La donna alzò le spalle e si diede da fare per preparare la tavola. « La carne la mettiamo via per domani » disse.

Cominciarono a mangiare in silenzio, tristemente. Anche le bimbe avevano capito la causa dell'inattesa abbondanza.

Poi la donna prese a parlare, con una voce quasi priva d'espressione. « Mi hanno mandata via anche questa volta » disse. « Io non so cosa fare, se mi mandano via. Appena vengono a saperlo, mi mandano via. »

La vecchia e Giulia fissavano la roba da mangiare. Carla invece alzava ogni tanto gli occhi sulla madre, cercando di capire se oltre le parole c'era qualche altra cosa che essa non diceva.

« Non posso trovar posto in questa città » disse la donna. « Già tre case che mi mandano via, e io non ho colpa. Così ho pensato d'andarmene. »

« Dove? » domandò la vecchia.

« Non so ancora » disse la donna. « A Napoli, forse. Quelli dell'agenzia m'han detto che cercano delle serve a Napoli, perché ci sono i bombardamenti. S'incaricano loro di scrivere. Pagano anche il viaggio. »

« Perché vuoi andare così lontano? » disse la vecchia. « Non potrai più andare a trovare Augusto, e poi quando verrà fuori... »

« Quando verrà fuori... » ripeté la donna, interrompendola.

La vecchia non andò avanti col suo discorso.

E la donna disse: « Io non ho la forza di restar qui ad aspettarlo per cinque anni. Qui non si può vivere, se non trovo lavoro. E poi sono stufa, stufa, di lui e di tutto. Mi sono rovinata la vita con un uomo che non ha fatto altro che maltrattarmi e ubriacarsi, e non ha mai avuto voglia di lavorare, e quando si è messo a rubare si è fatto prendere come uno stupido ».

« Allora è perché non ne vuoi più sapere di lui, che vai lontano » disse la vecchia.

La donna non rispose.

« E tua figlia? » domandò ancora la vecchia. « Non vorrai mica lasciarmi tua figlia, vero? Ne ho abbastanza dell'altra. Son due vagabonde, senza voglia di far niente. Vedrai cosa ne salta fuori fra due o tre anni. Io non voglio responsabilità. »

« Sta tranquilla » fece la donna. « Ti manderò dei soldi. »

Più tardi le bimbe salirono nella loro camera, e sentirono le donne discutere ancora. Quindi anche le donne salirono a dormire, e nella piccola casa ci fu solo silenzio.

Fin che rimasero sveglie, le bimbe ripensarono un poco tutti i fatti di quella giornata. Avevano compiuto un nuovo passo nella vita, si erano arricchite di nuove esperienze e sensazioni, liete e dolorose, che sarebbero rimaste per un tempo più o meno lungo nella loro coscienza, ma che comunque avrebbero contribuito a formare di loro ciò che dovevano essere nel mondo.

Il padre di Carla era in prigione, e sarebbe uscito fra cinque anni, nel 1945. Un tempo spaventosamente lontano. E la madre di Carla sarebbe andata a Napoli, forse, un luogo spaventosamente lontano, dove c'era la guerra, e gli aeroplani andavano qualche volta a bombardare. E il problema sulle frazioni non era venuto. E nella via principale, fra le meraviglie e i desideri e le cose e le persone, una di loro aveva incontrato la bontà sulla terra, un uomo sconosciuto che le aveva dato cinquanta centesimi, senza che lei neanche li chiedesse.

Il pensiero del domani le sfiorava appena, fatto di povere

cose. Una caramella che ciascuna di esse aveva conservato per mangiarla appena sveglia, e poi la scuola, e poi non si sapeva.

Dei passi battevano sulla strada, e il suono arrivava fino a loro. Era gente che passava per la via di San Bernardo, andando in qualche postribolo. Cose che non entravano se non vagamente nel loro pensiero. Tuttavia sapevano dove quella gente andava, e cosa andava a fare.

Nella camera vi era la lampadina accesa, che pendeva col filo al centro del soffitto. Giulia non riusciva a prendere sonno, a causa di quella luce. Voltata verso la parete, cercava di ripararsi in qualche modo con le braccia e le coperte, ma egualmente non riusciva a prender sonno. E fuori pioveva.

Pioveva spesso in quei giorni, perché era il principio della primavera, e i vecchi muri del quartiere di Sant'Agnese per l'umidità s'incrostavano di salnitro. Le acque del fiume scorrevano sempre con poco rumore, ma gialle, con forte odore di melma e di muschio, che si sentiva per le strade e perfino dentro le case.

Carla stava seduta al tavolino, di fronte ad un pezzo di specchio scuro, e provava vari modi di tenere i capelli. Ogni sera si preparava i capelli, prima di mettersi a letto, ma mai era rimasta tanto tempo a guardarsi nello specchio.

Giulia per un poco l'aveva osservata, come muoveva le mani e le braccia, e quali pieghe faceva prendere ai capelli. Poi si era stancata di osservarla, e aveva cercato di prender sonno voltandosi verso la parete, e non ci riusciva a causa della luce. Ascoltava il rumore smorzato che faceva la pioggia di fuori sulle tegole del tetto. Di quando in quando gente passava sotto i portici della strada, parlando forte, o anche cantando. Forse erano già le undici.

Ad un certo momento sentì Carla scostare la sedia e muoversi pianamente per la camera. Essa si girò per guardarla.

Carla era ritta vicino alla lampadina, con il cappotto posato sulle spalle e i piedi nudi, e teneva in mano il suo vestito bello, di colore rosso. Per un pezzo esaminò attentamente il vestito, poi con un'aria soddisfatta lo stese sulla sedia, e portò la sedia accanto al letto.

Allora s'accorse che Giulia la stava osservando. « Oh, sei ancora sveglia? »

« Non riesco a prender sonno, con la luce. »

« Dio, come sei delicata » disse Carla, un poco scherzando.

Parlavano sottovoce, quasi sussurrando, per non farsi sentire dalla vecchia che dormiva nell'altra camera.

Giulia guardava Carla con ammirazione. Non s'era preparata per la notte, ma proprio pettinata, in un modo che le stava molto bene. S'era tirati i capelli all'indietro, lasciando scoperte le orecchie, e li aveva legati con un nastro che passava sotto la nuca e si annodava al sommo della testa. Un nastro rosso come il vestito, che spiccava sui capelli scuri. Pareva più alta con quella nuova pettinatura, e meno bambina.

« Come stai bene, Carla » disse Giulia. « Girati, fammi vedere anche di dietro. »

Carla lasciò scivolare il cappotto sul pavimento, e si girò lentamente con la grazia studiata di una modella. Stava bene anche di dietro. I capelli le scendevano leggeri e mossi fino alla linea delle spalle, e le spalle erano rotonde, e nude, perché Carla aveva indosso solo la camicia.

« Bello » disse Giulia. « Ma perché l'hai fatto questa sera? »

Carla non rispose. S'era inginocchiata sul proprio letto, e rideva con la bocca, con gli occhi luminosi, con tutto il viso pieno e felice. Si stringeva i fianchi con le mani e gonfiava il petto per far risaltare il seno non ancora bene sviluppato. « Sono bella, non è vero? Dimmi che sono bella » diceva, e Giulia rispondeva di sì con la testa, e anch'essa era contenta.

« Vorrei avere uno specchio grande » disse Carla. « Vorrei vedermi tutta, anche senza camicia. »

« Mettiti sotto, stupida » disse Giulia ridendo. « Non senti che fa freddo? »

Carla scosse la testa e i capelli le ondeggiarono intorno. L'eccitazione le illuminava meravigliosamente il viso. Era davvero bella.

« Sarei contenta di diventare bella come te » disse Giulia.

« Se sarai buona » disse Carla con serietà scherzosa. Ma poi disse, senza più scherzare: « Sei un po' in ritardo con lo sviluppo, Giulia. Ma diventerai bella anche tu ».

Giulia la guardò un poco. « Sei curiosa, questa sera. »

Carla riprese a ridere, come nascondendo qualche cosa.

« Dimmi perché ti sei preparata così » disse Giulia troppo forte.

« Zitta » disse Carla con improvvisa asprezza, e corse alla porta per spegnere la luce.

« Dimmelo, Carla » insisté Giulia sottovoce. « Hai preparato anche il vestito nuovo. »

« Uh, come sei noiosa » disse Carla. « Mi è venuto in mente di far così, ecco. Non c'è nessun motivo. »

Giulia rimase in silenzio, bene attenta nel buio. Sentì Carla salire sul letto, e poi qualche breve movimento ancora, ma non doveva essersi distesa. Doveva esser soltanto seduta sul letto, e non si muoveva più. Forse non voleva sciuparsi i capelli. Tuttavia non poteva stare in quella posizione tutta la notte, per non sciuparsi i capelli. Guardò meglio nell'oscurità, ed ebbe l'impressione di vedere proprio l'ombra di Carla seduta. « Carla? » chiamò.

Carla rispose prontamente, con tono seccato. « Ho sonno. Lasciami dormire. »

Giulia fu certa che era seduta, e la curiosità le fece passar subito la voglia di dormire che aveva prima. Voleva vedere cosa sarebbe successo.

Molto tempo passò con lentezza, e fuori pioveva leggermente. Carla non si muoveva, e non si sentiva neanche il suo respiro, e questo voleva dire che era sveglia. Sempre si sentiva il suo respiro, quando dormiva. Di tanto in tanto qualcuno passava sotto i portici, perciò non era ancora l'una.

Quindi uno fischiò nella strada due volte lo stesso motivo.

Allora Carla si mosse con prudenza. Scese dal letto e cominciò a vestirsi nel buio. Dalla strada il motivo si ripeté altre due volte, più forte. Nella fretta Carla scosse la sedia, e stette un attimo immobile, ascoltando. Si sentì ancora il fischio ripetuto. Camminando sulla punta dei piedi scalzi, Carla uscì dalla camera e corse giù per le scale. La porta di casa si aprì con un rumore troppo forte.

Giulia aveva trattenuto perfino il fiato, per la paura di farsi sentire, ed ora si mise a sedere, con il cuore che le batteva forte. Anche Carla era arrivata a quel punto, dunque. Tutte ci arrivano prima o dopo, lei lo sapeva bene. Ma che ci fosse arrivata proprio Carla era un pensiero che la turbava. Credeva che fosse ancora troppo piccola per quelle cose.

Improvvisamente la luce si accese.

Giulia si buttò distesa e avrebbe voluto fingere di dormire. Ma ormai la vecchia era lì sulla porta, e guardava un poco lei e un poco il letto vuoto e sfatto di Carla. « Dov'è? » domandò.

Giulia non poté rispondere.

« Hai capito? » chiese ancora la vecchia. « Dov'è Carla? »

« Non so » disse Giulia. « Credevo che dormisse. »

La vecchia aveva un'espressione dura e odiosa, col suo volto pieno di rughe e gli occhi infossati e la bocca senza labbra. Appariva calma, tuttavia. « Ah, sì » disse. « Staremo a vedere. »

Uscì dalla camera, ma ritornò subito dopo con lo scialle nero. Si sedette sul letto di Carla, rivolta verso la porta, e non parlò più.

Fuori si era messo a piovere più forte, e l'acqua batteva sul tetto e faceva rumore nella grondaia.

Giulia non riusciva a staccare gli occhi dalla vecchia. Vedeva la sua schiena curva e i suoi capelli mezzi gialli, tutti in disordine. Avrebbe voluto immaginare Carla, dov'era in quel momento e cosa faceva, e non poteva farlo, perché la vecchia era lì ad aspettare. Sarebbe accaduto qualcosa di cattivo.

Il tempo pareva fermo. E forse sarebbe stato bene, se fosse stato fermo, fino a disperdere l'odio e la paura. La vecchia stava immobile, e senza parlare. Ormai non passava più nessuno per la via di San Bernardo.

Esse aspettavano, e si scossero un poco quando finalmente

la porta di strada si aprì, e si richiuse con troppo rumore.

Sugli scalini di legno si sentirono appena gli ultimi passi, e poi Carla si affacciò tenendo le scarpe con una mano, e il viso preparato alla sorpresa per la luce accesa. Aveva i capelli appiccicati alla testa, miseramente dritti.

Vide, e si fermò sulla soglia, lasciando cadere le scarpe sul pavimento.

La vecchia allora si alzò dal letto e avanzò lentamente verso di lei e le si mise contro. « Dove sei stata? »

Carla non rispose. Guardava la vecchia negli occhi, con un'espressione irrigidita, che non rivelava alcun sentimento. Forse era lontana, con la sua mente.

« Dove sei stata? » domandò di nuovo la vecchia.

Neanche adesso Carla rispose, e la vecchia sentì crescere il furore, e la colpì sul viso.

A metà sollevata sul letto, Giulia guardava con spavento. Pensava che Carla si sarebbe ribellata, e certo avrebbe picchiato la vecchia, perché era più forte. Invece Carla si appoggiò alla parete e si mise a fissare il pavimento, sempre con l'espressione rigida.

Allora la vecchia cominciò a smaniare, gridando e agitando le braccia. « Dovevo immaginarlo che saresti finita così, col tuo temperamento » gridò. « Hai cominciato presto. Approfitti perché tua madre è rimasta a Napoli, e si trova dall'altra parte, eh? E credi di poter fare quello che vuoi con me, non è vero? »

Carla stava ferma, come se non sentisse, e la vecchia gridava sempre più forte. « Tua madre dall'altra parte e tuo padre in galera, e tu ti metti a battere le strade. Dimmi almeno chi è. È un signore? »

Questa volta Carla alzò gli occhi sulla vecchia, e subito li riabbassò facendo una smorfia.

« Ah » gridò la vecchia esasperata. « Un disgraziato, allora. Un disgraziato come te. E cosa dovrei farti io adesso. Dimmelo tu cosa dovrei farti. Mi sto rovinando la vita per darvi da mangiare, e tu ricambi in questo modo. Oh, ma sbagli se credi di poter fare quello che ti piace. Ormai che non ci sono più quei quattro soldi che mandava tua madre, dovrai stare sotto di me. E cambierà, subito da domani. Ti troverai un lavoro e sarai a casa all'ora che dirò io. E se non ti piace, te ne puoi anche andare. Vattene dal tuo disgraziato, vedremo se lui ti darà da mangiare. »

« Meglio di te » disse Carla rabbiosamente.

La vecchia rimase per un attimo senza parola, tra l'ira e la meraviglia. Quindi gridò: « Meglio di me, hai detto? Questa è la riconoscenza ». E nuovamente colpì Carla sul viso.

Carla non si mosse. Solo quando sentì il sangue scendere dal naso, prese di tasca un fazzoletto e cercò di fermarlo.

E come la vecchia vide il sangue, lasciò Carla e si rivolse a Giulia che era rimasta a guardare. « E tu non sapevi niente, non è vero? » gridò.

« No » disse Giulia.

« Non credere di ingannarmi con la tua aria da innocente » disse la vecchia. « Sei peggio di lei. Anche tu come tua madre. »

Giulia sentì un male dentro che la fece insorgere. « Lascia stare mia madre » disse duramente.

« Io lascio stare chi mi piace e chi se lo merita » gridò la vecchia. « E tu non permetterti di farmi osservazioni, se no ti faccio sentire il peso delle mie mani. »

Essa aveva alzato un braccio per minaccia, e Giulia guardava, e un odio profondo nacque in lei, e quasi un bisogno di venir picchiata. « Prova » disse sfidando.

« Prendi » gridò la vecchia. « Prendi. »

Giulia avrebbe voluto aspettare i colpi, sentire il male sul viso aperto, come aveva fatto Carla. Ma non ne ebbe la forza. Si buttò indietro e cercò di ripararsi con le braccia.

Più volte la vecchia percosse, con violenza, e intanto gridava. Ma Giulia non sentiva neppure. Era tutta presa da un dolore che non era quello delle percosse, o non quello solo. La vecchia aveva commesso qualcosa di sbagliato, contro di lei e forse anche contro Carla, ed era questo che dava maggior dolore. In ogni caso non avrebbe dovuto far così, la vecchia.

Ebbe voglia di piangere, e pianse silenziosamente, e poi si vergognò di piangere. Ora vi era silenzio nella camera, si sentiva di nuovo il rumore della pioggia sul tetto e nella grondaia.

Con sforzo si sollevò. La vecchia era uscita, e Carla stava sempre allo stesso posto, guardando il pavimento, e sembrava indifferente. Con movimenti distratti girava sotto il naso il fazzoletto ormai inzuppato di sangue.

Giulia scese dal letto e le andò vicina. « Mettiti a letto » disse.

« Oh, lasciami in pace » disse Carla.

« Vieni, Carla, vieni » disse Giulia dolcemente, e la condusse verso il letto, e la aiutò a spogliarsi e a distendersi. Le accomodò due cuscini sotto le spalle, perché la testa pendesse all'indietro, e le diede un fazzoletto pulito. Carla lasciava fare, quasi assente.

« Ti passa? » domandò Giulia dopo un poco.

Con la testa Carla fece segno di no.

« Resta così » disse Giulia. « Ti faccio un impacco freddo sulla fronte. »

« Lascia perdere » disse Carla.

Giulia andò a bagnare un asciugamano nell'acqua della brocca per posarlo sulla fronte di Carla. Poi indossò il cappotto e si sedette sul proprio letto. « Carla? » chiamò sottovoce.

Carla teneva gli occhi chiusi, ma non dormiva. « Cosa vuoi? » disse.

« Ti passa? »

« Sì, vai a dormire. »

Giulia aspettò un poco, pensando. Quindi disse: « Tu non mi avevi detto niente, Carla. Non mi dici mai niente. Avevi paura che parlassi? ».

Carla fece un gesto d'indifferenza.

« Cosa sei andata a fare fuori? » domandò Giulia. « Dovresti dirmi almeno questo. »

Carla accennò un sorriso svogliato, senza aprire gli occhi.

« Quanto sei stupida » disse. « Non lo sai cosa si va a fare con un uomo? »

« Proprio un uomo? » domandò Giulia.

« Ha diciassette anni » disse Carla.

Per qualche istante Giulia stette a meditare. Poi disse: « Mi piacerebbe conoscerlo. Me lo mostrerai, se lo incontreremo? ».

« No » disse Carla.

Ancora Giulia stette un poco senza parlare. « Neanche come si chiama, mi vuoi dire? » domandò poi.

« Tullio » rispose Carla.

Era un bel nome, Tullio. Un ragazzo che si chiamava Tullio. Essa non lo conosceva. « E siete stati proprio assieme? » domandò.

« Ma sì » disse Carla. « Come vuoi che te lo dica? »

Il viso di Giulia aveva una strana espressione, pensosa e sognante, mentre guardava Carla che stava distesa con gli occhi chiusi. « Io non so se tu abbia fatto bene o male, Carla » essa disse. « Non capisco molto di queste cose. Ma ormai che l'hai fatto, e se vi volete bene, io penso che non hai fatto male. Lo farei anch'io se trovassi uno da volergli bene. Sento che farei qualsiasi cosa. »

Carla non disse nulla, e allora Giulia domandò: « Tu gli vuoi molto bene? ».

« Sì » rispose Carla.

« E anche lui ti vuol bene, non è vero? »

« Sì » disse Carla. « Me lo dice sempre. E poi lo capisco, io, che mi vuol bene. »

« Allora potrebbe anche sposarti, non è vero? » domandò Giulia.

Carla perdette per un istante la sua espressione d'indifferenza. « Sicuro che potrebbe » disse. « Non subito, si capisce. Quando saremo più grandi. Lui adesso impara un mestiere. Vuol fare il meccanico. »

« Devi essere contenta, allora » disse Giulia.

« Del resto, » disse Carla « non è importante sposarsi. Lui

dice che non è importante. E neanche a me interessa molto. »

Giulia non seppe che dire, e rimase in silenzio a seguire i propri pensieri. Carla era immobile, e con una mano si teneva il fazzoletto sotto il naso.

« Come ti senti, adesso? » domandò Giulia.

« Il naso? » disse Carla.

« No » disse Giulia. « Tutto. »

Carla sorrise. « Bene » disse.

E poi disse ancora: « Mettiti a dormire, Giulia ».

Allora Giulia andò a spegnere la luce, e si mise a letto, e nonostante la stanchezza non riuscì per qualche tempo a prendere sonno, a causa dei molti pensieri che erano nella sua testa. Aveva un labbro gonfio e un po' rotto all'interno, e continuamente si passava la punta della lingua nel punto dov'era rotto. Ma non pensava a ciò, e neppure a Carla pensava, o alla vecchia, o alle cose cattive che erano accadute. Pensava a se stessa. Sentiva con le mani il proprio corpo, le gambe lunghe troppo sottili, il ventre piccolo e soffice, il petto magro, come quello di un ragazzo. Tuttavia sarebbe venuto il suo tempo, e allora lo avrebbe fatto. Quella era una cosa della vita che era ansiosa di provare, ne sentiva proprio una spinta dentro di sé, contro la miseria e la sofferenza di tutte le altre cose della vita. L'avrebbe fatto certamente. Solo che avesse trovato uno da volergli bene.

III

Era già passata l'ora del coprifuoco, e la città appariva deserta. Le lampade schermate sospese ai fili sopra le strade oscillavano per un po' di vento, e la macchia di luce azzurra sul selciato si spostava continuamente da una parte e dall'altra, con un movimento dolce. Nei giardini e nei viali esterni fiancheggiati da piante, quel po' di vento faceva anche rumore con le foglie nuove. Un treno fermo al semaforo ogni tanto fischiava.

Dislocati nei diversi quartieri, vi erano dei militari di servizio, a due a due. Quando camminavano, si sentivano lungamente i loro passi nelle strade, e anche le loro parole, quando parlavano. Nessuna luce usciva dalle porte o dalle finestre.

Poi, d'improvviso, suonò la sirena sulla torre della Signoria. Era un suono forte e profondo, che riempiva le strade e le case ed arrivava lontano per diversi chilometri nella campagna. Gli uomini di servizio si fermarono guardando verso il suono, anche quelli che non potevano vedere la torre.

La sirena suonò una volta, quindi smise per qualche secondo, e riprese, quindi nuovamente smise e riprese. Quando la sirena tacque per la terza volta, ci furono nella città alcuni istanti di silenzio. Poi gli uomini di servizio ricominciarono a camminare, e i loro passi a risuonare nelle strade.

Adesso ogni cosa aveva assunto un aspetto più incerto, perché le lampade si erano spente. Gli uomini potevano appena vedere gli archi scuri dei portici, o la linea delle case lungo la sporgenza dei tetti, o, se guardavano in basso, i loro piedi posarsi per terra come un'ombra. Tuttavia, man mano che si abituavano all'oscurità, pareva loro che una maggiore luce venisse dal cielo sereno, e riuscivano a vedere molte altre cose. Era una notte buona per le incursioni. In qualche posto ci sarebbe stato terrore e morte e distruzione.

Nuovi rumori si sentirono intorno. Delle finestre vennero aperte qua e là nelle case, e qualcuno si affacciò per guardare, e poi parlò forte con gli altri che stavano dentro. Il treno fermo al semaforo fischiò ancora, quindi si mosse, ma non si fermò nella stazione. Proseguì oltre, e dopo un poco lo si sentì passare con più forte rumore sopra il ponte di ferro sul fiume, e poi allontanarsi nella campagna.

Nuove persone uscirono nelle strade. Erano soldati che rientravano nelle caserme, e civili del servizio di protezione, che si affrettavano verso i posti di adunata. Qualche timoroso scese con delle coperte sotto il braccio e andò a sistemarsi nei rifugi.

Fin dove era giunto, il suono della sirena aveva tolto gli uomini al loro riposo e aveva portato inquietudine. Il pensiero di tutti era in ciò che sarebbe potuto accadere, anche se erano quasi certi che non sarebbe accaduto nulla. Già tante volte la sirena aveva suonato, e non era accaduto mai nulla. Tuttavia non potevano dormire, e l'ansietà li portava ad ascoltare i rumori. Sussultavano, se una finestra si scuoteva o se arrivava il suono di un motore. E l'inquietudine sarebbe durata in loro fino a quando il suono della sirena non si fosse fatto nuovamente sentire, annunciando che il pericolo di morire era passato.

Essa fu improvvisamente sveglia, e piena di paura per l'allarme. Tutte le volte che la sirena suonava di notte era così. Il cuore cominciava a battere disordinato e il respiro diventava difficile. Allora bisognava aspettare ferma e cercare di pensare ad altre cose, non alle bombe o alla morte, e in questo modo una parte di quella irragionevole paura se ne andava.

Ma mentre pensava, si ricordò di ciò che aveva promesso di fare, e uno sgomento la prese, maggiore della paura per l'allarme.

« Giulia » chiamò Carla sottovoce.

« Sì » essa rispose, e non si mosse, aspettando di vedere cosa avrebbe fatto Carla. Poteva anche darsi che avesse cambiato idea, o che pure a lei mancasse il coraggio.

La sentì muoversi rapida con i piedi nudi sul pavimento di legno, quindi provare sull'interruttore se vi era la luce, e infine dirigersi verso la finestra. L'aria fresca della notte e un po' di chiarore entrarono dalla finestra aperta.

« Sereno » disse Carla, e fu contenta.

Ma non rimase molto tempo a guardare il cielo e le stelle. Tornò in fretta alla sedia accanto al letto e cominciò a vestirsi.

Poi si accorse che Giulia non si era ancora mossa. « Che hai? » domandò. « Non ti alzi? »

« No » rispose Giulia con la voce incerta.

Carla smise di vestirsi e le andò vicino. « Perché non ti vuoi alzare? »

« Così. »

Carla ebbe un movimento d'ira. « Avevi detto che saresti venuta. »

« Sì, avevo detto » disse Giulia sommessamente. « Ma speravo che non sarebbe più venuto l'allarme. Non ho voglia di farlo, Carla. Non ho coraggio. »

« Alzati, non fare la smorfiosa. Devi venire, ormai che l'hai detto. »

Giulia fece uno sforzo per far uscire la voce ferma. « Lasciami stare » disse. « È una cosa che non mi piace. Va da sola, se vuoi. Io non dirò niente. »

Carla fu esasperata da quell'ostinazione puerile. « Ah » disse con disprezzo. « Hai paura di sporcarti, no? Proprio tu che sei una bastarda. Bastarda, ecco quello che sei. »

Sperava nella reazione di Giulia, invece Giulia non disse niente. Allora si allontanò per finire di vestirsi, e poi si pettinò al buio, e si mise anche le scarpe. Alla fine sostò indecisa. « Bene, non vuoi proprio venire? »

Giulia non rispose.

« Guarda, io vado lo stesso » disse Carla con ira. « Ma se succede qualche cosa, me la paghi, sai? Ti gonfierò il muso a forza di pugni. »

Aspettò per un poco che Giulia rispondesse, quindi le tornò vicina, e sentì che piangeva. « Ecco come sei » disse. « Quando non sai cosa fare, piangi. Mi vuoi dire almeno perché piangi? »

Giulia si mise a piangere più forte, facendo rumore col naso.

« È per quella parola che ti ho detto? »

« No, no » disse Giulia rapidamente.

« Ma sì. Confessa che è perché ti ho detto bastarda. »

« Non è solo per quello. Tu non puoi sapere perché mi sento così disgraziata. »

Continuava a piangere forte, ma Carla capì che ormai sarebbe venuta. Si sedette sul letto, cominciò ad accarezzarla e a parlarle con dolcezza. « Io non volevo dirti quella parola » disse. « Mi è proprio scappata di bocca, perché hai detto che non venivi. Ma verrai, vero? Devi venire. Ormai siamo d'accordo e mi aspetta, e io non voglio mancare. Potrebbe pensare che non gli voglio tanto bene, e non mi sposerebbe più. Anche a te dispiacerebbe che non mi sposasse più, non è vero? »

Giulia dovette inghiottire prima di rispondere di sì.

« Allora bisogna che vada, capisci? Ma non posso andar da sola. La vecchia indovinerebbe di sicuro, e hai visto l'altra volta cos'ha fatto. Le hai prese anche tu che non ne avevi colpa. »

« Sì » disse Giulia.

« A me basta che andiamo fuori insieme. Dopo puoi magari fermarti nel rifugio e aspettarmi là. Farò presto, vado soltanto perché mi veda. Poi torneremo a casa subito, anche se non è finito l'allarme. Verrai, non è vero che verrai? Su, tieni i vestiti. Ti aiuto io a metterli. »

Giulia scese dal letto ed ebbe un brivido in tutto il corpo. « Fa freddo » disse svogliatamente.

« È solo la prima impressione. Se ti muovi un poco non lo senti più. »

Giulia cominciò a vestirsi, ma dopo un momento si fermò. « E la nonna? »

Carla provava un grande desiderio di picchiarla. « Ci penserò io alla nonna » disse.

« Devi dirglielo che andiamo fuori. Se no non vengo. »

Per qualche istante Carla non parlò né si mosse. Poi disse con calma: « Vado a dirle qualche cosa perché non stia in pensiero. Tu preparati, intanto ».

Essa uscì dalla camera e Giulia la sentì parlare con la vecchia. Capiva ogni tanto delle parole, ma non il senso del discorso. La vecchia doveva fare un mucchio di domande. Forse non le avrebbe lasciate uscire, e lei lo sperava, perché non aveva voglia di andare con Carla. Continuò a vestirsi senza fretta.

Tuttavia era già pronta quando Carla venne di ritorno. « Cos'ha detto la nonna? »

« Niente » disse Carla. « Andiamo, presto. Cerca di non far rumore. »

Presero ciascuna una coperta e camminarono in punta di piedi verso le scale. Ma la vecchia le sentì egualmente, e chiamò Carla. Esse si fermarono sui primi scalini, aspettando.

« Carla » chiamò la vecchia più forte.

« Accidenti » disse Carla. Diede a Giulia la propria coperta, e la spinse verso il basso per farle capire che doveva scendere. Quindi risalì sul pianerottolo e si affacciò alla camera della vecchia. « Cosa vuoi? » domandò secca e aggressiva.

« Andate via? » disse la vecchia ansiosamente. « Andate via senza di me? »

« Ma sì » disse Carla. « Te l'avevo detto prima che si andava giù. »

« Non capisco perché andiate giù. Non siamo più andate nel rifugio da molto tempo. »

« Sì » disse Carla. « Ma questa volta ho paura. E anche Giulia ha paura, per questo andiamo giù. Ma tu puoi restare, se non hai paura. »

« No, no » disse la vecchia. « Vengo anch'io. Non ho coraggio a star sola in casa. »

« Vestiti, allora, fa' presto » disse Carla, e fece per muoversi.

La vecchia se ne accorse. « Mi aspetti, non è vero, Carla? » domandò sospettosamente.

« Sicuro, ti aspetto sotto in cucina. Basta che ti sbrighi. » Scese in fretta le scale per non dar tempo alla vecchia di farle altre domande.

Giulia aspettava in cucina, al buio. « Perché ti ha chiamata? » domandò.

« Niente » rispose Carla.

« Come niente. Ti ho sentita parlare per molto tempo, e anche prima avete parlato per molto tempo. »

Carla aveva già aperto la porta. « Andiamo, » disse « te lo dirò per la strada. »

Uscirono lasciando la porta socchiusa, e s'incamminarono verso la via grande di Sant'Agnese. Fuori ci si vedeva meglio. I sassi umidi del selciato prendevano un po' del chiarore della notte. E quando le case dall'altra parte non erano troppo alte, si poteva vedere anche qualche stella, attraverso l'arco dei portici.

« Allora, cosa ti ha detto la nonna? » domandò Giulia.

« Me lo domandi per farmi dispetto? »

« Perché? »

« Non vorrai darmi da intendere che t'importa molto della vecchia, adesso. »

« Sì, che m'importa. »

Carla fece qualche passo in silenzio. Quindi disse: « Bene, voleva sapere dove andavamo, ecco tutto. Io non sono neanche entrata nella sua camera. Non mi piace l'odore che c'è là dentro. È sporca, sai. Io non l'ho mai vista lavarsi sotto ».

« E tu cosa le hai detto? » domandò Giulia.

« Le ho detto che andavamo nel rifugio perché avevamo paura, cosa volevi che le dicessi? » Camminava con molta fretta, e ad un certo punto prese un vicolo a sinistra. Non voleva passare per il rifugio di via San Bernardo.

Giulia stentava a starle dietro. « E non ha detto che sarebbe venuta anche lei? » domandò.

« Chi? »

« La nonna. »

« Stai ancora pensando alla vecchia » disse Carla ironicamente.

« Ma non ha detto che sarebbe venuta? » domandò di nuovo Giulia.

« Sì, ha detto così. Ma non verrà di sicuro. È troppo pigra per muoversi. »

Sbucarono in una via poco più larga del vicolo, e passarono sotto i portici.

« E se davvero va nel rifugio e non ci trova? » domandò Giulia.

« Oh, sei sempre lì a pensarci » disse Carla con impazienza.

« Ma io voglio sapere. »

« Bene » disse Carla. « Se proprio va nel rifugio e non ci trova, le racconteremo una storia qualsiasi. Deve cambiare anche lei, adesso che lavoriamo. »

Giulia non parlò, perché si stavano avvicinando a delle persone. Si scorgeva già la loro figura un poco più avanti, sotto i portici.

Carla rallentò il passo, per apparire disinvolta.

Erano tre soldati, che chiacchieravano con una donna anziana vicino ad una porta. La porta era aperta, e dentro si vedeva un corridoio lucido, con un po' di luce gialla che usciva da una stanza interna.

Anche i soldati smisero di parlare, e guardarono le due ragazze mentre passavano, con curiosità ma senza dir nulla. Poi uscirono dai portici e si misero in mezzo alla strada, ad osservare la striscia di cielo tra le due file di tetti.

« Si vede niente? » domandò la donna anziana, che era rimasta vicino alla porta.

« Fifa, eh? » disse uno dei soldati.

« Dev'essere una cosa seria presentarsi al Padreterno, con tutte le tue campagne » disse un altro soldato ridendo.

Anche gli altri due risero forte.

Quindi il terzo disse: « Andiamo, ragazzi. Ci metteranno dentro, se arriviamo tardi ».

Partirono insieme verso la piazza del Duomo, dov'era la caserma dell'artiglieria, e tutta la strada fu piena del rumore delle loro scarpe chiodate. Andavano fuori dai portici, guardando la striscia di cielo stellato, non per paura, ma perché era bello.

Le due ragazze avevano ripreso a camminare in fretta.

« Si sono divertiti, quelli » disse Carla pensando ai soldati.

Giulia non disse nulla.

Voltarono per la via grande di Sant'Agnese, verso le mura. E subito videro due ombre che venivano incontro a loro lentamente. Ancora dei soldati, ma questi erano di servizio, perché avevano l'elmetto in testa e il fucile sulla spalla.

Carla prese Giulia per mano, e tentò di passare, come se non li avesse visti.

« Ehi, » disse uno dei soldati « dove andate? »

« Al rifugio » rispose Carla, fermandosi. Dietro a lei si fermò Giulia, tutta paurosa.

« Come, andate al rifugio da queste parti? » domandò il soldato. « Non avete un rifugio nella vostra strada? Ognuno deve andare nel rifugio della sua strada. »

« Ma noi andiamo al rifugio sotto le mura » disse Carla. « È più sicuro. »

« Uh, » disse il soldato scherzosamente « quanta paura hanno le signorine. »

Carla prese di nuovo la mano di Giulia, e passarono oltre i soldati.

Il soldato che aveva parlato le guardò allontanarsi, e sorrideva. « Gallinelle » disse al suo compagno. Insieme ripresero a camminare.

Poco dopo essi sentirono un'altra persona venire avanti senza fretta, fischiettando. Quando fu vicina la fermarono. Era un ragazzo, con un berretto da ciclista in testa.

« Dove vai? » domandò il soldato.

« Al rifugio. »

« Oh, anche tu. »

« Be' » fece il ragazzo « quando suona l'allarme la gente va nei rifugi, non vi pare? »

« Quante arie. Dove abiti? »

« Qui vicino, in via dei Ferraioli. »

« Allora torna indietro e va nel rifugio della tua strada. »

« Non posso andare nel rifugio che mi piace? »

« Torna indietro, capito? » disse il soldato. « Dopo il coprifuoco uno non può andare dove vuole. »

Il ragazzo capì che non bisognava insistere. Si voltò indietro e riprese a fischiettare, camminando però ad un passo più svelto. Quando fu abbastanza lontano dai soldati svoltò per una strada interna, fece un breve giro, e sbucò nuovamente nella via di Sant'Agnese, un poco più avanti.

Passò di fronte al rifugio senza entrarvi, e salì sopra le mura, nell'ampio viale con gli ippocastani. Allora fischiò un paio di volte, non molto forte, e subito vide uscire dal buio e venire verso di lui una piccola figura di ragazza.

L'uomo fu scosso dal sonno appena la sirena cominciò a suonare. Sentì i tre colpi dell'allarme dalla torre non molto distante. Si aveva l'impressione che il suono fosse qualcosa di morbido che andava lontano, come dei cerchi d'onda in un'acqua ferma.

Egli fece ogni sforzo per rimanere immobile. Assurdamente sperava che sua moglie non si fosse svegliata.

Ma la donna parlò quasi subito nel buio. « È l'allarme, vero? »

« Sì. » Stettero fermi e silenziosi per qualche tempo, ascoltando i rumori.

Sentirono un treno dalla parte della stazione, e fischiò una volta, e poi un'altra volta lungamente. Quindi la macchina sbuffò con fatica.

« Senti come soffia lento » disse la donna.

« È perché si mette in moto » disse l'uomo. « Dev'essere un treno merci. »

Lo sbuffare del treno divenne sempre più affrettato e lontano, e poi finì.

Ancora l'uomo e la donna rimasero fermi e silenziosi nel buio, aspettando i rumori, e non ne sentivano alcuno. C'era sì qualche rumore solito, lo scricchiolare dei mobili e un ronzio nelle condutture dell'acqua o altrove, ma non entrava nel loro pensiero, perché non era quel genere di rumori che essi aspettavano. Qualcosa poteva venire da fuori, ed essi erano in attesa di quello, benché pensassero che non sarebbe venuto.

Quindi l'uomo frugò nel comodino, intorno alla lampada che rimase spenta. Allora accese un fiammifero e guardò l'orologio. « Non è ancora l'una » disse.

« Speriamo che non duri molto, » disse la donna « altrimenti domani sarai stanco, in ufficio. Son diversi giorni che sei sempre stanco. »

« C'è molto da fare, adesso » disse l'uomo.

Prima che il fiammifero si spegnesse, egli aveva acceso una sigaretta. Cercò di concentrarsi nel gioco che faceva la brace ogni volta che aspirava. Tuttavia non poteva distrarre il pensiero da ciò che sarebbe potuto accadere.

La donna non poté restare a lungo ferma.

Egli la sentì scendere dal letto e muoversi come cercando

qualche cosa. « Vuoi che accenda la candela? » domandò.

« Basta un fiammifero. Non riesco a trovare la vestaglia. »

Egli accese un fiammifero e poté vedere la donna nella lunga camicia da notte bianca. Essa trovò subito la vestaglia. Da come si muoveva, si capiva che era nervosa.

Il fiammifero si spense, ed essi rimasero nuovamente nel buio.

« Sei sempre nervosa, quando viene l'allarme » disse l'uomo. « Non dovresti essere così nervosa. Qui non c'è nessun pericolo. »

« Non è per noi che ho paura » disse la donna. « Lo sai che penso a lui, in questi momenti. »

L'uomo sorrise. « Sii ragionevole, cara. L'abbiamo mandato in collegio per essere più tranquilli, e invece ti agiti sempre per lui. »

« Capisco, » disse la donna « ma è più forte di me, non so cosa farci. Non è che abbia proprio paura, sai. Non so neanch'io cosa provo. Vorrei che fossimo tutti insieme quando c'è pericolo, solo questo vorrei. Così se capita qualcosa a lui, capita anche a noi. »

L'uomo non rispose. Soltanto disse: « Finirà anche questa guerra, speriamo ».

« Speriamo » ripeté la donna. Si avvicinò alla finestra e tirò con forza la cinghia della serranda. Sollevandosi, la serranda stridette nel silenzio, e forse in qualche posto qualcuno sussultò per quel rumore.

L'appartamento che essi abitavano era in alto, al quinto piano di uno dei nuovi grattacieli. Dalla finestra la donna guardò lontano nella pianura, verso il piccolo paese dove suo figlio si trovava in collegio. Grazie a Dio, da quella parte tutto era buio e tranquillo. Bisognava essere proprio sciocchi per aver paura. Non sarebbero mai andati a bombardare un paese tanto piccolo.

Dal basso giunse a lei rumore di gente che camminava parlando forte. Li si udiva bene, nonostante fosse così in basso, e dovevano essere soldati, perché facevano molto rumore con le scarpe. La donna guardò sotto, e non vide niente, naturalmente, solo buio, ma immaginò i soldati che camminavano parlando. Li immaginò allegri, poveri ragazzi.

Poi i soldati girarono dietro la casa verso il Duomo, ed essa non li sentì più, e tuttavia continuava a guardare.

Tutto quel buio era il quartiere di Sant'Agnese, molti tetti addossati gli uni agli altri, con sempre qualche tegola nuova in mezzo alle vecchie, e fra i tetti le spaccature strette e bizzarre delle strade. Più in là vi era la chiesa, così alta che pareva sola in mezzo alle case. Non la vedeva, ma poteva pensarla. E dopo vi erano le mura, e la stazione, e più in là ancora le case della periferia andavano man mano mescolandosi con il verde grigio della campagna. E ancora più in là vi era un piccolo paese che neanche di giorno si scorgeva bene, essendo troppo lontano. Là suo figlio certamente dormiva, perché il suono della sirena non arrivava tanto lontano. E sopra ogni cosa vi erano le stelle, e una notte tranquilla.

« Torna a letto, cara, prenderai freddo » disse la voce dell'uomo alle sue spalle.

Essa si voltò leggermente con la testa. « Lasciami stare ancora un poco. È così bello. »

Era calma, ora. Sentiva solo una lieve esaltazione, nel sangue e nella testa, un senso buono che veniva dall'aria che sapeva di fiume e di primavera, dalla notte e da quel po' di vento, e dai suoi stessi pensieri che erano in accordo con le cose.

Ancora un rumore giunse a lei dal basso, cominciando di lontano. Era una motocicletta che andava adagio a causa del buio, ma facendo un grande rumore. Per molto spazio all'intorno si diffondeva un rumore così grande. E la gente dentro le case ne tremava, e anche dopo aver riconosciuto il rumore stentava a calmarsi.

Doveva essere una motocicletta militare, senza silenziatore. E chi sa dove andava, a quell'ora. Il rumore lentamente si fece più vicino. La motocicletta passò la casa e proseguì oltre, e sempre il suo rumore arrivava, in modo vario ripercosso dalle case.

Il rumore durò forse tre minuti, e poi durò ancora nell'aria, diverso, ma la donna non capiva, perché non ci pensava. In ogni istante il nuovo rumore si faceva più forte e diverso. Allora la donna guardò il cielo sopra la città, e sentì che veniva di lassù. Certo, doveva essere un aereo amico, così solo, ma intanto lei tremava tutta, e non poteva muoversi né parlare. Solo guardare, poteva. E subito vide accendersi e rimanere sospeso nel cielo un grappolo di luci bianche. Sembravano dondolare leggermente nell'aria.

E l'uomo che guardava verso la donna vide d'improvviso la figura di lei farsi scura contro la luce che stava al di fuori. Allora si precipitò alla finestra. Scorse la città illuminata, e nel cielo un grappolo di luci bianche, e poi un altro grappolo che si venne accendendo. Dei motori ronzavano molto in alto. Da un tetto dalle parti di San Sebastiano una mitragliera cominciò a lanciare dei proiettili rossi verso i grappoli di luce. I proiettili salivano uno dopo l'altro, lenti pareva, sempre più lenti, e morivano con un piccolo scoppio.

« Andiamo, andiamo » disse l'uomo affannosamente.

Ma la donna guardava e non poteva muoversi. Proprio sentiva che le gambe non potevano muoversi. In tutto il cielo cresceva la luce e il rumore dei motori.

« Muoviti » gridò l'uomo scuotendola, e l'afferrò per un braccio e la trascinò fuori verso le scale. La gabbia dell'ascensore era vuota e inutile.

Cominciarono a scendere. In qualche pianerottolo di sotto una donna gridò un nome più volte, in un modo che faceva paura, e poi tacque. Si sentivano anche dei passi, in fondo, e degli usci che sbattevano. Dal lucernario veniva un chiarore bianco come quello della luna, ma più vivo e diffuso, che non produceva quasi ombre. Ogni cosa appariva evanescente ed estranea, in una luce così bianca.

Scesero qualche gradino. La donna camminava a stento e l'uomo stava al suo fianco sorreggendola. E intanto i rumori al di fuori diventavano più forti. Centinaia di motori erano nel cielo della città. Poi si aggiunsero i rumori delle bombe che cadevano, come qualcosa che succhiasse l'aria orribilmente.

La donna capì subito che erano bombe, benché non avesse mai udito prima un rumore simile. Sembrava proprio sopra la testa e diventava sempre più orribile. Sentì un primo colpo di vento sul viso, e dei vetri che si rompevano, e poi lo scoppio delle bombe coprì ogni altro rumore. La casa si scosse e i gradini ondeggiarono sotto i piedi. Essa si fermò appoggiandosi al muro con la schiena e le braccia distese. Guardava l'uomo, come implorando con gli occhi dilatati, e la bocca aperta che pareva urlasse.

L'uomo gridò qualcosa che si perse nel fragore, e scosse la donna e la percosse. Lei aderiva al muro con tutte le sue forze, e sempre lo guardava implorando.

L'uomo fece per sollevarla, ma non poté, perché ormai la casa traballava sotto di lui. Allora anch'egli si appoggiò con la schiena al muro e attirò la donna nelle sue braccia. Essa perse ad un tratto la sua rigidezza, e gli si abbandonò ansando, con gli occhi chiusi. Ecco, così andava bene, non avrebbe sentito più nulla. Egli la strinse forte, quasi cercando di proteggerla, ed era sereno, perché non l'aveva mai amata tanto.

L'ultima cosa di cui si accorse fu un vento caldo che veniva dal basso e li sollevava contro il muro, e il muro dietro le sue spalle cedeva, cedeva, e non li sosteneva più.

Dovevano esserci delle altre persone in fondo, che ogni tanto si scambiavano delle parole sottovoce. Ma essa non aveva voglia di avvicinarsi a quelle persone, e neppure di ascoltarle. Si sedette per terra da un lato, con la coperta sulle spalle. Là dentro faceva freddo e umido. Era un sottopassaggio per pedoni, solido e stretto, con il soffitto a volta. Davanti ai due ingressi avevano costruito dei ripari contro le schegge, non molto alti, e l'arco della volta rimaneva coperto.

Doveva prepararsi a passare là dentro chi sa quanto tempo. Strinse le ginocchia al corpo, e vi appoggiò le braccia, e sulle braccia appoggiò la testa. Si sentiva stanca a causa del sonno interrotto a metà, e scontenta, per la nonna rimasta sola, e per Carla che era fuori e non sarebbe tornata tanto presto, e per quello che sarebbe accaduto poi a casa.

Teneva gli occhi chiusi, pensando, e così non s'accorse della luce che veniva da fuori. Ma improvvisamente una donna si mise a gridare, e allora essa alzò lo sguardo.

Scorse alcuni volti tutti eguali e pallidi nell'ombra, e l'arco verso il cielo con una luce bianca e viva, che sempre più aumentava. Giungeva debole, ondeggiando, il rumore di un aereo. Poi cominciarono a sparare, da qualche posto.

Ebbe un istante di smarrimento, ma appena riuscì a capire si alzò e corse fuori. Le strade e le case apparivano sotto la luce chiara, e non si vedeva nessuno.

« Carla! Carla! » chiamò intorno, con tutta la sua voce. Quindi rimase a guardare il cielo in una specie di stupore. Vi erano tre grappoli di luci sospesi sopra la città, e verso di essi salivano delle file di proiettili rossi, e l'aria lentamente si riempiva di un immenso rumore di motori. Era quasi bello, ma faceva venire freddo lungo la schiena.

Un ragazzo arrivò di corsa. La vide ferma sull'ingresso e vòlle spingerla dentro.

Essa cercava di liberarsi. « C'è Carla » diceva. « Carla. »

« Adesso viene » disse il ragazzo e la spinse dentro con più forza.

Carla arrivò subito dopo correndo. Già si sentiva il rumore delle bombe che cadevano. Era un rumore senza fine per chi aspettava, quasi che le bombe non avessero mai potuto raggiungere la terra.

Poi gli scoppi si seguirono gli uni agli altri, producendo un boato solo, e l'aria e la terra si scossero. Un po' di calcinaccio cadde dalla volta del rifugio, dando a quelli che erano dentro l'impressione di venir sepolti. Tutti urlarono per il terrore, e nessuno badò agli urli degli altri.

Essa sentì il sangue e il respiro fermarsi, e si appoggiò alla parete, temendo di svenire. Si portò le mani alle orecchie e chiuse gli occhi.

Durò pochi minuti, poi tutto parve tornare tranquillo. Si

udiva soltanto un rumore basso e confuso, con qualcosa che soffiava, ma piuttosto lontano. Una donna si era messa ad invocare Dio, e ripeteva la parola con spasimo.

Essa riaprì gli occhi, e fu come se rinascesse, perché nei momenti di terrore il suo pensiero si era spento.

Di fronte a lei stava un soldato, e doveva essere entrato durante il bombardamento, perché prima non c'era. Stava in piedi, ansante, con un'espressione dura sul viso, e fissava proprio lei, o piuttosto qualcosa dietro di lei, che egli vedeva passando attraverso la sua testa. Si sentì rabbrividire, e distolse gli occhi per cercare Carla.

Carla stava lì accanto, abbandonata contro il suo ragazzo, nascondendo il viso nella sua spalla. E il ragazzo di Carla aveva un poco l'espressione del soldato, dura e sperduta, ed anch'egli fissava nello stesso modo vuoto un punto sulla parete di fronte. Forse erano tutti morti. Anche lei era morta, anche la donna che invocava Dio con una voce eguale. Ecco che già si trovavano in un mondo diverso, come vivi e non più vivi, sconsolatamente ognuno per conto proprio. Era un senso di solitudine che faceva male.

Provò di nuovo a guardare il soldato, ed egli era ancora assente, ma subito si scosse. Un sorriso triste, quasi lontano, gli mosse dapprima le labbra. Quindi domandò: « Paura? ».

Essa voleva rispondere, ma non trovò la voce. Assentì muovendo più volte la testa.

Il soldato fece un passo in avanti e tese una mano per accarezzarle il viso. « Non è niente » disse. « Ormai è finito. »

La luce da fuori diminuiva rapidamente, ma aumentava il rumore profondo e confuso. La sirena cominciò a suonare a colpi brevi e ripetuti, che sembravano lamenti. « Chiamano aiuto » disse il soldato. « Adesso devo andare. »

Essa raccolse le sue forze. « Dove? » domandò.

« Non so. Io sono un militare. Penso che dovrò andare in qualche posto. »

Essa lo seguì con lo sguardo nella luce incerta mentre egli se ne andava, e quando non poté più vederlo sentì di nuovo pesare l'angoscia di essere sola. Carla era vicina, ed era come se non ci fosse. E il ragazzo di Carla e le altre persone, tutti erano inutili per la sua angoscia. Forse poteva andare dalla donna che invocava Dio, e unirsi a lei tanto per stare con qualcuno.

Ormai i grappoli nel cielo si erano spenti e dentro il rifugio non ci si vedeva più, ma attraverso l'arco si scorgeva un chiarore rossastro e nebbioso, che non era il chiarore della notte.

Essa guardava ancora l'ingresso da dove il soldato era andato via. E ad un tratto vide il cielo un'altra volta rischiarato dalla luce bianca e viva di prima. Adesso sarebbero tornati indietro a bombardare, e lei era lì sola, e il soldato era fuori, non sapeva dove. Avrebbe voluto correre a chiamarlo, ma era paralizzata in ogni parte del corpo, e le pareva anche di soffocare. Chiuse gli occhi con un desiderio grande di morire.

Molto tempo le parve di aspettare, poi una voce sicura gridò alla gente nel rifugio di mettersi per terra e di star calmi.

Essa riaprì gli occhi, ed era il soldato che aveva gridato. Guardò a lui per soccorso, ed egli la vide e le venne vicino sorridendo. « Sediamoci » disse. « È meglio. »

Essa si lasciò cadere lungo il muro, ed egli si sedette al suo fianco. Le tirò su la coperta che era scivolata dalle spalle, e rimase con un braccio attorno al suo collo. Sentì che tremava tutta. « Non devi aver paura. Qui siamo sicuri. Se non ci piglia una bomba in pieno siamo sicuri. »

« Sì » essa disse, ma aveva egualmente una grande paura, benché non fosse più il terrore disperato di quando era sola. Ora poteva aspettare di vivere, o anche di morire, e non sarebbe stata più una cosa tanto spaventosa.

Ascoltò il rumore dei motori che cresceva sopra ogni altro rumore, e sopra il lamento della donna che invocava Dio. Poi si sentirono le bombe che cominciavano a frullare cadendo.

Si rannicchiò convulsamente contro il soldato, e il soldato la tenne stretta, e piegò la testa sulla sua testa.

Alla fine venne il boato immenso, e ancora l'aria si scosse, e la terra si scosse dondolando e sussultando.

Durò anche questa volta pochi minuti. Tuttavia essa rimase aggrappata al soldato, anche dopo che fu finito. Sentiva il calore buono del suo corpo, e l'odore buono della sua giubba che sapeva di caserma. Le bastava ciò per non pensare a nulla.

A poco a poco nel rifugio tornò il buio. La sirena aveva ripreso a suonare lamentosamente.

Il soldato mosse il braccio dalle spalle di lei e con una mano le sollevò il viso. « Coraggio. Vedrai che non torneranno più. »

Ma essa scosse il viso dalla mano del soldato, e lo premette contro il suo petto, e si mise a piangere. Egli la lasciò piangere. La tenne stretta, mentre piangeva. Anche a lui faceva bene la vicinanza di quella piccola creatura spaurita. Almeno era un dolore solo a cui badare.

La lasciò piangere per un poco, quindi di nuovo le sollevò il viso. « Su, basta piangere adesso » disse. « Ormai tutto è finito. Non senti che è finito? »

Essa stentava a calmarsi. Continuava ad essere scossa da singhiozzi secchi che le venivano su dal petto, e con le mani si teneva ancora aggrappata alla giubba del soldato.

« Hò sentito il tuo cuore battere » egli disse. « Batteva forte. Avevi molta paura, non è vero? »

Essa disse di sì con la testa, e il soldato rimase un poco silenzioso, forse pensando, o forse cercando qualcosa di buono da dirle. Poi disse: « Ho anch'io una bambina a casa. Noi abitiamo in Piemonte ».

« Sì » essa disse.

« È piccola, la mia bambina » disse il soldato. « Ha appena tre anni, compiuti proprio il mese scorso. Ma diventerà grande, un giorno. Diventerà grande come te. »

« Sì » essa disse ancora.

« Tu come ti chiami? » domandò il soldato.

« Giulia. »

« La mia si chiama Mita. »

« Mita. »

« Mita è come Margherita » disse il soldato.

Essa capiva che il soldato parlava così tanto per consolarla, ma era lo stesso contenta che parlasse.

Due o tre persone entrarono nel rifugio dall'altro ingresso, ed uno si mise a gridare per raccontare ciò che aveva visto, e ripeteva sempre stupidamente le stesse cose. Fuori doveva essere accaduto qualcosa di spaventoso. Lei lo capiva, tuttavia non ci pensava né si addolorava per ciò. Una creatura umana da amare la difendeva dal dolore e dalla disperazione.

Ma la sirena continuava a suonare, chiamando aiuto, e il soldato disse improvvisamente: « Adesso devo andare ».

Essa non parlò, solo gli si strinse contro con più forza, ed egli non si mosse. « Sei sola? » domandò.

« No, c'è mia cugina qua dentro. »

« E fuori non avevi nessuno? Non hai famiglia? »

« C'è mia nonna » essa disse. « È rimasta a casa. »

Ancora il soldato domandò: « E dov'è la tua casa? Dentro o fuori le mura? ».

« Dentro. Nel quartiere di Sant'Agnese. »

Il soldato rimase alquanto in silenzio. Quindi domandò: « Volevi molto bene a tua nonna? ».

Essa pensava di mentire, ma non poté, perché il soldato era buono con lei. « No » disse. « Non molto. »

« Bene » disse il soldato. « Meglio così. » E subito si alzò.

Andò in fondo al rifugio dov'era la donna che spasimava invocando Dio, e l'uomo che voleva raccontare senza riuscirci, perché ripeteva sempre le stesse cose. Ma egli non sapeva cosa fare per quella gente.

Tornò presto dov'era la ragazza. « Adesso vado » disse. « Tu è meglio se aspetti che finisca l'allarme. »

« Sì » essa disse.

Il soldato stette ancora fermo, quasi incerto se dovesse andare o no. Infine disse: « Arrivederci, allora, Giulia ».

Essa si sentì mancare il fiato. « Grazie » disse, con sforzo, e non le riuscì di dire altro.

Del resto non avrebbe saputo che altro dirgli. Era assurdo dirgli così che gli voleva bene, o magari dirgli solo che restasse ancora un poco. Forse sarebbe restato, se glielo avesse chiesto. Ma lei non aveva coraggio per quelle cose. Già si sentiva vergognosa e come avvilita per essersi troppo abbandonata. S'accorse che andava via, e non seppe far nulla, né gridare né trattenerlo. Almeno ci fosse stato un po' di luce per vederlo un'ultima volta. Invece era buio, e lui uscì, e non poté vederlo se non come un'ombra.

E fu di nuovo sola. Di nuovo l'assalì l'angoscia della solitudine, più forte ora, perché lei amava il soldato, e lui era andato via, e questa volta non sarebbe più tornato.

L'arco sopra il paraschegge appariva rischiarato dalla luce rossastra e nebbiosa, che non penetrava dentro il rifugio. Era la luce degli incendi. Ed era il rumore del fuoco quello che si sentiva basso e confuso, con ogni tanto lo schianto improvviso di qualcosa che crollava. Forse tutta la città bruciava, dopo essere stata colpita.

Nel rifugio arrivava sempre nuova gente. Entravano nel buio senza badare a nulla, terrorizzati o disperati. Si mettevano a piangere o a gridare, oppure se ne stavano semplicemente lì, del tutto storditi.

Essa si alzò in piedi. L angoscia che aveva dentro cresceva in modo insopportabile. Qualcuno avrebbe dovuto esserci anche per lei, fra quella gente. « Carla! » gridò senza controllarsi. « Carla! Carla! »

« Cosa vuoi? » domandò Carla, vicino a lei.

Non le veniva da rispondere, non voleva niente. Carla non serviva per la sua angoscia né serviva l'altra gente che era lì dentro. E neppure la nonna serviva, se pur non era morta.

« Cos'hai da gridare in quel modo? » domandò Carla.

« Niente » essa rispose. « Niente. » E poi quasi subito domandò: « Cosa facciamo, Carla? ».

« Cosa vuoi fare? Aspettiamo che finisca l'allarme. »

« No, no » essa disse. « Cosa faremo dopo, quando sarà finito l'allarme. »

« Non so » disse Carla. « Faremo quello che fanno gli altri. »

Essa tacque. Carla era fredda, distante nel suo cuore, e non faceva nessuno sforzo per capire la sua pena e consolarla. Era inutile dirle delle altre cose. Forse era un destino per lei restare così sconsolatamente sola, essere di peso agli altri. Ormai non sarebbe stata che un peso per Carla.

Pensò di uscire e andarsene, non sapeva dove, nella città distrutta o in un altro posto qualsiasi, senza più nessuna delle persone che aveva conosciute prima. Poteva darsi che nel mondo ci fosse della gente buona. Aveva pur incontrato qualcuno che aveva avuto pietà di lei. Un uomo sconosciuto quand'era ancora bambina, le aveva dato cinquanta centesimi, senza che lei neanche li chiedesse. E un soldato sconosciuto aveva saputo consolarla, e si era fatto amare. Essi avevano agito così perché erano buoni. Poteva darsi che nel mondo ci fosse molta gente come loro, e allora non sarebbe stato difficile vivere.
« Carla, io vado fuori. Non posso più stare qua dentro. »

« Perché? »

« Ho bisogno di aria. Mi sento soffocare. »

Il ragazzo di Carla le cercò una mano. « Stai male? » domandò con una voce che non era cattiva.

« Non è niente » essa disse. « Mi passerà, appena vado fuori. »

« Se vuoi veniamo con te » disse il ragazzo di Carla.

« No, non importa » essa rispose affrettatamente.

« Va a sederti sulle mura » disse Carla. « Dopo verremo anche noi. »

Essa uscì e subito cercò intorno il soldato, e il soldato non c'era, naturalmente. Era da stupidi pensare che fosse lì ad aspettarla. E tuttavia aveva sperato che ci fosse, perché senza di lui non poteva andare. Le sarebbe bastato che l'avesse aiutata un poco, con la sua voce buona, e lei sarebbe andata. Ma così non poteva, non ne aveva la forza.

Salì sulle mura, proprio sopra il rifugio, e guardò verso la città. Si vedeva poco, a causa del fumo e della polvere. Ogni cosa era coperta da una grande nuvola, che era rossa in basso e scura in alto, e invadeva gran parte del cielo. Il vento la spingeva a sud, e dalla parte di settentrione, verso la periferia, qualche incendio appariva più chiaramente.

Si sedette su una panchina col viso tra le mani. Avrebbe aspettato Carla, per rimanere con lei, mantenendo la sua angoscia per la solitudine. Non doveva esserci altro modo di vivere, perché ogni persona era chiusa in se stessa, e non pensava agli altri, se non occasionalmente, come il soldato buono. Bisognava esser soli, e diventare più forti, e non avere molte speranze per la vita.

Il rumore del fuoco arrivava più distinto, là sulle mura, con l'odore della roba che bruciava. Di quando in quando un autocarro passava veloce e rumoroso sulla strada di circonvallazione. E la voce della sofferenza umana anche arrivava, con gemiti urli invocazioni.

Essa non badava a ciò. Solo ogni tanto alzava la testa, quando il rumore di un crollo improvviso la faceva guardare verso la città che bruciava.

IV

Centinaia di aerei avevano volato a lungo nella notte per raggiungere la piccola città. Dentro a ciascun aereo c'era l'equipaggio, ogni uomo col suo compito. Piloti, osservatori, radiotelegrafisti, armieri. Personale bene addestrato, di sicuro rendimento.

Gli uomini pensano, volando nella notte. Sotto c'è la terra scura, non si vede niente. Sopra ci sono le stelle, e le stelle aiutano a pensare. Così volando nella notte quegli uomini hanno pensieri, di cose lontane. Paesi che sono in un'altra parte della terra, ai quali essi appartengono, e ai quali sperano di tornare un giorno. Vi è in essi una inesauribile ansia di tornare a casa, che li rende un po' malinconici, ma che è anche il loro rifugio contro le difficoltà della vita. Sempre, nella noia o nel dolore, essi pensano di tornare a casa o a ciò che facevano ed erano prima.

Avvicinandosi alla città, gli uomini abbandonano i loro pensieri di cose lontane. Gli aerei si dispongono per il bombardamento. Formazione, quota, direzione di lancio. Tutti sono tranquilli perché è un'azione facile, che non toglierà a nessuno la possibilità di tornare a casa.

Un apparecchio leggero è andato avanti e ha lasciato cadere grappoli di razzi a paracadute. Gli altri si dirigono sulle luci. Da terra qualche mitragliera si è messa a sparare contro i razzi, ridicolmente. I proiettili salgono in fila e muoiono a mezz'aria.

Gli osservatori guardano in basso e riconoscono i luoghi che hanno studiato sulle carte, durante la preparazione per il volo. Ora seguono la linea ferroviaria. Avanti si scorge la stazione, grande come un pacchetto di sigarette, con i fasci dei binari e il cavalcavia. Poco più in là ci dev'essere il ponte di ferro sul fiume.

Pronti. Tutti a bordo hanno un attimo di tensione. Gli apparecchi sono sull'obiettivo.

L'obiettivo è una stazione, un cavalcavia, un ponte, dei fasci di binari. Così dall'alto sembrano giocattoli per bambini. Quelle cose si devono colpire, perché il nemico se ne serve per la sua guerra. Ma intorno e vicino ad esse ci sono delle altre cose, egualmente piccole come giocattoli per bambini. Sono le case della città, che sulle carte non sono segnate con i segni speciali che mettono in risalto l'obiettivo. Perciò si trascurano, è come se non ci fossero.

E si trascura anche che dentro le case vive la gente, molta gente. Forse la piccola città ha più di centomila abitanti, ora che tanti profughi vi si sono rifugiati dalle città vicine. Più di centomila persone cadute nel terrore. Hanno visto le luci e sentito i motori, e hanno capito.

Ma gli altri nel cielo non pensano a ciò. Essi non sanno nulla della gente che si preparano ad uccidere. Non sanno come parli e come viva, con quali speranze e con quali miserie. Non hanno mai visto nessuna di quelle centomila persone.

È gente che parla con antica dolcezza, che aspira ad una vita comoda e tranquilla, che non sa più fare molto, né per odio né per amore. Per ora si accontenta di vivere soltanto, arrivare viva alla fine della guerra, perché dopo si vivrà meglio.

E molti sperano proprio in loro, per il futuro migliore, in loro che sono tesi nell'attimo prima di toccare le leve.

E gli uomini nel cielo niente sanno di ciò, o non vi pensano. Anch'essi, quando si figurano la propria vita, se la figurano comoda e tranquilla, una bella casa e del lavoro giusto e della gente intorno con cui vivere in pace. Eppure un male universale ha dato loro la possibilità di uccidere delle persone sconosciute, così simili a loro stessi. Un male tanto grande, per cui essi portano terrore e morte e distruzione senza pensarci, con la coscienza di compiere un dovere.

Le loro mani hanno un gesto semplice per muovere le leve. Gli sportelli sotto le carlinghe sono aperti e le bombe scivolano nell'aria. Essi non possono sentire il rumore che fanno le bombe quando cadono.

Gli aerei sganciano in formazione, ed ogni formazione è ampia, copre la stazione e molte case intorno. Ansiosamente gli uomini che hanno tirato le leve guardano sotto, e osservano i lampi improvvisi delle dirompenti e le eruzioni luminose delle incendiarie. Colpi ben centrati, nei pressi dell'obiettivo.

Le formazioni compiono un largo giro e ritornano sulla città. Ormai anche quelle ridicole mitragliere hanno smesso di sparare. Sotto vi è una nuvola di polvere e fumo attraverso cui si scorgono appena gli incendi e l'eruzione delle bombe che continua. La stazione i binari il cavalcavia, tutto è coperto dalla nuvola che la luce dei razzi non riesce a penetrare. Essi sganciano nel mezzo. Con un così grande numero di bombe, con una così vasta zona bersagliata, l'obiettivo verrà certamente colpito.

Ora essi sono sulla via del ritorno. Per molti chilometri scorgono all'indietro il chiarore della città che brucia. Gli uomini si sentono soddisfatti. Niente antiaerea, niente caccia notturna, e una missione compiuta bene. Per un certo tempo il nemico non potrà più servirsi della stazione, dei binari, forse del ponte, se è stato colpito. E se per fare ciò essi hanno prodotto una somma di dolore umano che niente potrà cancellare, nessun bene mai sulla terra, questa è una cosa che non ha importanza. Essi non vi pensano, e non ne hanno colpa, a causa del male universale.

In breve si perde nella distanza il chiarore degli incendi, e gli uomini volano sotto le stelle.

Anche le stelle volano a una fantastica velocità verso i luoghi cui essi appartengono, in un'altra parte della terra. Appena tra qualche ora, così come sono adesso sulla loro testa, saranno sul Kentucky, sul Missouri, sulla California. E ognuno di quegli uomini che ha distrutto case e creature umane può pensare con amore ad altre case e ad altre creature umane.

Intorno a loro il numero della gente era aumentato. Persone si spingevano per trovare posto, ed altre protestavano, ed altre ancora si disperavano o volevano raccontare qualche cosa. Ogni tanto uno accendeva un fiammifero, e un po' di luce metteva in evidenza per un istante la grande confusione. Poi restavano di nuovo in un'oscurità dove la confusione si faceva ancora più grande. Quella era gente spaurita soltanto, che non aveva patito danni a causa del bombardamento.

Essi stavano seduti per terra, con le gambe raccolte, come isolati dagli altri. Carla si sentiva stordita. Stretta al suo ragazzo, seguiva dei pensieri lenti, non dolorosi. La gente era estranea, e migliaia di bombe erano cadute sulla città, e da fuori arrivava il rumore del fuoco. Tutto ciò si confondeva nella sua coscienza. Non era difficile da sopportarsi, essendo stretta a lui e volendogli bene.

Ma la mente del ragazzo era fuori, nella città colpita e nella sua casa. « Andiamo fuori anche noi, Carla » egli disse ad un tratto.

Essa si mosse appena con la testa. « Non è ancora finito l'allarme » disse.

« Non importa. Voglio andare a vedere. »

Essa percepì nella sua voce una determinazione nuova. « È per Giulia che vuoi uscire? »

Egli sorrise e si staccò da lei. « Andiamo. »

Carla lo seguì fuori dal rifugio. Le case lungo la circonvallazione interna apparivano intatte e nere contro il fumo rosso degli incendi che si levava dietro. Verso la stazione, e verso il centro, e verso il Duomo, ovunque c'erano incendi.

Salirono sulle mura e restarono qualche tempo a guardare in silenzio. Dall'alto si vedeva il chiarore estendersi più lungamente sopra le case, e tuttavia lo sguardo non poteva lo stesso arrivare molto lontano. Quegli incendi che erano davanti a loro erano tutti nel quartiere di Sant'Agnese. Più in là non potevano vedere cosa ci fosse, ma nel pensiero essi si figuravano una maggiore vastità di distruzione. Forse nulla era rimasto in piedi, di tutta la città.

Il ragazzo ebbe alfine un movimento furioso, ma subito ritornò calmo. « Dio buono » disse.

Carla era troppo confusa per parlare. Gli aveva preso una mano e non faceva altro che stringerla con un movimento incosciente delle dita.

« Chi sa cosa è successo là in mezzo » disse ancora il ragazzo. Pronunciava le parole con un tono di voce vuoto, come se non dicesse niente. E intanto non smetteva di guardare. Là in mezzo vi era fuoco e rovina, ed egli immaginava morti e vivi che bruciavano insieme, e gente sotto le macerie, che ancora dovevano morire. E poteva darsi che così, morte o moribonde, fossero anche le persone che lui aveva lasciate a casa. Non c'era da sperare molto sulla loro salvezza. Eppure la sua disgrazia particolare, l'aver perduto la casa e la famiglia, non lo colpiva con dolore. E neanche quell'altra distruzione più vasta, di tutta la città e di tutta la gente, lo colpiva con dolore. Ciò che provava era un sentimento diverso, esaltazione e commozione, perché quanto era accaduto era orribile e grandioso, e lui stava lì a guardare, un uomo sopravvissuto.

A poco a poco la commozione gli salì alla gola, ed egli non faceva niente per fermarla, perché gli pareva di sentirsi meglio così. Ma poi fu sul punto di piangere, e allora cercò

Giulia, e le andò vicino. Essa stava seduta sulla panchina, col viso tra le mani. La toccò su di una spalla. « Io sono Tullio » disse.

« Sì » disse Giulia senza muoversi.

Il ragazzo le prese le braccia. « Su, fatti vedere » disse. « Non ti conosco ancora. » Parlò con una voce volutamente indifferente, preoccupato di vincere quella stupida commozione che quasi lo faceva piangere.

Giulia sollevò la testa, docile. Il riverbero degli incendi toglieva pallore al suo viso, ma nell'espressione e negli occhi c'era angoscia e rassegnazione, ed egli credette di scorgervi paura. « Stai ancora male? » domandò.

« Mi sento meglio, adesso » rispose Giulia.

« Ma stai battendo i denti. »

Giulia strinse i denti per non farli battere, e tirò le labbra per sorridere.

« Hai freddo? » egli domandò.

« No. »

Egli le lasciò andare le braccia. Sentiva in lei qualcosa in cui era difficile penetrare, e non trovava parole da dirle. Si volse di nuovo verso la città che bruciava. I crolli adesso si seguivano con maggiore frequenza, e subito dopo ogni crollo in qualche punto le fiamme salivano più alte nel cielo.

« Ho paura che non resterà più niente delle nostre case » disse Tullio.

E Carla che stava attenta a lui domandò: « Cosa pensi di fare? ».

Il ragazzo la guardò quasi con meraviglia. « Non so » disse. « Qualche cosa bisognerà fare, ma non so ancora. » Tornò a guardare gli incendi. Sicuro, qualcosa bisognava fare. Quello che stava accadendo era troppo grandioso perché uno potesse starsene lì a guardare, senza far nulla. Così disse, con un mutato tono di voce: « Voi aspettatemi qui. Io andrò a vedere, e cercherò di far presto ».

« Vuoi andar subito? » domandò Carla preoccupata. « C'è ancora l'allarme. »

Il ragazzo si strinse nelle spalle. « Chi sa dove sono a quest'ora gli aerei » disse, e si mosse per andare.

« Aspetta » disse Carla risolutamente. « Veniamo anche noi. »

« Ma non hai paura? »

« No. Se vengo con te, no » disse Carla con la voce bassa.

Sul volto del ragazzo apparve un'espressione dura. « È meglio se vado da solo » disse. « Non dev'essere facile passare. E poi, penso che non sia roba da ragazze quello che ci sarà da vedere. »

« Non importa » disse Carla.

« Ma noi avremo bisogno di un posto, se siamo rimasti senza casa » disse il ragazzo. « Voi sistematevi nel rifugio in qualche modo, e tenete un posto anche per me. »

« No » disse Carla. « Veniamo con te. Ci penseremo dopo al posto. »

Il ragazzo si irritò. « Ma cosa vuoi venire a fare? » disse. « Passerò io da casa vostra a vedere quello che è rimasto. E se ci sarà tua nonna la porterò qui. »

« Io vengo con te » disse Carla. « Non devi lasciarmi sola. »

Il ragazzo fece un gesto di dispetto. Quindi si rivolse a Giulia e domandò: « Tu vuoi venire? ».

Giulia sollevò la testa e lo guardò, e poi guardò Carla. « Andiamo » disse alzandosi.

Appena sulla via di Sant'Agnese cominciarono a notare i segni della distruzione. I lati della strada erano ingombri di rottami caduti dalle case, e nell'aria c'era odore di fuoco e di polvere e di roba vecchia. A tratti arrivava il fumo degli incendi, che bruciava nella gola e negli occhi. La luce rossa del cielo veniva assorbita da un pulviscolo spesso, e non si riusciva a vedere lontano. Le poche persone che erano in giro apparivano e sparivano rapidamente. Era gente diversa da quella del rifugio, che non si agitava, e diceva appena le parole necessarie. Questi andavano per la strada o lavoravano a tirar fuori dalle case la loro roba e parevano tutti presi da ciò che facevano, andare o lavorare. Anche chiamandosi o lamentandosi, essi usavano dei suoni brevi e soffocati, o almeno così pareva, perché il rumore del fuoco era adesso più vicino.

Tullio andava avanti in silenzio, e le due ragazze lo seguivano, anch'esse senza parlare. A tratti Giulia si fermava perché aveva dei colpi di tosse violenta, forse a causa della polvere e del fumo.

Essi camminavano al centro della strada, per evitare il pericolo dei rottami che ancora potevano cadere dall'alto. La rovina si mostrava sempre più evidente. In certe case pezzi interi di muro erano crollati, e in certe altre il tetto aveva ceduto e attraverso le finestre in alto si vedeva il cielo rossastro dall'altra parte. Era là intorno che la gente si affaccendava di più a tirar fuori la roba.

Essi camminavano in silenzio, ciascuno con pensieri differenti. Tullio avrebbe voluto esser solo e libero, e faceva ogni cosa per mettere in evidenza il suo malumore. Forse sperava che sarebbero tornate indietro, se egli faceva così. Carla ne provava amarezza e dispetto, e si era chiusa, ma non sarebbe tornata indietro. Giulia capiva di essere esclusa da loro. Erano insieme, e non uniti, e camminavano in silenzio.

Trovarono un ferito disteso in mezzo alla strada, con una coperta fino al mento. Doveva essere grave, perché stava come morto e non si lamentava. Solo ogni tanto muoveva la bocca biascicando, e da questo si capiva che non era morto. Essi si fermarono a guardarlo, con un senso di rispetto e di pietà. Era il primo ferito che vedevano.

« Ma perché non lo portano via? » domandò Carla.

Una donna che si trovava accanto al ferito la udì. « Come vuoi che lo porti via? » disse aspramente. « Sulle spalle? »

Tullio riprese subito a camminare, ed esse lo seguirono. « Tu dovresti interessarti solo ai fatti tuoi, Carla » egli disse.

Carla strinse le labbra, ma non parlò.

Poco più avanti la strada era sbarrata, perché le case crollando avevano formato un solo ammasso di macerie. Dei soldati stavano lavorando per aprire un passaggio. Si sentiva picchiare e stridere fra le pietre e il calcinaccio. Un soldato che lavorava in alto sul mucchio cantava forte una canzone, e batteva il piccone a tempo. Ma nessuno degli altri lo seguiva.

Cercarono di passare per delle strade trasversali, ma ovunque là intorno le case erano crollate, e non si poteva andare avanti. Ritornarono nella via di Sant'Agnese, dove i soldati lavoravano.

« Ci vorrà molto tempo per passare? » domandò Tullio a un soldato.

Il soldato lavorava a caricare una carriola, ai piedi del mucchio di macerie. « Ci vorrà una settimana » rispose, e rise forte.

« Non dite così » disse il ragazzo. « Io devo andare a vedere la mia casa. »

Il soldato smise di lavorare e fissò curiosamente gli occhi su di loro nella luce incerta. « Mah, » disse « io non so quando finiremo questo maledetto lavoro. L'ordine è per le otto, ma se non viene qualcuno ad aiutarci, ci metteremo sul serio una settimana. »

Egli riprese a lavorare col badile, ma siccome gli altri non se ne andavano, si fermò subito. « Un disastro simile non l'avevo ancora visto » disse. « E sì che non è la prima volta che mi trovo sotto i bombardamenti. Una volta mi ci son trovato a Genova, e una a Milano, e due volte anche in Germania. Ma come in questo posto non mi era mai capitato. »

« Hanno fatto molti danni? » domandò il ragazzo.

Il soldato caricò svogliatamente qualche palata di macerie, prima di rispondere. « Eh, sì » disse con importanza. « Bombe grosse, che dove pigliano non lasciano niente. E sono andate a finire proprio dove la gente viveva come formiche. E poi, quello che manca qui è l'organizzazione. Oh, in Germania sì che c'era organizzazione, ma qui sono quasi due ore che è finito, e non ho ancora visto un'ambulanza. Se comandassi io, fucilerei quello che è a capo di questa faccenda. »

Uno che stava seduto sulle rovine senza far niente gridò verso il soldato: « Ehi, tu. Vuoi che venga io a farti lavorare? ».

« Subito, sergente » rispose il soldato, e caricò ancora qualche palata sulla carriola. Poi smise per parlare. « E ci mettono sotto noialtri, » disse « come se fosse il nostro mestiere. Quattro attrezzi malandati, e una montagna di rovine, e ci dicono che per le otto devono passare i pompieri. Chi sa, forse son convinti che noi possiamo fare miracoli. E poi, dove sono i pompieri? »

« Ci sono i pompieri » disse il ragazzo.

« I pompieri? » fece il soldato, e ancora rise. « Hanno messo la caserma dei pompieri proprio vicino alla stazione, e così sono andati a farsi fottere. Ho sentito dire che ne arriveranno degli altri, ma intanto qua brucia. Bruceranno anche i campanili, prima che arrivino i pompieri. »

Il soldato diceva quelle cose con un tono di voce strano, tra lo scherno e l'indifferenza. E il ragazzo stava costernato di fronte alle macerie. Ascoltava l'altro soldato che in cima al mucchio lavorava continuando a cantare da solo. Cantava: « Così sarà finita la nostra gioventù ». Certo, per loro doveva essere una cosa diversa. Venivano da altri posti, loro, non erano di quella città.

« Ma io devo andare a vedere » disse il ragazzo violentemente. « Non si può passare di sopra? »

« Io non so cosa tu voglia andare a vedere » disse il soldato. « Se fossi in te me ne andrei a spasso, piuttosto. Il più lontano possibile, me ne andrei. Ma se proprio vuoi vedere, prova a passare là a destra. Sono tutti passati di là, quelli che sono andati avanti. »

Tullio si rivolse a Carla. « Spero che tornerai indietro, adesso. »

« No. »

Il ragazzo la guardò con rancore. « C'è da passare tutta questa roba » disse. « Come vuoi fare a passarla? »

« Se passi tu, vuol dire che possiamo passare anche noi » disse Carla ostinatamente.

Egli non disse altro, ma si voltò e cominciò a salire il mucchio di macerie nel punto che il soldato gli aveva detto.

Andava avanti come se fosse stato solo. Carla lo seguiva da vicino, ma Giulia presto rimase indietro. Era meno robusta di Carla, e non coraggiosa, perciò trovava molta difficoltà a muoversi in mezzo alle macerie. I rottami franavano ad ogni passo, e non si sapeva come mettere i piedi, e c'erano delle grosse travi da scavalcare senza vedere dove si andava a finire dall'altra parte. E gli altri andavano sempre più avanti, ed essa cominciò ad aver paura. Chiamò Carla perché l'aspettasse. Allora Tullio tornò indietro, e le diede aiuto nei punti difficili, senza dire parola.

Più avanti trovarono un tratto di strada libera, e poi ancora uno sbarramento di macerie, dove degli altri soldati stavano lavorando. Passarono il secondo sbarramento con più facilità, perché non era molto lungo né alto, e subito scesero nella grande piazza di Sant'Agnese.

Si fermarono a guardare.

Sul fondo, dove la via proseguiva, c'era un grosso incendio, ed altri se ne scorgevano poco più lontano, così che l'aria era piena di luce e di rumore. Di quando in quando il fumo passava basso sulla piazza, confondendo la luce e la visione delle cose. Poi si sollevava ancora e lasciava vedere rovine e gente che si affannava a un alto mucchio di macerie dove prima era stato il campanile. Ma la grande chiesa era in piedi. I vecchi grossi muri avevano resistito ed anche il tetto sostenuto dagli enormi pilastri. Eppure anche la chiesa era diversa con quella mobile luce rossa sui mattoni.

Essi guardavano senza muoversi. Prima avevano provato il terrore di morire e l'esaltazione e il senso incerto che tutto fosse finito. Ma ora vedevano particolarmente le cose come erano cambiate. Essi si ricordavano bene la piazza come era stata prima, la conoscevano in ogni pietra e in ogni struttura. Fin da quando erano nati l'avevano vista come era stata prima. Là avevano giocato, e passato molte ore al sole nei pomeriggi d'inverno, ed era sembrato loro che una piazza non potesse essere che così, con le case disposte in quel modo, e il campanile messo in quel posto, proprio di quella forma. Era la piazza del loro quartiere, antica. Anche per i più vecchi, e per gli altri ancora prima dei più vecchi, fino alla memoria degli uomini, quella piazza era stata così, com'era prima. E adesso non era più come prima, non lo sarebbe più stata.

« Andiamo » disse Tullio.

Si avviarono verso il fondo della piazza, dov'era l'incendio. La gente che si muoveva nella luce rossa e confusa aveva un aspetto pauroso. Erano militari e borghesi insieme, e tutti portavano roba, o barelle con sopra i feriti e i morti. Da lontano erano come macchie scure, senza rumore di passi o di voci. Ma da vicino apparivano trasformati, con gli occhi scavati e scuri, e il resto del viso che risaltava troppo all'infuori.

Un soldato col fucile e l'elmetto li fermò all'estremità della piazza, e non li lasciò andare avanti perché la zona era pericolosa. Si accorsero che stupidamente erano andati per passare proprio dove c'era il fuoco. Ma anche all'imbocco delle altre strade soldati col fucile e l'elmetto facevano la guardia e non lasciavano passare.

« Ci sono le nostre case là avanti » disse Tullio a un soldato. « Forse qualcuno è ancora vivo. Dobbiamo andare a vedere. »

« Passano solo le squadre di soccorso » disse il soldato. « Voi non potete passare. »

Tullio provò ad insistere. « Noi siamo pratici delle strade » disse. « Siamo capaci di girare da per tutto. »

Ma il soldato non si lasciò convincere. « Se cercate qualcuno andate a vedere in chiesa. Quelli che trovano li portano tutti in chiesa. »

Essi tornarono indietro, verso la chiesa.

Si entrava da una porta sul lato lungo. In mezzo alla navata maggiore, sopra una cassa, vi era un lume ad acetilene, con una luce forte e cruda, e un odore acuto, e un lieve soffio nella fiamma. Chi si muoveva intorno al lume faceva delle ombre che andavano lontano sulle pareti e sul soffitto, mostruosamente grandi.

Vicino al lume i feriti stavano distesi sul pavimento, bambini e donne e uomini seminudi. Avevano le carni sporche e in qualche punto insanguinate, o anche bianche, nei punti dove non erano né sporche né insanguinate, e allora apparivano troppo bianche, come di cera. Quasi tutti avevano gli occhi chiusi, e un'espressione assente o sottomessa sul volto, e gemevano in un modo stanco, ripetuto. Solo quando i medici si chinavano a toccare le loro ferite essi si mettevano a urlare, e i loro urli riempivano la vasta chiesa.

Vi erano pochi medicinali, e i medici non potevano fare molto. Cercavano soprattutto di risparmiare il materiale. Qualche volta essi guardavano solo le ferite, senza toccarle, e si limitavano ad iniettare qualcosa nella carne, perché quella gente trovasse una via più facile per morire. Li portavano ad aspettare poco lontano, nell'ombra.

« Andiamo, andiamo fuori » disse Giulia.

« Ve l'avevo detto io, di restare nel rifugio » disse Tullio. Ma poi si voltò a guardarla, e la vide con il viso pallido e contratto, e gli occhi dilatati per la pietà e il ribrezzo. Allora la prese sottobraccio con tenerezza. « Andiamo » disse. « Noi non abbiamo niente da fare qua dentro. »

Andarono a cercarsi un posto dalla parte della facciata. Il portone era chiuso, e offriva un buon riparo dal fumo sotto il profondo arco dell'ingresso. Alcune altre persone si erano rifugiate in quel luogo, ma vi era ancora un po' di spazio nel mezzo. Si sedettero stretti l'uno all'altro, con la schiena appoggiata contro il portale. Anche le altre persone stavano sedute con la schiena contro il portale, e parlavano di rado. Pareva che su ognuno pesasse una stanchezza troppo grande per poter reagire.

« Ti passa? » domandò Tullio.

« Sì, mi è passato » rispose Giulia.

Stettero qualche tempo seduti senza parlare. Ogni tanto la tosse di Giulia tornava con violenza, benché lì non ci fosse molto fumo. E Tullio era irrequieto, non poté star seduto. « Adesso proverò a passare » disse, e tuttavia non si mosse.

« Non vuoi proprio restare con noi? » disse Carla.

« Proverò a passare » disse Tullio con forza. « Mi metterò insieme con una di quelle squadre di soccorso. Dovrei farcela a passare. »

Carla lo guardava, ma non disse nulla.

« Sei arrabbiata con me? » disse Tullio. « Te l'avevo detto di restar nel rifugio. Io adesso devo andare a vedere. »

Carla continuò a guardarlo, e non lo poteva veder bene perché gli incendi erano dall'altra parte della chiesa, e arrivava poca luce in quel posto.

Egli stette alquanto fermo, aspettando perché lei dicesse qualche cosa. Poi d'improvviso disse: « Bene, se vuoi aspettarmi ritornerò ». E corse giù per gli scalini e sparì oltre l'angolo, senza voltarsi indietro.

Esse rimasero sedute vicine, avvolte nelle loro coperte. Non avevano niente da dirsi, perché la loro pena non era la stessa pena. Aspettare dovevano, tutte e due, per questo stavano sedute vicine.

La sirena suonò la fine dell'allarme, mentre così stavano sedute, e non portò sollievo a nessuno nella città colpita. Questa volta era stato per loro, e non c'era da ringraziare Dio per il sangue e le case distrutte e le famiglie disperse. Nessuno si mosse di quella gente che era sotto l'arco d'ingresso, ed anch'esse rimasero ferme. Forse sarebbe venuto il sonno. Sentivano il cervello pesante, e gli occhi che bruciavano, e nausea nello stomaco vuoto. Giulia tornava a tossire ogni tanto, e quando l'accesso era finito le restava dolore nella testa e voglia di vomitare. Forse sarebbe venuto il sonno, a liberarle dal male che era in loro e attorno a loro.

A poco a poco si addormentarono.

Poi Giulia si svegliò per prima. L'aria intorno era grigia e le case grigie e il cielo grigio. Lei si ricordava vagamente di aver visto le stelle durante la notte passata. Forse anche adesso sopra il grigiore del fumo c'era il sole e il cielo sereno. Non volle più dormire. Si sentiva un po' meglio con la testa e la nausea, ma aveva il corpo freddo e intorpidito. Continuamente pensava di alzarsi, e intanto continuava a star seduta.

Carla dormiva distesa sulla pietra, tutta avvolta nella coperta, anche la testa.

Nuove persone erano venute a rifugiarsi in quel posto, e stavano sedute o distese sui gradini. Alcune dormivano, e altre avevano gli occhi aperti, con una espressione incantata o insensata negli occhi.

Arrivò una bambina che poteva avere nove anni. Aveva un braccio legato ad una stecca di legno, ed era a piedi nudi, con indosso solo la camicia e sulle spalle una giubba da soldato che le arrivava fin sotto i ginocchi. Era molto sporca.

Con uno sguardo lungo e sospettoso la bambina osservò la gente rifugiata nell'ingresso, forse per cercarsi un posto. Giulia le fece segno di salire. La bambina rimase per qualche tempo titubante, poi salì con prudenza in mezzo alla gente e andò a sedersi nel posto che Giulia le aveva fatto. Si sedette e rimase rannicchiata in se stessa, tremando.

« Hai freddo? » domandò Giulia. « Vuoi venir sotto la mia coperta? »

La bambina non rispose. Giulia le accomodò egualmente metà della coperta attorno alla persona, fino a coprirle i piedi. Allora un poco della diffidenza di lei si disperse, ma non cessava di tremare. Forse aveva la febbre.

« Ti fa male il braccio? » domandò Giulia.

La bambina scosse la testa. « Prima » disse.

« Quando, prima? »

« Quando me l'ha messo a posto » disse la bambina. Pronunciava le parole con una specie di cantilena, e pareva che facesse fatica a parlare.

« E non ti mandano all'ospedale? »

Ancora la bambina scosse la testa. « Non è rotto » disse. « È solo andato fuori posto. »

« Così non vai all'ospedale? »

« Ha detto di no » disse la bambina. Rispondeva sempre con un po' di ritardo. Giulia si distrasse a guardare la parte di piazza che si vedeva dall'ingresso della chiesa, e non domandò altro.

« Non ho mica pianto, sai » disse improvvisamente la bambina.

« Sì » disse Giulia, senza pensare.

Nella piazza i soldati avevano cominciato a fare qualche cosa. Portavano i morti e li allineavano per terra, con il viso verso il cielo. Mettevano da una parte gli uomini e dall'altra le donne, tutti in fila, e i bambini piccoli li mettevano insieme alle donne. La gente guardava senza parlare. La bambina guardava con aria indifferente.

« E tu sei sola? » domandò Giulia.

La bambina disse di no con la testa.

« E dove sono i tuoi? »

« Sono andati avanti. »

« Dove? » domandò Giulia.

« Non so » disse la bambina. Adesso aveva una piega sulla bocca, come se si sforzasse di pensare. Poi disse: « Loro erano avanti e la bomba è caduta dietro e mi ha buttato per terra. E poi mi sono persa e i soldati mi hanno trovata ».

« Ma dove sono i tuoi? »

« Non so. »

Rimasero un poco in silenzio, quindi la bambina disse: « Dovrebbero venire qui ».

« Forse » disse Giulia, e guardava i morti.

Molte persone di quelle sedute sull'ingresso se n'erano andate, e altre ne venivano e si sedevano per riposarsi e poi se ne andavano.

Più tardi Carla si svegliò, e subito scoperse la testa. « È tornato Tullio? » domandò.

Giulia fece segno di no.

Carla si alzò a sedere e si accorse della bambina che stava sotto la coperta con Giulia. « Chi è? » domandò.

« Non so. Aveva freddo. Si è fatta anche male a un braccio. »

Carla non disse nulla. Guardava il lavoro che i soldati facevano nella piazza.

« Carla, » disse Giulia « io non ho coraggio, ma se tu te

la senti dovresti andare a vedere là in mezzo se si trova la nonna. »

« Dopo » rispose Carla pensierosa. E quindi domandò: « Tu pensi che tornerà? ».

« Tullio? » domandò Giulia.

« Sì. »

« Sicuro che tornerà » disse Giulia, e si alzò per muoversi un poco. Ormai non faceva più tanto freddo, anche se non c'era il sole.

Esse aspettarono ancora per un lungo tempo, e poi Tullio tornò, con sulle spalle un gran carico di roba dentro una coperta. Con lui c'erano due ragazzi più piccoli, anch'essi carichi di roba. Apparivano affaticati e sporchi, ma tenuti vivi da un'animazione quasi allegra. « Vi ho portato un sacco di roba » disse Tullio.

Carla lo guardò con un'aria tra stizzita e ribelle, ed egli si fece serio. « Sei ancora arrabbiata? » disse. « Vedi che sono tornato. »

Lei non rispose, e si mise a guardare da un'altra parte.

Tullio allora si rivolse a Giulia. « Ho portato anche questi due ragazzi » disse « Sono soli come noi. Uno si chiama Antonio, e l'altro, non mi ricordo. Di', come ti chiami? »

« Mario » disse il ragazzo che non si chiamava Antonio.

« Ecco » disse Tullio. « Lui Mario e lui Antonio. Due ragazzi in gamba. »

Si erano seduti su uno scalino tutti insieme, eccetto Carla.

« Sei stato anche a casa nostra? » domandò Giulia.

« Sì » disse Tullio, e pareva non volesse dir altro. Invece dopo disse ancora: « Sono stato da quelle parti, ma non si capisce più niente. È andato giù tutto, non si vede neanche il segno, delle strade. E poi brucia. M'han detto che lasceranno bruciare tutto quello che brucia, perché non val la pena di far venire i pompieri. E poi non farebbero in tempo. Troppo lavoro per farli passare ».

« Case di gente disgraziata » disse un uomo che stava a sentire.

« I pompieri che arrivano li mettono a lavorare a San Francesco e a San Tommaso » disse Tullio. « Anche vicino al Duomo ce ne sono che già lavorano. Ma qui e alla stazione c'è troppa rovina. Dicono che non val la pena. »

« È perché siamo gente disgraziata » disse ancora l'uomo.

« E i tuoi? » domandò Giulia.

« Non so » disse Tullio. « Penso che sarà lo stesso per tutti. » Anch'egli guardava nella piazza, tristemente. Le file erano già molto lunghe, e i soldati continuavano a portare degli altri morti.

« Tullio, » disse Giulia « bisognerebbe cercare tra questi morti se ci sono i nostri. Carla potrebbe andare a vedere per la nonna. »

Tullio fece una smorfia con le labbra. « Se è morta è ancora là » disse. « Nessuno è andato a prenderli, quelli. »

« Gente disgraziata » disse l'uomo per la terza volta.

« E se fosse viva? » domandò Giulia.

« Se è viva la troveremo » disse Tullio. Poi fece ancora la stessa smorfia con le labbra. « Ma non è viva » disse, e subito si alzò. Anche gli altri due si alzarono prontamente.

« Andiamo via? » domandò Giulia.

« È meglio che cambiamo posto per vedere la roba » disse Tullio. « Troppi soldati qua in giro. »

« C'è una bambina » disse allora Giulia. « È sola anche lei si è fatta male a un braccio. I suoi sono morti, forse. »

« Sono andati avanti » disse la bambina.

Tullio osservò attentamente il viso della bambina che spuntava dalla coperta. « Vuoi venire con noi? » domandò infine.

La bambina scosse la testa per dire di no. Aveva di nuovo lo sguardo diffidente di quando era arrivata.

« Vieni con noi » disse Giulia.

« Ti porteremo all'Istituto di Sant'Anna » disse Tullio. « Tutte le bambine sole devono andare all'Istituto di Sant'Anna. Tua madre verrà a cercarti là, se è ancora viva. »

« Sono andati avanti » disse la bambina con convinzione.

« Bene » disse Tullio. « Allora li troveremo di sicuro per la strada. »

La bambina guardava Giulia, indecisa.

« Vieni » disse Giulia. « Se sono andati avanti dobbiamo andare avanti anche noi. »

La bambina si alzò, aiutandosi con il braccio sano. « Ci sono le suore? » domandò.

« Dove? » domandò Tullio.

« All'Istituto di Sant'Anna » disse la bambina.

« Eh, non so chi diavolo ci sia » disse Tullio. « Poi vedremo. »

Si misero in cammino per la via Sant'Agnese, verso le mura. Lo sbarramento di macerie breve, vicino alla piazza, era stato già rimosso per lo spazio sufficiente a far passare un autocarro. Sull'altro sbarramento invece stavano ancora lavorando, soldati e operai insieme.

Un soldato li aiutò a portare la bambina attraverso le macerie. Poi proseguirono sulla strada libera. Il cielo si schiariva a tratti, come quando ci sono delle nuvole basse che corrono. Un momento apparve anche il segno del sole, pallido e sfumato, ma subito fu coperto.

Tullio s'era messo a camminare vicino a Carla. Avanti a loro Giulia andava tenendo per mano la bambina, e più avanti ancora andavano i due ragazzi, curvi sotto i loro pesi.

Tullio disse: « Io penso che è meglio se anche voi andate all'Istituto di Sant'Anna, Carla. Là vi daranno qualcosa da mangiare, e forse anche un posto per dormire ».

Carla camminava con la testa bassa, e l'aria ribelle era sparita dal suo volto. « Perché, sei stufo di me? » domandò.

« Non è questo » disse Tullio. « Ma tu sei puntigliosa, e non vuoi capire che le cose sono cambiate, adesso. Io non posso star sempre attaccato alla tua sottana. Ho troppe cose da fare. Mi sono venuti tanti pensieri in testa stanotte, quando giravo tra tutte quelle rovine. È importante arrangiarsi, adesso. »

« Bene » disse Carla semplicemente, e cominciò a camminare con la testa bassa.

Tullio non disse più niente a lei. Gridò forte ai due che andavano avanti: « Oh, ragazzi! A noi servirebbe un carretto. Non importa, anche se è grande ».

I due ragazzi girarono un momento le teste. Uno di loro sorrise e gridò: « Bene, capo ».

Sulle mura dovettero cercarsi un po' di posto, perché il viale era pieno di gente sfollata dalle zone colpite. Molti avevano portato lassù quanto avevano trovato della loro roba e si erano accampati come degli zingari. Dei fuochi erano stati accesi in vari punti, e la gente stava intorno a scaldarsi, specialmente bambini. Quasi tutti erano scappati dalle case seminudi, come si trovavano a letto.

Tullio scelse uno spazio libero lungo il muricciolo delle mura. Tirando delle coperte tra un albero e il muricciolo, costruirono una specie di tenda, bassa e irregolare. Là sotto i ragazzi aprirono gli involti che avevano portato e tirarono fuori qualcosa da mangiare. Durante la notte avevano preso molta roba da mangiare nei negozi bombardati.

Mangiarono seduti per terra, in circolo. Poi i due ragazzi nuovi andarono a dormire sotto la tenda, e la bambina si mise a guardare le persone in giro, col suo sguardo lungo e diffidente.

Tullio e Carla erano seduti vicini, e non parlavano. Vi era dell'imbarazzo evidente, benché cercassero di nasconderlo. Tullio aveva raccolto uno stecco e faceva per terra dei segni senza senso. Carla guardava i segni che egli faceva, pensosamente. Ora qualcosa sarebbe dovuto accadere, tra loro due, andarsene ciascuno per la sua strada, o restare insieme. Ma il momento di prendere una decisione era venuto, e nessuno dei due si risolveva a parlare. Giulia stava seduta insieme a loro, aspettando.

« Tullio » disse finalmente Carla.

Egli non rispose, però fece un movimento con la testa, per farle capire che stava attento.

« Se tu vuoi, » disse Carla « possiamo restare con te. Ci basta poco. Possiamo allungare la tenda con le nostre coperte. »

Tullio non smetteva di far segni per terra. « Ne abbiamo molte di coperte » disse.

« Noi potremmo anche aiutarti » disse Carla. « Potremmo tenere in ordine la tua roba, e preparare da mangiare, se si troverà. »

« Questa sera distribuiranno della minestra calda » disse Tullio. « Per voi all'Istituto di Sant'Anna, e per noi alla Casa del Balilla. »

« E ci terranno dentro? »

« Non so. Penso che se uno vorrà andarsene lo lasceranno andare. Vi sarà anche troppa gente che vorrà star dentro. »

« Allora ci tieni con te? » domandò Carla.

« Se vuoi » disse Tullio.

Carla tacque, e sospirò profondamente.

Giulia aveva seguito attenta i loro discorsi. « Teniamo con noi anche la bambina? » domandò.

Egli considerò ancora a lungo la bambina. Essa continuava a starsene assorta, guardando la gente.

« Forse per lei sarebbe meglio andarsene all'Istituto » disse Tullio.

« Forse » disse Giulia.

« Perché? A te piacerebbe tenerla con noi? »

« Non so » disse Giulia. « Vorrei fare quello che è meglio per lei. »

Tullio sorrise, per il suo modo di dire le cose. « Ad ogni modo, » disse « prova a sentire da lei quello che vuol fare. »

Giulia si avvicinò di più alla bambina, inginocchiandosi di fronte a lei. « Vuoi restare con noi, o andare all'Istituto di Sant'Anna? » domandò.

La bambina non rispose, ma guardò Giulia con un'aria sorpresa, quasi sciocca.

« Non vuoi andare all'Istituto di Sant'Anna? » domandò ancora Giulia.

Sulla bocca della bambina apparve una piega, perché forse pensava. Poi domandò: « Ci sono le suore? ».

« Sì » disse Giulia. « Ci sono anche le suore. »

La bambina parve pensare ancora. « E tu non vieni all'Istituto? » domandò.

« Vengo ad accompagnarti, ma poi non posso restare. »

« Allora non voglio andare all'Istituto » disse la bambina.

« Bene » disse Tullio e buttò via lo stecco che ancora teneva in mano, e si alzò per allontanarsi di qualche passo. Si muoveva con una calma stanca, dondolando la persona. Andò a sedersi sul muricciolo, con le gambe penzoloni all'infuori, sopra il canale che circondava le mura.

Si mise a guardare in basso, intensamente o distrattamente. Si vedevano le erbe ondeggiare sul fondo, come delle bisce lente, e sull'acqua galleggiavano insetti dalle lunghe zampe, che somigliavano a dei ragni o a delle grosse zanzare. Si facevano portare per un tratto dalla corrente, e poi con uno scatto ritornavano in avanti, sempre allo stesso posto. Non si capiva perché facessero ciò. E la sponda dall'altra parte era tutta verde e bianca, verde per l'erba nuova e bianca per le molte margherite che erano tra l'erba nuova. E i platani al margine della strada di circonvallazione avevano le foglie già abbastanza grandi. E più lontano, ai limiti del sobborgo, c'era la luce del sole, e veniva avanti perché il vento un po' cambiato spingeva il fumo da un'altra parte. Si vedeva la luce del sole venire avanti lentamente sopra le case. E infine anche sulle mura ci fu un chiarore diffuso, e poco dopo la vera luce del sole, che dava calore e faceva ombre con gli ippocastani e con le tende e con la gente. E poi la luce del sole andò oltre, e Tullio volse la testa per seguirla sopra i tetti crollati, sopra i mucchi di macerie, fino ai primi incendi del quartiere di Sant'Agnese. Più in là non poteva andare perché il fumo continuava a levarsi denso e copriva ogni cosa. Si distingueva appena la grande mole della chiesa di Sant'Agnese.

Tullio girò di nuovo la testa verso il canale, e riprese a guardare quella specie di ragni che scattavano sull'acqua. Adesso il sole lo colpiva sulla testa e sulle mani. Si tolse il berretto e ne fece una palla che si mise in tasca. Faceva bene, il sole, essere certi che delle cose erano immutate sulla terra.

Carla gli venne vicino, appoggiandosi contro il muricciolo. Per un poco guardò anch'essa il canale, con gli occhi stretti, perché la luce del sole vi si rifletteva. Poi guardò lui nel viso. Egli appariva spossato e triste. Pure sotto lo sporco gli si vedevano i segni che le fatiche e la sventura di quella notte avevano lasciato sul suo viso. E Carla sentì una tenerezza così profonda che le tremò la voce nel parlare. « Io ti voglio più bene di prima » disse.

Egli ebbe sul volto un'espressione che non era ancora un sorriso, ma spostò una mano e la mise sopra la mano di lei, e ve la tenne per un pezzo, senza dir parola. E il cuore di Carla fu pieno di una tenerezza ancor più profonda, e di gratitudine.

Poi egli sollevò le gambe sopra il muricciolo e le posò a terra. « Bene » disse con indifferenza. « Tenterò di dormire un poco, prima di sera. »

Sul suo viso vi era adesso una serietà che lei non aveva mai visto. Era sparita la dolcezza di pochi istanti prima, quando le aveva tenuto una mano sopra la mano, senza parlare. Forse aveva lottato dentro di sé per vincere quella dolcezza che lo rendeva debole. Egli era un uomo, ormai, e voleva essere forte, e libero anche, pur restando con lei. E lei chinò il capo a guardare di nuovo l'acqua, e accettò, per quanto fosse doloroso. D'ora in poi sarebbe stato sempre così, un po' di tenerezza passeggera, e molte altre cose nella sua mente, alle quali lui pensava da solo. Sarebbe stato come un padrone, e non un buon padrone, forse. Già si indovinava dalla sua voce, com'era fredda e sicura, ch'egli voleva essere un padrone. « Andrete all'Istituto di Sant'Anna a prendere la minestra e quel che daranno » diceva. « Vi daranno anche del pane, di sicuro. Andateci presto, perché ci sarà da aspettare chi sa quanto a far la coda. Cercate di essere di ritorno per le sei. Mi sveglierai, alle sei. »

« Va bene » disse Carla.

D'improvviso egli tirò fuori da una tasca un oggetto e lo porse a Carla con un gesto brusco. « Tieni » disse. « Questo ti servirà per sapere quando sono le sei. »

Carla si voltò a guardare l'oggetto nella sua mano. Era un piccolo orologio da polso, di metallo bianco. Ebbe un gesto impreciso e poi si fermò. Sollevò gli occhi sul viso di lui, senza decidersi a prenderlo.

Anche Tullio la guardava, direttamente negli occhi, e a poco a poco la sua bocca si storse per l'amarezza. « No » disse. « Sta tranquilla che non l'ho preso ad una morta. »

Senza più guardarlo, Carla tese in avanti la mano e prese l'orologio. « Grazie » disse.

« Me l'ha regalato una signora » disse Tullio. « Me l'ha dato perché l'ho aiutata a uscir fuori dalle rovine. » Fece una lunga pausa, e poi disse ancora: « Ma tu devi imparare ad aver fiducia. Se non c'è fiducia non potremo stare insieme ». E subito si allontanò da lei e andò vicino a Giulia.

Giulia non si accorse di lui. Stava facendo un lavoro difficile con una lametta da rasoio sopra una coperta piegata in due e stesa sul terreno. Lavorava con grande attenzione, e la punta della lingua le spuntava infantilmente tra i denti.

« Cosa stai facendo? » domandò Tullio.

Essa sollevò la testa, allora, ed arrossì di colpo. « Vorrei tagliare un vestito » disse. « Un vestito per la bambina. »

Gli occhi di Tullio sorridevano e non mettevano paura, così essa riprese a lavorare con la lametta. « Vedi, » disse « da questo buco deve passare la testa, e poi viene giù così, come il vestito di un frate. »

« E come lo cucirai? »

« Niente cucire » disse Giulia. « Non c'è filo. Lo legheremo con lo spago. Non sarà molto bello, ma non ha proprio niente, sai, solo la camicia. »

« Bisognerà procurarle qualche cosa » disse Tullio, piano.

« Basterebbero le scarpe » disse Giulia. « Io non son capace di farle un paio di pantofole, se non c'è filo. »

« Le procureremo qualche cosa » disse Tullio. Poi si mise a guardare la bambina, grave nel viso. Essa dormiva stesa per terra, e teneva il braccio malato fuori dalla coperta, appoggiato sul petto, e l'altra mano stretta a pugno vicino alla tempia.

Respirava attraverso la bocca aperta, regolarmente, e ciò le dava un'aria serena. Il sole le disegnava mobili ombre sul viso, con le foglie d'ippocastano.

« Povera piccola, non deve essere molto a posto col cervello » disse Tullio, ancora piano. E andò a sdraiarsi sotto la tenda, accanto agli altri due ragazzi che ormai dormivano.

Quel giorno, e per molto altro tempo ancora in seguito, le vetture della filovia interurbana dovettero fermarsi nel sobborgo. A causa del bombardamento, esse non potevano più percorrere l'ultimo tratto di strada e superare il cavalcavia e giungere nel piazzale della stazione.

Nonostante ciò, le vetture arrivavano straordinariamente piene, e la gente scendeva nel sobborgo e poi proseguiva a piedi verso la città. Erano quasi tutti curiosi che andavano a vedere.

A pomeriggio inoltrato, da una vettura scese tra le altre persone un ragazzo, e dietro a lui un prete.

Il ragazzo aveva in testa un berretto a visiera, del tipo di quelli che portavano i ferrovieri, con le iniziali ricamate in oro. Il resto del suo abbigliamento era di colore scuro, scarpe nere e vestito blu, senza distintivi particolari. Tuttavia anche il vestito era di una tale forma, che si capiva subito che il ragazzo era un collegiale.

Il prete non era molto anziano, ma d'aspetto dignitoso, vestito come comunemente son vestiti i preti, con un cappello di pelo e un leggero soprabito abbastanza usato, che gli stava male.

Mentre camminavano, il ragazzo rimaneva in silenzio, e il prete parlava senza sosta, di cose qualsiasi. Forse aveva l'intenzione di distrarre il ragazzo.

Giunsero ad un punto della strada dove i soldati e guardie in divisa fermavano la gente. Domandavano ad ognuno dove volesse andare e per qual motivo, e lasciavano passare solo poche persone.

Il prete andò a parlare con una guardia, e la guardia gli

disse che da quella parte non potevano passare e che dovevano fare un giro.

Il prete allora tornò dal ragazzo. « Non si può passare da questa parte » disse. « Dobbiamo fare un giro. »

Il ragazzo non disse nulla. Guardava ciò che si poteva vedere oltre le guardie, case crollate e grossi platani sfrondati e la rampa del cavalcavia che saliva fino a un certo punto e poi s'interrompeva. Più lontano, del fumo denso e scuro si levava dagli incendi e veniva verso di loro coprendo tutto il cielo.

« Bisogna far presto, figliolo » disse il prete. « Ci sono quasi tre chilometri da percorrere a piedi. »

« Sì, signore » disse il ragazzo.

Presero una strada del sobborgo. Camminando, il prete continuava a parlare, sempre di cose qualsiasi. Talvolta la sua voce aveva perfino un'intonazione allegra, specie quando si meravigliava dei fiori di un giardino o dei colori di una casa. Il ragazzo taceva e guardava intorno.

La strada era molto animata. Gente camminava nella loro stessa direzione, e gente veniva in direzione contraria. Molti di quelli che venivano erano a gruppi, carichi di roba sulle spalle, e molti spingevano carriole o carretti a mano o anche carrozzini da bambini con la roba dentro. Raramente passavano carri tirati da cavalli, o automobili, con sopra casse e materassi. Andavano lontano dalla città.

Incontrarono anche un autocarro, a un certo punto, che veniva avanti adagio. C'era un soldato che lo guidava, e un altro soldato, montato sul predellino, dava ogni tanto delle occhiate indietro, perché l'autocarro era senza sponde e temevano di perdere qualcosa del carico.

La gente si tirava da una parte mentre l'autocarro passava, e osservava in silenzio. Delle donne che venivano dalla campagna s'inginocchiarono sul marciapiede. Il prete atteggiò il proprio volto a una maggiore dignità, e fece nell'aria il segno della croce. Il ragazzo si fissò con gli occhi. Ma non voleva guardare il carico, solo qualche cosa dell'autocarro. Era un autocarro molto vecchio, e dal cassone gocciolava del liquido che lasciava un segno scuro lungo tutta la strada. E dal tubo di scappamento usciva del fumo azzurro, con odore di benzina bruciata, diverso da tutti gli odori di benzina bruciata che egli aveva sentito fino allora. L'autocarro si allontanò, sobbalzando sulle buche.

« Andiamo, figliolo » disse il prete, e ripresero a camminare.

Poterono entrare nella città dalla porta di San Francesco. Quel quartiere era stato poco colpito. Due o tre bombe appena vi erano cadute e avevano scavato enormi buchi tra le case, e i tetti per un largo raggio all'intorno erano crollati. Ma si erano sviluppati solo piccoli incendi, e nelle strade principali avevano già aperto passaggi tra le macerie.

Più avanti però, verso la piazza della Signoria, la distruzione aumentava, e a un certo punto le guardie li fermarono ancora, e li obbligarono ad un altro giro per arrivare in piazza del Duomo.

Uscendo nella piazza, il ragazzo si fermò e il suo sguardo andò subito al fondo, lungo la prospettiva del nuovo viale verso le mura, dove si sarebbero dovuti vedere i tre grattacieli. E i tre grattacieli non c'erano più. Uno solo se ne vedeva, il più lontano, anch'esso in parte caduto. Ma al posto degli altri due vi erano soltanto cumuli di rovine.

Il prete permise che il ragazzo guardasse per un poco, quindi domandò: « Dove abitavi, tu? ».

Il ragazzo non rispose. Non capì neanche quello che aveva domandato il prete, e per questo non rispose. Ma qualcosa dovette colpirlo, forse il suono vuoto delle parole, perché distolse lo sguardo dai cumuli di rovine e lo girò intorno nella piazza. Il Duomo era stato colpito, ed appariva tutto franato dalla parte dell'abside. Un'altra bomba forse era caduta dietro il tribunale, e la facciata dell'edificio pendeva all'infuori, e sotto avevano messo dei cavalletti perché la gente non si avvicinasse. Tutte le case erano senza imposte e senza vetri, e le saracinesche dei negozi erano sfondate o contorte per la violenza degli scoppi. Dentro la caserma dell'artiglieria vi era stato un incendio, ormai spento, ma del fumo quasi bianco si alzava ancora dalle rovine.

Vi era una triste solennità nella piazza, e mancanza di voci umane, benché ci fossero molte persone. Si sentiva il rumore confuso di un grande incendio che era appena oltre la piazza, nel quartiere di Sant'Agnese, e il rumore di un autocarro fermo col motore acceso. Mancava il suono di voci umane.

E infine il ragazzo ebbe il coraggio di guardare anche dentro la piazza. Guardò dapprima l'autocarro fermo, dove degli uomini caricavano morti. E guardò poi le lunghe file di morti, molte centinaia di morti stesi sul lastricato, l'uno accanto all'altro, in ordine, separati secondo il sesso.

Tra le file di morti la gente girava silenziosa, guardando o anche cercando. Alcuni uomini con una fascia rossa al braccio prestavano servizio. E se a qualcuno capitava di trovare ciò che cercava, essi andavano a vedere e scrivevano il nome del morto su un registro e attaccavano un numero al morto. Attaccavano il numero al polso destro, oppure al polso sinistro, se al morto mancava il braccio destro, oppure anche al collo. E in seguito passavano uomini con le barelle e prendevano i morti che avevano il numero, e li portavano vicino all'autocarro, dove c'erano già tanti altri morti, molti anche senza numero, ma ridotti in modo tale che nessuno avrebbe potuto riconoscerli. E colui cui era capitato di trovare un morto stava lì ad aspettare, fino a che non avevano caricato il suo morto, e poi ancora, talvolta, fino a quando l'autocarro non partiva.

« Dove abitavano, i tuoi? » domandò di nuovo il prete.

Il ragazzo questa volta rispose. « Là in fondo » disse, e indicò le rovine del primo grattacielo.

Il prete si tolse il cappello e si passò sulla fronte un grande fazzoletto bianco. Quindi si rimise il cappello. « Coraggio, figliolo » disse. « Vedrai che il diavolo non è poi brutto come si dipinge. »

Il ragazzo rimase ancora assorto nel guardare.

« E adesso cosa vuoi fare? » domandò il prete.

« Andiamo a vedere se si trovano » disse il ragazzo.

« Là in mezzo? » disse il prete accennando con un largo gesto alle file dei morti. « È orribile, figliolo. Ti senti abbastanza forte? »

« Sì, signore » disse il ragazzo. E subito si diresse verso le file delle donne morte, e il prete lo seguì da vicino, ma senza voglia.

Vi erano donne morte di ogni età, alcune con accanto i bambini assieme ai quali erano state trovate. Quasi tutte avevano indosso qualche indumento ridotto a brandelli, che lasciava intravedere la loro nudità. E tutte stavano col viso verso l'alto, molte con gli occhi fissi e aperti, o semiaperti, dove il bianco spiccava come porcellana. Si sentiva un odore disgustoso, di sangue e di umanità sporca e di cadavere.

Il ragazzo andava avanti cercando, e il prete sempre lo seguiva, ma evitava di guardare quei corpi stesi. Diceva delle preghiere con le labbra che si muovevano visibilmente.

Percorsero così una fila e poi una seconda fila, risalendo. Entrambi erano un poco pallidi, e lottavano con la nausea.

« Forse è meglio se domandiamo informazioni a qualcuno » disse il prete.

Il ragazzo si mise a camminare lungo un'altra fila, senza rispondere.

Ma quando furono alla fine della terza fila, il prete gli posò una mano sulla spalla, affettuosamente. « Aspettami qui, figliolo » disse. « Vado a prendere informazioni. Non faremo a tempo, se dobbiamo guardare a uno a uno tutti questi cadaveri. »

« Sì, signore » disse il ragazzo.

Il prete cercò un uomo con la fascia rossa al braccio, e poi salì sul pronao del Duomo, dove altri uomini con la fascia rossa stavano seduti attorno a dei tavoli, scrivendo sui registri. Il prete parlò prima con uno e poi con un altro di quegli uomini, che doveva essere il loro capo. Infine tornò dal ragazzo, con un'aria compunta e soddisfatta. « È inutile cercare qui, figliolo » disse. « Purtroppo l'opera di soccorso è inadeguata all'enorme bisogno. Per quanto riguarda la tua casa, non hanno ancora potuto provvedere all'estrazione dei cadaveri. »

Il ragazzo stava rassegnato, con la testa bassa, e non disse nulla.

Il prete gli posò di nuovo una mano sulla spalla. « Vuoi che torniamo al collegio, allora? » domandò.

« Andiamo a vedere la casa » disse il ragazzo.

« La casa? » fece il prete. « Certo, figliolo, andiamo. Ma il cuore mi sanguina nel vederti tanto addolorato dalla visione della sventura. »

Attorno al grattacielo crollato molta gente stava a guardare. Era un fatto curioso che un edificio così grande fosse stato ridotto a un mucchio di rovine. Non si vedeva neanche il punto dov'erano cadute le bombe, e dall'ammasso di macerie si levavano soltanto alcuni piloni contorti di cemento armato. Quelli che stavano là intorno discutevano sulla solidità delle case moderne.

Il ragazzo si portò davanti alla gente e si mise a guardare con uno sguardo cupo e una contrazione all'angolo della bocca. Al suo fianco il prete aspettava in raccoglimento.

Passò del tempo, e il prete sospirò e guardò l'orologio, perché molta era la strada da fare, e bisognava essere a casa per l'ora di cena. « Ora basta, figliolo » disse. « È uno spettacolo che fa male. »

Il ragazzo non mosse lo sguardo. « Sono là sotto » disse.

« No, figliolo, non devi disperare » disse il prete.

« Sono là sotto » disse ancora il ragazzo, con ostinazione.

Il prete aspettò un altro poco, quindi di nuovo guardò l'orologio, e di nuovo sospirò. Infine mise un braccio intorno alle spalle del ragazzo per tirarlo fuori dalla gente, con dolce violenza.

Sulla strada del ritorno, fino a quando non furono usciti dalla piazza del Duomo, il prete camminò in silenzio accanto al ragazzo, forse preparando nella mente qualcosa di opportuno da dirgli. Bisognava pur dire una parola buona a quel ragazzo colpito da una così tremenda sventura, qualche parola che lo aiutasse ad andare avanti nella vita ancora con speranza.

E appena furono un po' lontani dalla piazza, il prete si mise a parlare. « Capisco il tuo dolore, figliolo » disse. « Certo non vi è disgrazia maggiore di quella di perdere alla tua età la guida e il sostegno dei genitori. E specialmente nel tuo caso è una disgrazia grande, perché so che li amavi con immenso affetto, pari all'affetto che essi avevano per te. »

Parlando e camminando, il prete guardava talvolta il ragazzo, e capì che in quel modo non andava bene. Così egli disse: « Del resto, figliolo, è prematuro pensare che siano proprio morti. Non bisogna mai perdere la fiducia nella divina provvidenza. Poni il caso che non fossero stati in casa, quando venne il bombardamento. Potevano benissimo essere in casa di qualche amico. Avranno pur avuto degli amici, i tuoi genitori, non è vero? ».

« Sì, signore » disse il ragazzo.

« Possono essersi salvati, allora, se erano in casa di qualche amico » disse il prete. « Magari a quest'ora sono al collegio che ti aspettano. Pensa con quale ansia ti aspetterebbero. »

« Sarebbero venuti questa mattina, se fossero stati vivi » disse il ragazzo.

« Certo » disse il prete. « Certo. Ma potrebbero anche essere leggermente feriti. C'è un numero molto alto di feriti. Ne hanno ricoverati perfino nelle chiese e nelle scuole, perché negli ospedali non c'era più posto. Domani il signor direttore verrà lui stesso a compiere le ricerche. Lui ha più tatto, per trattare col mondo. Può rivolgersi agli amici di tuo padre. Senza dubbio tuo padre aveva degli amici molto influenti, alla prefettura. »

Il ragazzo non parlò nella pausa.

Il prete disse: « In questi tempi difficili, dei buoni amici sono un prezioso aiuto. E inoltre fortunatamente tu hai dei parenti che possono prendersi cura di te. Abitano a Roma, non è vero? ».

« Sì, signore. »

« Il signor direttore telegraferà ai tuoi parenti, ed essi verranno a vederti. Per un motivo così grave verranno certamente. Sono parenti da parte di tua madre, non è vero? »

« Sì, signore. »

« E da parte di tuo padre, non hai nessun parente? »

« No, signore. »

Per un tratto camminarono in silenzio, il prete combattuto fra la stanchezza e la voglia di far presto. E il ragazzo era sempre pieno di una disperata tristezza, che gli faceva guardare le cose con gli occhi asciutti, e con l'aria di non vederle.

Quasi più nessuno, adesso, andava verso la città, ma molta gente ne usciva, curiosi che si erano attardati e profughi che si portavano dietro quanta più roba potevano. Nei luoghi dov'essi camminavano pareva che fosse ormai sera, per la grande nuvola di fumo che copriva il cielo.

E dopo un poco il prete si mise di nuovo a parlare. « Figliolo, » disse « io ti ho raccomandato di conservare la speranza, e innalzerò al Signore le mie più fervide preghiere, nel voto che i tuoi genitori abbiano trovato una miracolosa salvezza. Ma d'altra parte dobbiamo anche aspettarci che la sventura che noi temiamo sia vera, che tu ti trovi ad essere ora un povero orfanello. Vorrei che tu capissi che in questo momento noi siamo vicini al tuo dolore, che sentiamo la tua perdita come la senti tu stesso. Vedi, noi abbiamo lasciato la nostra famiglia e le nostre case volontariamente, chiamati dalla vocazione al servizio di Dio. E abbiamo formato fra di noi una grande famiglia, secondo le intenzioni del nostro santo fondatore. Di questa grande famiglia voi stessi fate parte in certo modo, nel tempo che trascorrete presso di noi per ricevere istruzione e un sano indirizzo religioso. Ora, se per disgrazia tu avessi perduto la tua famiglia, dovresti sentirti più intimamente legato a noi. Col nostro affetto noi cercheremo di sostituire l'affetto dei tuoi genitori. E d'altronde è necessario accettare con animo sereno tutto quello che ci viene da Dio, e pensare che non è senza motivo quanto Egli fa accadere sulla terra. Molto spesso la nostra mente non arriva a comprendere la Sua saggezza. Me Egli stesso ci ha detto che infinite sono le

Sue vie. Non si sa quale mezzo Egli scelga per giungere fino a noi, e parlare al nostro cuore. »

Fece una lunga pausa, il prete, quindi riprese a parlare con la voce che gli tremava. « Figliolo, » disse « io ti esorto a raccoglierti in una speranza ben più alta di quanto non sia quella di questo mondo. Nella fede soltanto troverai il conforto necessario al tuo tremendo dolore. E la fede ci insegna che oltre questa misera vita ce n'è un'altra, quella vera ed eterna, l'unica che conti. Là, tu potrai congiungerti per sempre alle persone che ami. »

Il ragazzo non disse nulla, e perciò il prete continuò, con un tono di voce ancor più ispirato. « E chi sa, » disse « forse tutto questo non è che un monito del Signore. Io mi auguro che ogni uomo ascolti la Sua voce. Ma per te potrebbe essere qualche cosa di più, una spinta verso una esistenza di pietà, di santità forse, per mezzo della quale potrai conquistare la vera, eterna beatitudine. Tu trascorrerai dei giorni di meditazione, ora. Noi ti saremo vicini, cercheremo di sorreggerti in questo passo difficile e delicato della tua vita, ma avremo anche cura di non turbare il tuo dolore. Potrai guardare bene dentro te stesso. E se per caso tu dovessi sentire nel tuo cuore una voce che ti chiama, io ti scongiuro di ascoltarla, figliolo, quella voce, e di seguire la via che ti indicherà il Signore, perché solo facendo così potrai raggiungere la felicità e la salvezza eterna. Lo farai, vero? »

Il ragazzo camminava, e non rispose.

« Ci penserai, non è vero? » domandò il prete ancora.

« Sì, signore » disse il ragazzo.

La gente sopravvissuta si aggirava tra le file di cadaveri e i mucchi di macerie e gli incendi. Visi stravolti e indifferenti o incantati erano i visi della gente sopravvissuta. Cercavano i loro morti e la loro roba. Da qualche posto li mandavano via, ed essi tornavano a cercare. Doveva esserci un motivo oscuro nella loro ostinazione di cercare. Rovistavano fra le rovine e mettevano da parte ogni qualità di oggetti, con eguale cura gli utili e gli inutili. Forse era solo qualcosa della loro casa che essi volevano ritrovare, qualunque cosa fosse. L'avrebbero portata altrove, nel nuovo posto dove sarebbero capitati a vivere.

Alcuni se ne andavano, dopo aver trovato, o dopo essersi stancati di cercare. Prendevano un po' di roba, quella che potevano portare sulle spalle, e partivano per andare lontano. Era necessario per loro andare lontano dalla città. Non si ritrovavano più in quei luoghi così sconvolti, e inoltre avevano paura, ancora. Dicevano che gli aerei sarebbero tornati a bombardare durante la notte, con la guida degli incendi.

Altri invece si portavano appena al di fuori dalle zone colpite, sulle mura, nei quartieri distanti dalla stazione, nei sobborghi. Là riunivano quanto era rimasto della famiglia e della roba, e instancabilmente tornavano alle case distrutte per ricuperare sempre nuova roba.

Altri ancora non si allontanavano. Rimanevano fra le macerie, e non cercavano neanche, quelli. Si aggiravano come insensati, e quando la stanchezza li sfiniva si buttavano per terra a riposare. Non sapevano in quale altro posto andare. Non avevano voglia di andare altrove.

Passò il primo giorno, e venne la notte, e poi un altro giorno ancora, e i treni ripresero a passare sulla linea. La stazione non c'era più, ma i fasci di binari divelti erano stati sostituiti. Operai e soldati avevano lavorato senza sosta per riparare i guasti, ed ora i treni passavano. E gli incendi invadevano il cielo con le fiamme e il fumo, e i morti si accumulavano nelle piazze.

Per due giorni le squadre di soccorso continuarono ad allineare cadaveri nella piazza di Sant'Agnese e in quella del Duomo e in quella della Signoria. Più di cinquemila cadaveri furono allineati nelle piazze. Poi li portarono via tutti, anche quelli che nessuno era venuto a riconoscere. Avevano scavato lunghe fosse vicino al recinto del cimitero, e vi seppellirono i morti. Cinquemila morti. E altri, forse settemila, rimasero sotto le macerie, e non li cercarono più. Ne venne fuori solo qualcuno, casualmente, nel ripulire le strade o nel demolire case cadenti.

Ma ci furono delle zone dove non ripulirono le strade né demolirono case cadenti. Là era stato difficile portare anche i soccorsi più urgenti, e solo pochi morti erano stati raccolti. Il resto rimase dove il bombardamento li aveva presi. E là gli incendi durarono fino a quando non si spensero da soli, e quando alla fine furono spenti, degli uomini passarono fra le macerie e vi gettarono con abbondanza calce e disinfettanti. Poi cinsero le zone con filo spinato e steccati, e sulle tavole scrissero a grandi lettere « Zona infetta », e dipinsero enormi teschi di color nero. La gente chiamò quei recinti le zone dei morti. Dentro restavano gruppi di case mezzo diroccate, e poi cadaveri e muri pericolanti dietro ai quali non c'era più nulla, e distese ondulate di rovine nere e bianche, per il fumo e la calce.

Il più grosso degli incendi ci mise quasi una settimana a spegnersi, e poi il fumo continuò ad uscire dalle macerie per altri giorni ancora, ma non faceva più rumore. Ci fu finalmente silenzio nella città. Le macchine passavano solo al largo, adesso, lungo la strada di circonvallazione. E molta gente era andata via. Tutti quelli che avevano potuto se n'erano andati, nella campagna, o sui colli, o più lontano ancora.

Gli altri rimasero nelle case, negli edifici pubblici adibiti a ricoveri, nelle misere capanne che si costruivano un po' da per tutto nella città. Ed era tutta simile la gente rimasta, adesso. In principio avevano pianto o pregato o maledetto. Avevano maledetto gli stranieri che tenevano occupato il paese e facevano la guerra, o quegli altri stranieri che erano passati per il cielo, gettando la distruzione e la morte. Oppure avevano maledetto Dio, che era la cosa più giusta, perché era un modo di maledire se stessi e il male di tutti gli uomini.

Ma ora pareva che avessero capito l'inutilità di maledire e piangere o gridare, e di pregare anche. Erano tutti di una stanchezza cupa, anche i disperati, anche gli indifferenti. Tuttavia più liberi si sentivano. Di tutta quella strage, era rimasta in loro la coscienza che fosse una cosa ingiusta. Anche senza sapere di chi fosse la colpa, potevano dire che era una cosa ingiusta. E la coscienza di ciò li liberava dal vincolo delle leggi con Dio e con gli uomini. Erano spinti ad essere ciò che maggiormente si sentivano di essere, o più buoni o più cattivi, ciascuno secondo la sua natura. Aumentò la pietà e la carità, e la perversità e l'egoismo.

Eppure c'era ancora un bene da aspettare, che la guerra finisse.

Pareva che dovesse finire ogni giorno, la guerra, invece non finiva. Passarono i mesi, e le foglie sugli alberi divennero grandi e si seccarono e caddero a terra per marcire, e la guerra non finiva. Si avvicinava, tuttavia. Uno degli eserciti stranieri che combattevano nel paese avanzava lentamente verso la città.

Vi furono altri giorni di terrore per la gente rimasta. Carri armati si combatterono alla periferia, e gruppi di soldati si trincerarono nelle case di un sobborgo e tennero duro per diversi giorni, facendo la loro guerra. I proiettili andavano casualmente a finire tra le abitazioni, ma facevano poche vittime. La gente adesso viveva nelle cantine e dentro le buche che si era scavate nella terra.

Poi uno straniero cedette il posto ad un altro, e la gente venne fuori dalla terra per vedere il nuovo straniero. Guardavano con odio, o con amore, o con curiosità soltanto. Ma tutti si sentirono sollevati. Comunque fosse questo nuovo straniero, qualunque legge portasse, egli era forte e mandava lontano per sempre il terrore della guerra. Non ci sarebbero più stati combattimenti alla periferia, né incursioni aeree.

La gente tornò dalle campagne e dai colli, dai luoghi dove s'era rifugiata, e riprese a salutarsi e a chiacchierare insieme, andando avanti e indietro nel tratto di via principale che non era stato completamente demolito dalle bombe. La guerra era come se fosse finita, ed essi erano arrivati vivi a quel punto, e tuttavia non erano gli stessi di prima. Per quanto si sforzassero, gli uomini non potevano più essere gli stessi di prima.

E non era solo per la miseria e la fame, e per l'odio e le vendette e la paura, che non potevano più essere gli stessi di prima. Non sapevano bene neanche loro la ragione per cui si sentivano sempre stanchi e cupi nel fondo, e scontenti di sé e di vivere. Forse quella parte del male universale che era loro toccata si era accumulata dentro di loro, e restava senza poter più andarsene. Forse era la certezza di aver perduto per sempre cose di tutta la gente, che avevano trascurato prima. Si erano smarriti nella grande guerra, e non riuscivano più a ritrovarsi.

V

Quando scorse il bianco della pietra chilometrica, il caporale John portò l'autocarro il più possibile sulla destra e accese i fari grandi. Nonostante ciò, la pietra chilometrica passò via senza ch'egli potesse leggere il numero. Allora spense i fari grandi e si portò di nuovo al centro della strada, che era larga, tra due file di grossi platani. Un poco avanti si vedeva il fanalino rosso dell'autocarro che precedeva.

Il caporale John sbadigliò un paio di volte, poi si mise a cantare, nell'attesa di una nuova pietra chilometrica. Cantò a mezza voce: « *Darandarandan down the street, down the street, down the street* ». Egli non conosceva molto le parole di quella canzone ma tirò avanti lo stesso fischiettando il motivo. Il motore andava bene. La strada aveva delle curve dolci e lunghi rettifili.

Da dietro, i fari dell'autocarro che seguiva mandarono un colpo di luce, e il caporale John venne ad un punto della canzone in cui si ricordava di altre parole. Allora riprese a cantare: « *Mama, mama, let me dress up tonight, dress up tonight, dress up tonight* ». Frattanto non cessava di guardare sulla destra, in cerca di una nuova pietra chilometrica. Alcune di quelle pietre erano state abbattute e spinte nel fosso a lato della strada, e talvolta capitava di non vederne neanche una per miglia di seguito. L'asfalto era piuttosto rovinato, pieno di buche.

Appena cominciò ad intravedere una nuova pietra, il caporale John smise di seguire la canzone accese i fari grandi e si tenne pronto per la manovra. Proseguì al centro della strada fino a pochi metri dalla pietra, poi sterzò bruscamente per puntare i fari, e neanche questa volta gli riuscì di leggere il numero.

Così gli venne in mente di svegliare Roy Supina. « Roy, oh Roy! » chiamò il caporale John.

Nonostante le scosse dell'autocarro, il soldato Roy Supina dormiva da alcune ore, infagottato nel suo pastrano. « Cosa vuoi? » domandò appena fu abbastanza sveglio.

« Vorrei sapere dove siamo » disse il caporale.

Roy batté più volte gli occhi e inghiottì con disgusto. « Io non so dove siamo » disse. « Ho dormito. »

« Cristo, se hai dormito. Saranno cinquanta miglia che non fai altro che dormire. »

Roy fissava con un'aria assonnata la strada e il fanalino rosso dell'autocarro davanti. « Perché mi hai svegliato? » domandò.

« Adesso guarderemo i chilometri. Fa attenzione alla prima pietra. »

Roy si sforzò di stare sveglio, benché il rumore del motore lo tirasse giù ancora verso il sonno. Per fortuna il caporale non si curava granché di evitare le buche dell'asfalto. Ma nel complesso, la loro corsa sulla grande strada della pianura era monotona.

« Alle volte sento il bisogno di parlare con qualcuno » disse il caporale. « Solo per aiutarmi a star sveglio. Queste strade sembrano fatte apposta per addormentar la gente. Sono così larghe e dritte, e uno si addormenta, e poi finisce per schiacciarsi la testa contro uno di questi alberi. Guarda come sono grossi questi alberi. »

Roy guardò gli alberi. Li guardò con indifferenza e non disse nulla.

« *Gonna dance by the light of the moon* » cantò il caporale. Poi improvvisamente disse: « Ecco una pietra, Roy. Sta attento ».

Roy abbassò il cristallo dalla sua parte, e il vento freddo venne dentro la cabina. La pietra bianca era solo pochi metri più avanti. Questa volta il caporale sollevò anche il piede dall'acceleratore, e fece la stessa manovra di prima per puntare i fari. Roy si sporse il più possibile dal finestrino per guardare meglio, poi si rimise a sedere e rialzò il cristallo. Gli occhi gli lacrimavano a causa dell'aria fredda.

« Bene, hai visto il numero? » domandò il caporale.

« Cinquantasette, mi pare » disse Roy.

Il caporale riprese a premere sull'acceleratore. « Cosa vuol dire cinquantasette? » domandò.

« Cinquantasette chilometri » disse Roy.

L'autocarro andava per la grande pianura, sulla strada dalle curve dolci e dai lunghi rettifili, tra le due file di platani.

« Roy, » disse il caporale « cinquantasette chilometri faranno trentacinque miglia. »

Roy fece qualche calcolo nella sua mente, quindi disse: « Press'a poco, John ».

« Bene, ne so quanto prima » disse il caporale. « Trentacinque miglia da dove? »

Roy non aveva molta voglia di chiacchierare. Disse: « Da qualche posto che sta indietro ».

« Quella città che abbiamo passato prima? » domandò il caporale.

« Non ho visto la città » disse Roy. « Forse il numero si riferisce a qualche posto che sta avanti. »

Una casa in muratura s'affacciò sulla sinistra della strada, e poi una siepe di sempreverde, e poi la fila dei platani riprese.

« Tuttavia vorrei sapere quanto manca per arrivare » disse

il caporale. « Il sergente aveva detto che si doveva arrivare prima di mezzanotte. Non è vero che aveva detto così? »

« Forse non è ancora mezzanotte » disse Roy.

Il caporale batté tre colpi sul clacson, col pugno chiuso. « Roy, » domandò « come si chiama quella maledetta città? »

« Non lo so » disse Roy.

Il caporale batté ancora sul clacson, senza apparente motivo. « Cristo, » disse « non sai niente. Io credevo che tu sapessi tutto su questi paesi. »

Le file dei platani s'interruppero su entrambi i lati, e la strada si trasformò in una piazza lunga e stretta. Vi erano case con portici, e rovine, in diversi punti. Anche lì era passata la guerra, e un piccolo paese era stato mezzo distrutto. Il rumore dei motori e delle ruote si sentiva più forte, mentre gli autocarri passavano per la piazza. Le finestre delle case erano chiuse, e non c'era luce, e nessuna persona in giro.

Roy aprì gli occhi e fece appena in tempo a scorgere la figura di qualcuno che camminava sul lato della strada, avvolto in un mantello scuro.

« Hai visto? » disse il caporale. « In giro a piedi con questo freddo. »

« Si vede che non può andare in altro modo » disse Roy.

Prendendo una buca con la ruota sinistra, l'autocarro picchiò duro. Il caporale si fece attento. Andò in cerca di un'altra buca e ancora l'autocarro picchiò duro. Allora il caporale bestemmiò con rabbia, staccando la marcia.

Roy aprì gli occhi e domandò: « Ancora a terra? ».

« È la sinistra » disse il caporale. « Dev'essere andata giù. »

Il fanalino rosso dell'autocarro davanti si allontanava sempre più, mentre essi rallentavano fino a fermarsi.

« Proprio adesso » disse Roy, del tutto sveglio.

Il caporale bestemmiò di nuovo. Poi scese e anche Roy scese. Avevano le gambe intorpidite.

La ruota sinistra davanti era molto afflosciata. Il caporale la batté con un ferro, e sentì il suono basso della gomma sgonfia, e ancora bestemmiò. Dietro al loro autocarro si venivano fermando gli altri autocarri della colonna. Qualcuno suonava il clacson a colpi secchi e insistenti. Il caporale voltò la testa e disse con dispetto: « Per l'amor di Dio, Roy, va a dirgli che tirino avanti e vadano all'inferno. E cerca uno che abbia una ruota di ricambio, così faremo a meno di aspettare il sergente ».

Le macchine ferme si rimisero in moto, e se ne andarono una alla volta. Infine l'autocarro di Danny Gaulden venne a fermarsi dietro quello del caporale. Danny sporse la testa dal finestrino. « Sei tu che sei a terra? » gridò.

Il caporale stava tirando fuori i ferri. « La terza » disse, e bestemmiò, senza convinzione, perché si era ormai rassegnato a dover cambiare la ruota.

Danny rise semplicemente.

« Ce l'hai una ruota di ricambio? » domandò il caporale.

« Roy la sta cercando nel cassone » disse Danny.

Il caporale depose i ferri sull'asfalto, vicino alla ruota sgonfia. « Se ti fermi qualche minuto, mettiti in modo da farmi luce » egli disse verso Danny.

Danny portò l'autocarro un po' di traverso sulla strada, poi spense il motore, lasciando i fari accesi. Ci fu silenzio intorno, ma i motori continuarono a ronzare dentro le teste degli uomini.

Il compagno di Danny, che si chiamava Ralph, uscì dalla cabina e si stirò rumorosamente. Si sentiva Roy muovere dentro il cassone, in mezzo al carico. « Vuoi che venga a darti una mano? » gli gridò Danny.

« No, » disse Roy « già trovato. »

Ralph si era messo a guardare piuttosto stupidamente il caporale che lavorava col sollevatore. « Proprio adesso che eravamo quasi arrivati » disse.

Senza alzare la testa, il caporale gli rispose con una specie di grugnito.

« Noi andiamo a fare un po' di caffè, intanto » disse Danny.

Quando l'ultimo bullone fu svitato, il caporale tirò la ruota verso di sé, e la ruota venne. « Roy, » egli disse « prendi questa e passami quella buona. »

Aveva parlato sottovoce, nella convinzione che Roy fosse lì a guardare. Ne scorgeva l'ombra, un poco in fianco. Ma nessuno venne a prendergli la ruota.

« Ehi, Roy » disse ancora il caporale, e girò la testa e allora vide il ragazzo. Era un ragazzo dall'apparenza tranquilla, che stava in piedi, nel posto dove egli credeva ci fosse Roy. Col ragazzo c'era anche una valigia, posata vicino a lui.

« Ehi, Roy » gridò il caporale. « Vieni a vedere quel figlio di puttana che abbiamo scorto poco fa. »

Roy venne dal posto dove Ralph stava facendo il caffè, e guardò il ragazzo dall'apparenza tranquilla. Doveva essere proprio la stessa persona che avevano visto prima, passando con la macchina. Aveva un mantello scuro che gli arrivava fin sotto i ginocchi, e pantaloni scuri, e una sciarpa di lana girata attorno al collo e alla testa.

« Chi è, Roy? » domandò il caporale.

« Mah, » disse Roy « è un ragazzo. »

« Cristo, » disse il caporale « credi che non ci veda? Domandagli cosa vuole. »

Roy domandò al ragazzo cosa voleva, e dovette domandarglielo più volte perché il suo italiano era cattivo, e il ragazzo non capiva.

Pareva che il ragazzo non volesse niente perché girò gli occhi intorno in uno strano modo, quasi sorpreso. Ma poi domandò: « Mi lasciate scaldare le mani sul radiatore? ».

Roy si rivolse caporale. « Dice che vuol scaldarsi le mani sul radiatore » disse.

Il caporale guardò il ragazzo e successivamente Roy.

« Digli che si scaldi quello che vuole » disse come seccato. « E tu prendi questa ruota e passami quella buona. »

« Bene » disse Roy, e gli portò la ruota buona. Poi si avvicinò al ragazzo che aspettava, e gli fece segno di posare le mani sul radiatore di Danny. Le mani del ragazzo erano rosse con delle macchie scure, a causa del freddo. Egli se le guardava attentamente, mentre erano posate sul radiatore. « È stata proprio una sfortuna che ho perduto i guanti » disse.

« Perduto i guanti? » disse Roy senza interesse.

« Sì » disse il ragazzo. « Li avevo, e poi non li ho più trovati al momento di partire. Così mi si gelano le mani, a portare la valigia. »

« Ah » disse Roy.

Il caporale aveva applicato la ruota al mozzo, e si era messo di nuovo a lavorare con la chiave e i bulloni. Stava tuttavia attento alle parole del ragazzo. « Roy, » disse ad un tratto « cosa dice quel maledetto figlio di puttana? »

« Dice che ha perduto i suoi guanti e che ha freddo alle mani » disse Roy.

« Ah » disse il caporale. Anche le sue mani si stavano gelando, benché egli lavorasse con i guanti di cuoio.

Roy guardò a lungo il cielo fra le file degli alberi spogli. « Forse nevicherà » disse.

Anche il ragazzo allora guardò il cielo. « Di solito non nevica mai fino a Natale » disse. « Qualche anno non nevica affatto. »

Roy continuava a tenere gli occhi verso il cielo, e vide i fili tesi sopra la strada. « C'è un filobus » disse indicando i fili.

« C'era prima » disse il ragazzo. « Prima che arrivaste voi. »

Roy non disse nulla.

Ralph e Danny parlavano stando attorno al fuoco del caffè, e le loro parole arrivavano senza che si potessero capire. Tre autocarri passarono in fila sulla strada, poi ne venne un altro che si fermò. Il sergente sporse la testa dalla cabina.

« Quasi finito, sergente » disse il caporale. « Quanto manca per arrivare? »

« Cinque miglia, credo » disse il sergente.

« Allora potete andare avanti » disse il caporale. « Ho quasi finito. »

« Guarda che non c'è più nessuno indietro » disse il sergente.

« Bene, sergente » disse il caporale.

« Ti aspetterò entrando nella città » disse il sergente. « Tu tira sempre dritto per questa strada, e cerca di far presto. »

« Bene, sergente » disse di nuovo il caporale.

L'autocarro del sergente partì, e per un poco si sentì il suo rumore nella notte silenziosa. Rumore di motore e di ruote sull'asfalto, sempre più debole.

Il caporale guardò per un attimo il ragazzo, prima di riprendere il lavoro. Era quasi contento che il sergente non si fosse accorto di lui, benché in fondo non gliene importasse molto.

Danny gridò a Roy di portare le tazze per il caffè.

Il ragazzo restò solo. Aveva sempre un'espressione tranquilla, e malinconica anche, che faceva in un certo modo sentir simpatia per lui. Dopo un poco egli si mise le mani in tasca e si voltò, appoggiando la schiena al radiatore. Guardò il caporale che finiva di montare la ruota.

Il caporale fissò l'ultimo bullone, quindi si tolse i guanti e venne per scaldarsi le mani al radiatore di Danny.

« Non è più molto caldo » disse il ragazzo.

Il caporale gli sorrise, non avendo capito. « Quanti anni hai? » domandò.

Il ragazzo disse di no con la testa.

Il caporale pensò un poco per spiegarsi a segni, ma era troppo difficile spiegare quella cosa a segni, perciò sorrise, e anche il ragazzo sorrise.

« *Je parle français* » disse il ragazzo con esitazione.

Il caporale fece di no con la testa, e ancora sorrisero, e stettero in silenzio.

Poi vennero gli altri col caffè, e Ralph ne diede una tazza al ragazzo. Egli annusò nella tazza e sorrise a Ralph e cercò Roy con lo sguardo. « È troppo » disse. « Potrebbe farmi male. Sono molti anni che non bevo caffè. »

Roy alzò le spalle. « Bevi » disse.

Le tazze di caffè fumavano nell'aria fredda.

Il ragazzo bevve qualche sorso, poi disse: « Mia mamma

aveva un poco di caffè, ancora da prima della guerra. Ma non voleva consumarlo. Diceva che se qualcuno si fosse ammalato, sarebbe stato bene avere un po' di caffè in casa ».

« Roy, cosa dice questo maledetto figlio di puttana? » domandò il caporale.

« Dice se gli diamo un passaggio sull'autocarro. »

Il caporale guardò il ragazzo con autorità. « Potrebbe essere una spia » disse.

« Secondo me, non è il tipo della spia » disse Danny.

« Non si può mai essere sicuri » disse il caporale. « Prova a domandargli dove vuole andare. »

« Dove vai così a piedi? » domandò Roy al ragazzo.

« A casa. »

« Molto lontano? »

« No. Devo fare ancora otto chilometri. »

« Deve andare a casa » disse Roy in inglese. « Cinque miglia avanti. »

« Bene » disse il caporale pensieroso. « Bene. » Tuttavia non dovette concludere niente nel suo pensiero. Rivolto a Roy, gli disse con leggera stizza: « Togli il cric e metti a posto i ferri e la ruota. Stiamo perdendo tempo ».

Roy s'inginocchiò sull'asfalto a girare la manovella, poi si spinse sotto l'autocarro per ritirare il sollevatore.

Gli altri tre guardavano il ragazzo sempre con interesse.

« Potrei dire che somiglia a mio fratello Bill » disse Danny. « Ho un fratello che si chiama Bill. »

« Quanti anni credi che possa avere? » chiese il caporale.

« Non lo so » disse Danny. « Mio fratello farà sedici anni in gennaio. »

« Che c'entra tuo fratello? » disse il caporale. « Io parlo di questo qui. »

« Bene, non so » disse Danny.

Il ragazzo stava attento alle loro parole. Fissava gli occhi sui loro visi, man mano che essi parlavano, e alla luce dei fari vedeva il fiato sotto forma di vapore. Ma non capiva niente di quello che dicevano.

Ad un tratto, Ralph ebbe un'idea, e disse: « Potremmo guardare nella valigia, John. Da quello che c'è dentro capiremo se è una spia o no ».

« Sicuro » disse il caporale.

Ancora Danny disse, con indifferenza: « Secondo me, non è il tipo della spia ».

Il caporale non badò a lui. Prese la valigia e la portò più vicino alla luce, e fece segno al ragazzo di aprirla. Era una valigia gialla, consumata sugli orli.

Il ragazzo parve sorpreso, ma egualmente fece scattare le cerniere della valigia e sollevò il coperchio. Dentro c'era una confusione di biancheria, libri ed oggetti per pulizia. Il caporale sollevò un po' di roba per guardare sotto, e fino in fondo c'erano le stesse cose e lo stesso disordine. Prese un libro e cominciò a sfogliarlo. Il ragazzo lo osservava, preoccupato di capire.

« Lascia perdere » disse Danny. « Hai le mani tutte sporche. »

« Posso fare quello che mi piace » disse il caporale, e continuò a sfogliare il libro per un altro poco. Quindi lo rimise a posto e richiuse la valigia. Di fronte a Danny si sentiva piuttosto confuso. « Forse non è una spia » concluse.

Danny si limitò a sorridere. Il ragazzo osservava ancora il caporale senza capire.

Venne Roy e disse: « Possiamo andare, John ».

Il caporale si mosse per salire sul suo autocarro.

« E questo ragazzo? » domandò Roy. « Non lo portiamo? »

Il caporale si fermò indeciso.

« Gli do io un passaggio, se volete » disse Danny.

« Che c'entri tu? » disse il caporale. « Ha chiesto a noi e non a te. Digli di salire, Roy. »

« Vuoi venire con noi? » domandò Roy al ragazzo. « Ti porteremo fino alla città. »

« Sul camion? »

« Sì. »

« Oh, grazie » disse il ragazzo, e prese la valigia.

Davanti nella cabina stavano stretti e scomodi in tre, ma la strada da fare era breve, e l'autocarro correva veloce. I platani volavano via uno dopo l'altro, indietro nella notte. Il ragazzo restava un po' schiacciato contro lo sportello, con la sua valigia sotto i piedi. Mangiava delle caramelle che gli aveva dato Roy, e intanto guardava la strada e i platani che volavano via senza che egli facesse fatica a camminare. Di quando in quando girava rapidamente gli occhi verso Roy, che stava seduto nel mezzo.

Il caporale guidava premendo tutto l'acceleratore. Vedeva sullo specchietto i fari dell'autocarro di Danny, che restava sempre più indietro. Ad una curva i fari sparirono, e ci volle del tempo prima di vederli riapparire lontano.

« Domandagli quanti hanni ha » disse il caporale ad un certo punto.

« Quanti anni hai? » domandò Roy al ragazzo.

« Quasi sedici » rispose il ragazzo.

« Sedici » disse Roy al caporale.

« Come il fratello di Danny » disse il caporale. « Danny ha un fratello di sedici anni. Ne parlava poco fa di questo suo fratello che si chiama Bill. Questo qui come si chiama, Roy? »

Il ragazzo si chiamava Daniele, e il caporale ripeté più volte il suo nome come contento, quindi guidò in silenzio. I platani mancavano sempre più spesso ai lati della strada, e al loro posto c'erano case o macerie.

« Quanto manca per arrivare alla città? » domandò Roy al ragazzo.

« Adesso c'è la strada per il cimitero, » disse il ragazzo « e allora manca un chilometro alla ferrovia. »

« Roy, » disse il caporale « forse è meglio che lo facciamo scendere prima di arrivare. Non vorrei che il sergente dicesse qualche cosa perché abbiamo portato questo ragazzo. »

« Non dirà niente » disse Roy.

Il caporale adesso andava molto adagio sulla strada cattiva. I fari di Danny si erano persi indietro. Il ragazzo guardava attentamente intorno. In quel sobborgo avevano combattuto, e non era facile riconoscere i luoghi così di notte.

« Adesso c'è la curva, » disse il ragazzo « e dopo la curva si vede il cavalcavia. »

Roy aspettò che l'autocarro facesse la curva. « John, » disse poi « è tempo di farlo scendere, se hai paura del sergente. »

Il caporale non rispose, continuando ad andare avanti. Apparve di fronte la rampa del cavalcavia, con l'accesso chiuso da un tavolato. Molti cartelli con scritte e frecce indicavano la via da prendere, a lato del cavalcavia.

Il caporale imboccò la diramazione e rallentò ancora, perché il fondo era cattivo, sempre più in disordine. Più avanti si scorsero due soldati fermi nel punto in cui la strada incrociava la linea ferroviaria. Avevano l'elmetto e il fucile, e una fascia sulla manica del cappotto.

« Caccialo giù, Roy » disse il caporale. « C'è la polizia. »

Quando l'autocarro fu vicino, uno dei due soldati lo fermò alzando una mano.

Il caporale dovette abbassare il cristallo.

« Sei della colonna? » domandò il soldato.

« Sì. »

« Bene, gira subito a sinistra, appena passate le rotaie. »

Il caporale si affrettò a partire. « Ce n'è un altro, dietro » gridò al soldato.

L'autocarro sobbalzò sulle rotaie, poi girò a sinistra.

« Puoi tirarti su, adesso » disse Roy al ragazzo.

« Se quelli se n'accorgevano, passavo un bel guaio » disse il caporale.

« Bene, adesso possiamo farlo scendere » disse Roy.

Tuttavia il caporale non fermò. I due soldati della polizia erano ancora troppo vicini, e avrebbero potuto accorgersene. La strada si aprì subito in una larga piazza.

« Questo è il piazzale della stazione » disse il ragazzo. « Era molto bello, una volta. »

Là si erano fermati gli altri autocarri della colonna, ordinati in diverse file. Il sergente venne avanti e indicò al caporale il posto dove doveva mettersi.

« Adesso fallo partire in fretta » disse il caporale.

L'autocarro si fermò dietro una fila di altre macchine, sull'estrema destra. Il caporale spense il motore.

« Adesso scappa » disse Roy al ragazzo. « E cerca di non farti vedere. »

Il ragazzo fece per aprire lo sportello, ma subito Roy lo tenne fermo e tentò di coprirlo con la sua persona. Il sergente era salito sul predellino, dalla parte del caporale. « Dov'è l'altro? » domandò.

« Danny? » disse il caporale, nel tentativo di apparire ingenuo.

Allora il sergente s'accorse del ragazzo. « Non lo sapete che non si possono portare civili sugli autocarri? »

« È un ragazzo, sergente » disse Roy. « L'abbiamo trovato a cinque miglia da qui, che andava a piedi. »

« Perché l'avete fatto salire? »

« Era stanco, sergente » disse Roy. « E aveva freddo. »

Il sergente rimase come sospeso per un attimo. Quindi disse rudemente: « Bene, dov'è Danny? Perché non rispondi? ».

« Sarà qui tra poco, sergente » disse il caporale. « Siamo partiti insieme. »

Il sergente scese dal predellino brontolando, ma immediatamente dopo risalì e disse: « Fai sparire quel ragazzo, John. Non voglio più vederlo ».

« Via subito, adesso » disse Roy al ragazzo.

« Siete stati molto buoni a portarmi fin qui » disse il ragazzo, mentre apriva lo sportello. « Non so come ringraziarvi. »

« Cosa dice, Roy? » domandò il caporale.

« Dice se per caso non abbiamo un paio di guanti in più » disse Roy.

« All'inferno i guanti » disse il caporale. « Perché dovremmo dargli un paio di guanti? »

Il ragazzo era sceso e stava tirando giù la valigia.

« Deve portare la valigia, con questo freddo » disse Roy.

« Cosa m'importa se uno di questi maledetti figli di puttana si gela le mani? » disse il caporale. « È affar suo. Dovrei dargli i guanti per poi gelarmi le mani io? »

« Se io avessi due paia di guanti, ne darei uno a lui » disse Roy.

« All'inferno » disse il caporale. « Questa gente ti porterebbe via la camicia, se potesse. » Tuttavia, ancor mentre parlava, cominciò a frugarsi nelle tasche, e alla fine estrasse un paio di guanti di lana, e li buttò fuori dallo sportello, dov'era sceso il ragazzo. « Chiudi adesso, che fa freddo » disse.

« Guarda di non farti prendere dalla polizia » disse Roy al ragazzo. « E se ti prende non devi dire che sei venuto con noi. »

Il ragazzo raccolse i guanti e la valigia, e si diresse verso l'estremità del piazzale. Là c'erano stati dei giardini, una volta, ma ora i fiori erano scomparsi, e restava solo qualche albero mezzo rovinato. Si sedette sulla valigia per aspettare. Aveva ancora due caramelle del soldato americano. Se ne mise in bocca una.

Arrivò l'autocarro di Danny, e andò a fermarsi dietro a quello del caporale John. Più in là nel piazzale i motori ripresero allora a ronzare, e gli autocarri cominciarono a partire uno dietro l'altro lungo la strada di circonvallazione, fino a che in breve tempo tutti gli autocarri se ne andarono, e il piazzale fu vuoto. Sul fondo rimasero le rovine della vecchia stazione e il piccolo edificio in legno che ora serviva da stazione. Più lontano si scorgevano le luci rosse dei semafori. Il cielo era coperto, di un colore cenere. Sopra le nuvole doveva esserci la luna.

Il ragazzo stava seduto sulla valigia, con l'impressione di essere arrivato troppo presto. Si mise in bocca l'ultima caramella e cominciò a succhiare, facendosi forza per non masticarla. Provò i guanti che gli andavano larghi, naturalmente, ma tenevano caldo lo stesso. Il piazzale adesso era silenzioso e vuoto. Non c'erano persone in giro a quell'ora di notte. Forse era l'una o al massimo le due, e mancavano ancora molte ore perché si facesse giorno. Ed egli non aveva niente da fare, era arrivato troppo presto. Tuttavia non poteva rimanere così seduto per tutto il resto della notte. Gli pareva che il freddo si fosse fatto più crudo. Allora decise di muoversi.

Prese la valigia e s'incamminò lungo il viale della stazione, verso il centro della città. Tutto ciò ch'egli poteva vedere intorno era distruzione e solitudine. La valigia pesava, con tutti quei libri dentro. A brevi tratti il ragazzo si fermava per cambiar mano. Camminava su di un lato della strada, tenendosi vicino alle rovine.

Entrò nella città. Quel pezzo di via principale non si riconosceva più, perché troppe macerie erano al posto delle case. In certi punti la via era come una trincea scavata fra le macerie.

Appena trovò una strada verso sinistra, il ragazzo girò da quella parte, inoltrandosi nel quartiere di Sant'Agnese. Poté andare avanti soltanto per qualche centinaio di metri, perché poi trovò la strada sbarrata da un tavolato. Girò per altre vie, tutte buie e deserte. Pareva di camminare in una città dove la gente fosse morta improvvisamente, tutta insieme. I passi avevano un suono pauroso, e il cuore si stringeva per l'inquietudine.

Infine il ragazzo uscì su di una strada più larga, che doveva essere la via di Sant'Agnese. Si fermò un poco per riposare. Era meglio raggiungere le mura e girare il quartiere all'esterno. S'incamminò verso le mura, ma poco più avanti si trovò ancora di fronte ad una nuova chiusura di tavole. Non fu più tanto sicuro di essere nella via di Sant'Agnese. Riprese a camminare tornando indietro. Il pensiero di essersi perduto tra le rovine cominciava a renderlo di nuovo inquieto, anche se egli faceva ogni sforzo per mantenersi calmo. E pareva che i guanti non servissero più a nulla, e la mano che teneva la valigia gli si irrigidiva subito, a causa del freddo e del peso. Andando in quella direzione doveva per forza uscire sulla via principale, a meno che quella strada non fosse la via Sant'Agnese, ma un'altra via qualsiasi. Sua mamma gli aveva sempre raccomandato di non passare per quel quartiere.

Stava bene attento a tutto ciò che poteva vedere. Vi erano delle case in piedi, ma non molte, con rovine e spazi vuoti fra una casa e l'altra. Sul lato sinistro della strada, gli spazi vuoti erano chiusi da una siepe di filo spinato, alta più di un uomo e larga alla base. Quello doveva essere il recinto di una zona proibita.

Improvvisamente il ragazzo si sentì chiamare da qualcuno, con un bisbiglio appena percettibile. Si fermò, e il richiamo si ripeté. Era di qualche passo dietro a lui, ma dall'altra parte del reticolato. Ebbe un primo impulso di paura, come una grande voglia di mettersi a correre, e non poteva neanche muovere le gambe. C'erano i morti, là dentro.

« Ehi, dove vai? » domandò una voce.

Poiché era assai improbabile che i morti parlassero in quel modo, la paura cominciò a passare. Tuttavia tremava sempre, per quanto cercasse di controllarsi.

« Dove vai? » domandò ancora la voce.

Il ragazzo fece uno sforzo per rispondere. « Non so. »

« E perché vai in giro, allora? » domandò la voce.

« Non so. Ho paura di essermi perduto qua in mezzo. »

« Lo sai che se ti pescano in giro a quest'ora ti mettono dentro? » domandò la voce.

Il ragazzo era più tranquillo ora, però non seppe cosa rispondere. Guardava dalla parte da dove veniva la voce, e non vedeva altro che buio, e l'ombra di qualche mucchio di macerie più scuro del resto.

La persona dentro il reticolato aspettò alquanto la risposta, poi domandò con tono irritato: « Ci tieni ad andar dentro? ».

« No » rispose il ragazzo.

« Allora sei stupido. Non hai casa? »

« No » rispose il ragazzo.

La voce non si fece sentire per qualche istante. Poi disse: « Guarda bene intorno se vedi qualcuno ».

Il ragazzo guardò intorno. « Non vedo nessuno » disse.

« Allora torna indietro, presto. »

« Dove? »

« Indietro » disse la voce. « Cammina qui, vicino al reticolato. »

Il ragazzo camminò indietro per una cinquantina di passi, fino a che la voce non gli disse di fermarsi. Quello che aveva parlato lo aveva seguito, dall'altra parte del reticolato. « Guarda ancora in giro se vedi qualcuno » disse.

Il ragazzo guardò ancora, ma non c'era proprio nessuno. « Non c'è nessuno » disse.

Allora un'ombra uscì senza far rumore dalle rovine, e s'infilò sotto il reticolato, fino a metà della siepe. « Passami la valigia » disse.

Il ragazzo restò incerto. « Siete della polizia? » domandò.

« Macché polizia » disse quello sotto il reticolato. « Passami la valigia, presto. »

Il ragazzo si decise, ma non sapeva per dove passare la valigia.

« Per sotto, sotto » disse l'ombra. « Non vedi che si alza, il reticolato? »

Il ragazzo sollevò il reticolato e spinse avanti la valigia. L'altro la prese e la attirò a sé. « Passami anche il mantello. »

Il ragazzo si tolse il mantello e lo passò sotto il reticolato. L'ombra strisciò indietro portandosi la valigia e il mantello. Il ragazzo aspettava. Non si vedeva più l'ombra dall'altra parte.

« Aspetti che passino i soldati? » domandò la voce. « Vieni anche tu, presto. »

« Per sotto? » domandò il ragazzo.

L'altro perdette la pazienza. « Se ce la fai a volare passa per sopra. Ma fa presto. »

Il ragazzo si sdraiò per terra e s'infilò sotto il reticolato, nel punto dove si poteva alzare. Strisciò avanti per un metro, quindi si fermò.

« Cosa fai? » domandò la voce.

« Mi devo essere strappato i pantaloni » disse il ragazzo.

« Dio, devi essere proprio stupido » disse l'altro, e venne di nuovo al reticolato per aiutare il ragazzo a passare. Appena di là egli prese la valigia e il mantello che aveva deposto a terra e si mise a camminare in fretta per allontanarsi dai reticolati, portandosi via la roba.

Il ragazzo lo seguì da vicino, faticando un poco sul sentiero ineguale, che girava tortuoso fra le macerie e i resti di case. Anche quello che andava avanti era un ragazzo, senza cappotto e con uno strano berretto in testa.

Camminarono per un centinaio di metri in silenzio, poi quello che andava avanti domandò: « Chi sei? ».

Il ragazzo non trovò subito la risposta. « Mi chiamo Daniele » disse dopo un poco.

« Che cosa facevi da queste parti? »

« Non so. Ho paura di essermi perduto. È difficile indovinare la strada, con tutti questi cambiamenti. »

L'altro fece un suono indefinibile, e non domandò niente altro, fino a che non furono giunti vicino ad una casa con i muri in piedi. Allora si fermò e depose a terra la valigia e porse il mantello a quello che lo aveva seguito. « Tieni » disse. « Prendi la tua roba. » Così dicendo lo guardò meglio, e vide com'era vestito. « Come sei vestito? » domandò.

« È la divisa » disse Daniele. « La divisa del collegio. »

« Eri in collegio? »

« Sì. »

« E sei scappato? »

« Sì. »

« Ah » fece il ragazzo. « E cos'hai dentro la valigia? »

« La mia roba » disse Daniele. « La roba per lavarmi, e la biancheria e i libri. »

« Libri? »

« Sì. Libri per studiare. »

« Ah » fece ancora il ragazzo. « E cosa studi? »

« Molte materie. Italiano e latino... »

« Anche latino? » domandò il ragazzo. « A cosa serve il latino? »

« Non so. Ci facevano studiare anche il greco. »

« Studiavi da prete? » domandò il ragazzo.

« No. Farò il medico, quando sarò grande. »

Ancora il ragazzo disse: « Ah » ma questa volta sopra pensiero. E dopo qualche istante domandò: « Perché camminavi da queste parti? ». La sua voce aveva cambiato improvvisamente tono. Era calma e quasi affettuosa.

Daniele parve esitare, prima di rispondere. Infine disse: « Mi avevano detto di stare attento alla polizia, così son venuto in mezzo al quartiere, per non passare dalla via principale. Volevo andare dalle parti del Duomo ».

« Dovevi saperlo che non si passa più per questo quartiere » disse il ragazzo. « Dove sei stato tutto questo tempo? »

« In collegio » disse Daniele.

Il ragazzo non si irritò. « Perché volevi andare dalle parti del Duomo? »

« C'era la mia casa, prima, da quelle parti. È andata giù col bombardamento. »

« E i tuoi sono morti? »

« Sì » disse Daniele.

« E non hai nessuno al mondo? »

« Ho ancora dei parenti » disse Daniele. « Sono parenti da parte di mia madre. Ma non stanno qui, stanno a Roma. »

« E tu vuoi andare da loro? » disse il ragazzo. « Non è facile arrivare a Roma, di questi tempi. »

« Non voglio andare da loro » disse Daniele.

« Ah » fece il ragazzo, senza particolare significato. Quindi si avvicinò col suo viso al viso di Daniele, e lo studiò attentamente come meglio poteva con quella scarsa luce. E alla fine domandò: « Di che razza di gente sei? ».

« Cosa? » fece Daniele.

« Vorrei sapere che mestiere faceva tuo padre in questa città. »

« Era funzionario alla prefettura. »

Per qualche istante il ragazzo tacque, quindi disse: « Io sono comunista ».

Lo disse con tono d'importanza, come se volesse colpire l'altro. Ma l'altro non disse nulla.

« Non dici niente che sono comunista? »

« Uno adesso può essere quello che vuole » disse Daniele. « Anche i preti in collegio avevano fatto un partito cristiano. »

« Lascia stare i preti » disse il ragazzo. Poi domandò all'improvviso: « Perché non vuoi andare da quei tuoi parenti a Roma? ».

« Così » disse Daniele con ostinazione. « Non voglio andarci. »

« Non sono ricchi? Non avrebbero da darti da mangiare? »

Daniele fece un gesto di dispetto. « Perché mi fai tutte queste domande? » disse. « E perché mi hai fatto venire qua dentro? Io non volevo venire qua dentro. »

L'altro ragazzo non rispose. Si era appoggiato al muro, e stava lì come pensando. Faceva freddo, ed egli andava in giro senza sciarpa e senza cappotto, e pareva anche che non sentisse freddo. Daniele invece aveva già i piedi gelati. « Perché mi hai fatto venire qua dentro? » domandò ancora.

Il ragazzo rise, invece di dire qualche cosa. Era come se l'ostinazione di Daniele lo divertisse.

« Oh, non ridere, per piacere » disse Daniele.

Il ragazzo smise di ridere, e domandò seriamente: « Posso sedermi sulla tua valigia? ».

Daniele ebbe la tentazione di rispondergli male, ma poi disse soltanto di sì.

Il ragazzo posò la valigia in piano e si sedette da un lato. « Siediti anche tu » disse. « Ci tiene tutti e due. »

Daniele si sedette sulla metà che il ragazzo aveva lasciata libera. Stavano stretti e si toccavano con le spalle.

« Ascolta bene, adesso » disse il ragazzo. « Io potrei aiutarti, forse, ma prima devo sapere cosa vuoi fare, e perché sei scappato dal collegio, e perché non vuoi andare dai tuoi parenti a Roma. »

Daniele pensò un poco. Un momento prima non avrebbe

detto niente, ma ora quel ragazzo gli sembrava diverso, per come si era seduto lasciando posto anche per lui, e soprattutto per come gli aveva chiesto di parlare. Aveva un tono di voce fermo e comprensivo, si capiva che non intendeva solo prendersi gioco di lui. « Devo dire tutto? » domandò.

« Tutto quello che vuoi dire. »

« Comincerò da dopo il bombardamento. Va bene? »

« Sì, va bene. Ma fa presto. Ci si gela a star fermi. »

« Mio padre e mia madre morirono col bombardamento, » disse Daniele « e io restai solo in collegio. Allora il direttore telegrafò a quei miei parenti di Roma, e venne mio nonno. Io non avevo mai visto mio nonno, prima. Lui non andava d'accordo con mia madre e con mio padre, non so perché. Io gli scrivevo una cartolina ogni volta che veniva Natale o Pasqua, perché così mi diceva mia madre, ma lui non mi ha mai risposto. Io non so perché fosse così. Non me l'hanno mai detto. »

« Lascia perdere queste storie » disse il ragazzo. « Non hanno importanza. »

« Allora venne e io lo vidi per la prima volta » disse Daniele. « Disse che avrebbe pagato lui il collegio e che io dovevo continuare a star là dentro. Poi tornò subito a Roma e lasciò i soldi per un trimestre. Intanto io aspettavo le vacanze. Speravo che mi avrebbe fatto andare a casa sua a Roma, anche se lui non aveva mai detto questo. Ma io speravo molto di andare a Roma, perché non potevo star sempre in collegio, dopo che mia madre era morta, e nessuno veniva più a trovarmi. Così aspettavo per andare a Roma, e invece prima che cominciassero le vacanze gli americani presero Roma e non ci potei più andare. Così dovetti restare in collegio tutta l'estate, ed ero solo perché gli altri ragazzi se n'erano andati a casa loro, e i preti mi trattavano differentemente, adesso che non c'era più nessuno che pagasse per me. Ce n'era uno che voleva che mi facessi prete anch'io. E poi, quando cominciò il nuovo anno, volevano che facessi la spia. Ogni volta che succedevano disordini in collegio, volevano sapere da me il nome di quelli che facevano disordine. Questo perché non potevo pagare, e dicevano che dovevo ricompensarli in qualche modo. Ma io non volevo fare la spia, e neanche volevo farmi prete. Così loro mi punivano, e io commettevo sempre nuove mancanze. Continuavano a minacciarmi d'espulsione, ma intanto non sapevano da chi mandarmi. Dovevano aspettare che arrivassero gli americani per cacciarmi via. Anch'io aspettavo gli americani, perché ero sicuro che sarei andato a Roma. Poi quando gli americani arrivarono, il direttore scrisse a mio nonno che avevo tenuto cattiva condotta e che meritavo l'espulsione. Anch'io scrissi a mio nonno dicendogli la verità. E lui rispose soltanto al direttore, e gli scrisse che aveva trovato un posto per me in un altro collegio. Così sono scappato. »

Daniele tacque per un poco. L'altro ragazzo stava fermo, come aspettando che egli continuasse.

« Non voglio andare di nuovo in collegio » disse Daniele. « E neanche da mio nonno voglio andare, ormai. »

« E cosa vuoi fare, allora? »

« Voglio vivere per conto mio. »

L'altro sorrise. « Come vuoi fare a vivere? »

« Potrei trovare lavoro. Pensavo di andare da qualche amico di mio padre. Forse mi darebbero un posto da impiegato. »

Ancora l'altro sorrise, con amarezza. « Tu non hai una idea di come sia fatto il mondo » disse. « Credi che qualcuno voglia darti un posto, di questi tempi? E poi, sei sicuro che siano ancora amici di tuo padre? Lui è morto da sette mesi, e tante cose sono cambiate in sette mesi. Anche i funzionari saranno cambiati. Li hanno mandati via quasi tutti. »

« Almeno uno c'è ancora di sicuro » disse Daniele. « So che c'era, fino a pochi giorni fa. È uno che veniva sempre a casa nostra. »

« Bene » disse il ragazzo. « L'unica cosa che vorrà fare, sarà di spedirti di nuovo in collegio. Tu sei minorenne, e devi fare quello che vogliono i tuoi parenti. Se loro vogliono tenerti in collegio, tu devi starci. Questa è la legge. »

« Non voglio » disse Daniele con ostinazione.

« Bene, è così lo stesso » disse il ragazzo. « Se no devi stare nascosto, perché i preti ti faranno cercare. Basterà che stia nascosto una settimana. La polizia ha altro da pensare, di questi tempi. Ma bisognerà che ti trovi un altro vestito, perché con quello che hai indosso ti pescano anche tra un mese, appena ti vedono in giro. »

Daniele stette alquanto in silenzio, pensieroso. Poi disse: « Ma io non posso star nascosto una settimana. Devo trovare subito un lavoro per mangiare. Fa niente, anche se non è un lavoro da impiegato ».

« Cosa sai fare? »

« Non so. Potrei fare il fattorino o un altro lavoro qualsiasi. S'impara presto, quando si ha buona volontà. »

« Tu non sai stare al mondo » ripeté il ragazzo. « Non c'è lavoro, di questi tempi. L'unica cosa che puoi fare è tornare in collegio e seguire quella strada. Sei più fortunato di tanti altri. »

« Non voglio » disse Daniele.

Il ragazzo parve distrarsi. Tirò fuori le mani di tasca, e tentò di vedere l'ora su di un orologio che teneva al polso, ma vi era troppo poca luce. « Dev'essere tardi » disse.

Daniele non parlò. Stava soffrendo anche il freddo, e avrebbe voluto che quella situazione si risolvesse, in qualche modo.

Ad un tratto il ragazzo disse: « Io potrei darti del lavoro, se tu vuoi. Sei disposto a fare qualsiasi cosa? ».

« Sì. »

« Anche rubare? »

« No » disse Daniele. « Non vorrei rubare. »

« Allora niente » disse il ragazzo. Si alzò e fece qualche passo intorno battendo forte i piedi per terra. Quindi domandò: « Cosa vuoi andare a fare, dalle parti del Duomo? ».

« C'era la mia casa. Io abitavo nel primo grattacielo verso la piazza. »

« Ma è andato giù tutto. Non è rimasto niente in piedi. »

« Volevo solo andare a vedere perché era la mia casa »

disse Daniele. « Non li hanno mica tirati fuori i morti, non è vero? »

« No, non li hanno tirati fuori » disse il ragazzo. « Perché vuoi che li tirino fuori? Loro stanno bene anche dove sono. » Aveva ripreso a camminare pestando i piedi. Poi di colpo si fermò di fronte a Daniele e disse con asprezza nella voce: « Adesso ti porterò dalle parti del Duomo, e te ne andrai per la tua strada, in galera o in collegio o dove diavolo ti capiterà di andare. E non dirai a nessuno di avermi incontrato o di essere passato per i reticolati. Va bene? ».

« Va bene » disse Daniele alzandosi. « Non lo dirò a nessuno. »

Il ragazzo s'avviò per primo, camminando in fretta. Macchie scure o chiare e resti di case si rivelavano improvvisi e presto sparivano nella notte. Il rumore dei passi era l'unico rumore nel grande silenzio.

Poi il ragazzo si fermò ancora, all'improvviso. « Sai mantenere un segreto? » domandò.

« Sì. »

« Potrei farti passare la notte al coperto » disse il ragazzo. « Così intanto potrai pensare bene a quello che devi fare. Bisogna che tu ci pensi bene, perché tutte le idee che hai in testa sono stupide, e non servono per un mondo come questo. Se ti lascio andare domani ti spediscono di nuovo in collegio, o da quei tuoi parenti a Roma. Del resto, io penso che sia la cosa migliore, se vai a farti mantenere in qualche posto. Non sai stare al mondo da solo, tu. »

« Morirei di fame, piuttosto che farmi mantenere da loro. »

« Questo è affar tuo » disse il ragazzo con tranquillità. « Io ti aiuterò per questa notte, così potrai pensare. M'importa soltanto che tu non dica a nessuno dove sei stato e chi hai visto. »

« Va bene. »

« Devi giurare che non dirai niente a nessuno » disse il ragazzo. « Devi giurarlo su tuo padre e su tua madre. »

« Giuro » disse Daniele.

« Bene » disse il ragazzo. « Andiamo. » E riprese a camminare avanti.

Si addentrarono in una zona dove i resti di case erano più frequenti, e in certi punti si notava anche il segno delle strade e dei portici. Ma tutto era solitudine e silenzio.

Poi il ragazzo si fermò davanti ad una porta e l'aprì cautamente, senza alcun rumore. L'edificio finiva poco sopra la porta, perché la parte più alta era crollata.

« Passa, e cerca di far piano » disse il ragazzo. « C'è gente che dorme, dentro. »

Daniele entrò e il ragazzo richiuse la porta. Era tutto buio e si sentiva odore di umidità, e anche di fuoco, ma senza tepore. Là dentro faceva freddo come fuori. Il ragazzo estrasse di tasca una lampadina e l'accese. Solo un filo di luce usciva dal riflettore schermato.

« Tieni, fammi luce » disse il ragazzo.

Daniele depose a terra la valigia e prese tra le mani la lampadina.

Il ragazzo cercò in una tasca della giubba. Tirò fuori un pacchetto di tabacco e arrotolò una sigaretta. « Fumi? » domandò.

« No. »

« Dammi la lampadina » disse il ragazzo. La prese e la spense e restarono di nuovo nel buio. Subito dopo però il ragazzo fece scattare un accendisigari e tenne la fiamma vicina al viso di Daniele. Si studiarono l'un l'altro per un momento. Poi il ragazzo accese la sigaretta e chiuse l'accendisigari. Con la brace della sigaretta guardò l'orologio al polso. « È tardi » disse.

« Devo star qui? » domandò Daniele.

« Adesso ti porto a letto » disse il ragazzo. « Cerca di far piano. »

« Porto anche la valigia? »

« Portala, se vuoi. »

Daniele prese la valigia. L'altro ragazzo lo afferrò per un braccio e lo condusse avanti per due o tre passi, quindi lo fece girare per un'altra parte. Non si vedeva niente, eccetto la brace della sigaretta. Là dov'erano arrivati si sentiva un forte odore, di profumo.

« Dietro a te c'è il letto » disse il ragazzo.

Daniele cercò il letto con le mani e lo trovò molto basso, appena a pochi centimetri dal pavimento.

« Puoi spogliarti » disse il ragazzo. « Basterà che tu ti tolga il mantello e la giubba. »

Daniele si tolse il mantello e la sciarpa e la giubba, e posò tutto sopra la valigia.

« Anche le scarpe, devi toglierti » disse il ragazzo.

Daniele si sedette sul letto, e fece un po' di rumore, benché cercasse di far piano.

L'altro ragazzo però non disse nulla. Aspirava di continuo dalla sigaretta, come se avesse fretta di finirla. Da un pezzo Daniele stava chino per slacciarsi le scarpe.

« Ma non sei neanche capace di toglierti le scarpe? » domandò il ragazzo con impazienza.

« Mi si è fatto un nodo. Non ci vedo a scioglierlo. »

« Dio » disse il ragazzo, abbastanza forte. Cercò di nuovo l'accendisigari per fare un po' di luce. « Sbrigati, » disse « ho già perso anche troppo tempo con te. »

Daniele si affrettò a sciogliere il nodo, e mentre così faceva qualcuno si girò nel letto ed emise un grosso sospiro girandosi. Anche la rete cigolò. Daniele si volse a guardare. Era un gran letto matrimoniale, e qualcuno dormiva dall'altra parte, egli vedeva dei lunghi capelli sparsi sul cuscino. Si levò in piedi con spavento.

« Hai visto? » disse. « C'è una donna nel letto. »

Il ragazzo soffiò sulla fiamma. « Pensa a dormire » disse. « Ci stai anche tu. »

« Qui con lei? »

« Se vuoi metterti per terra, per me fa lo stesso. Non ci sono altri letti. »

« Non dirà niente se dormo con lei? »

« Che vuoi che dica? » disse il ragazzo, ormai muovendosi.

« Non andare » disse Daniele pregando. « Chi è questa donna? »

« È Carla, non ti preoccupare. »

Daniele sentì qualche passo, mentre egli se ne andava, e poi più nulla, eccetto il respiro della donna che dormiva nel letto. Ora che ci stava attento poteva udire bene il suo respiro pesante. E frattanto stava in piedi e non osava muoversi. Scappando dal collegio s'era proposto di aver coraggio per qualsiasi cosa, ma non aveva pensato a cose come questa. Faceva molto freddo là dentro, ed egli tremava, senza mantello e senza giubba, e i piedi senza scarpe gli si gelavano sul pavimento. Cercò con le mani la valigia e la roba, ma non erano più nel posto dove le aveva posate. Forse il ragazzo s'era portato via tutto. E il freddo intanto non si poteva più sopportare. Ascoltò il respiro della donna, regolare e pesante. Allora piano piano abbassò le mani fino alle coperte, le sollevò, e si distese sotto. Il respiro della donna rimase eguale, e tutto il resto era silenzio. Per molto tempo ancora rimase sveglio, tremando sull'estremità del letto, ad ascoltare il respiro della donna.

VI

Da qualche torre le campane cominciarono a suonare che era ancora buio. Poi si fece giorno, freddo e grigio sotto il cielo nuvoloso uniforme. Nelle case e nei ricoveri la gente si svegliò, e vide la luce attraverso le fessure, e seppe la tristezza di un nuovo giorno.

Si svegliò la gente, e in gran parte rimase nei letti e nei giacigli, perché non c'era nient'altro da fare che restare distesi. Stando così distesi sotto le coperte, si poteva continuare a vivere, anche con la poca forza che c'era nel corpo a causa dello scarso cibo.

Ma quelli che avevano qualcosa da fare si alzarono nella luce incerta e s'incamminarono per le strade, verso i luoghi dove dovevano andare.

C'erano coloro che andavano a cercare cibo, ed erano molti. Stringendosi nei loro cenci, si mettevano in lunghe file ad aspettare davanti alle botteghe dei fornai. Aspettavano con rassegnata ostinazione. A qualche ora le porte si sarebbero aperte, e qualcuno avrebbe dato loro il pane per quel giorno.

Altri si mettevano a girare per le strade e per le piazze, in cerca di qualche altra cosa, oltre il pane. Chi aveva abbastanza denaro poteva trovare.

E c'erano coloro che andavano al lavoro, non molti, perché scarso era il lavoro. Piccoli commercianti, operai di una officina che riparava macchine per la guerra, spazzini che dovevano pulire la città, impiegati che mettevano in cifre e relazioni la miseria della gente. Anch'essi andavano senza gioia nel grigio mattino, e il loro passo era simile a quello di coloro che andavano a cercar cibo con poca speranza di trovarlo. Vi era in tutti la stessa stanchezza, perché ognuno era vagamente consapevole dell'inutilità di ciò che stava facendo.

Piu tardi l'aria si fece meno fredda. Allora anche coloro che erano rimasti ad oziare nelle case uscirono ad oziare nelle strade e nelle piazze. Mal coperti, con le scarpe logore o con gli stracci al posto delle scarpe, essi camminavano per la città o sedevano per terra sotto i portici e a ridosso delle case. Se passava qualcuno meglio vestito o meglio nutrito di loro, essi ne parlavano lungamente. Parlavano anche delle novità del mondo e della gente. Qualcosa accadeva sempre nel mondo e fra la gente, ed essi ne discutevano, per quel tanto di bene o di male che avrebbe potuto derivarne per loro. Ma ne discutevano senza molta convinzione, perché era difficile mantenere un grande interesse per le cose, quando tutto ciò che accadeva portava così pochi cambiamenti alla loro miseria. Potevano cambiare qualche uomo nel governo della città, oppure l'esponente di un partito poteva fare un discorso, o magari poteva accadere qualche importante fatto in uno dei tanti posti dove facevano la guerra. Ma per loro era sempre la stessa miseria. Forse bisognava aspettare che la guerra finisse, che gli uomini smettessero di distruggere tante cose buone che aveva la terra, solo per ammazzarsi a vicenda.

Ogni tanto scoppiava improvvisa una lite tra quelli che discutevano, o che attendevano nelle code, o che andavano in cerca di cibo. La gente correva intorno per guardare e ascoltare. Poi la lite finiva, e ciascuno tornava alla sua strada.

La mattina presto, nell'ora in cui era solito alzarsi in collegio, il ragazzo si agitò un poco nel sonno, senza tuttavia venire alla conoscenza. Continuò a dormire per ore ancora. Poi aprì gli occhi in una luce fioca, come se la stanza si fosse trovata sott'acqua. Vi era una sola finestra, dove al posto dei vetri avevano incollato della carta. L'ingresso della stanza era chiuso da una coperta.

Non giungeva alcun rumore dall'esterno, e in quel grande silenzio il ragazzo si sentiva sperduto nell'inerzia, vuoto di energia e di volontà. La stanchezza della notte precedente pesava in lui. Provava desiderio di dormire ancora, o forse aveva dormito anche troppo, e per questo era così intorpidito. Non aveva idea di che ora fosse.

Improvvisamente udì rumore di zoccoli, appena due o tre passi. Allora si ricordò della donna nel letto e si voltò da quella parte e vide la forma di un corpo sotto le coperte. Ma era un uomo, perché aveva i capelli corti. Doveva essere il ragazzo che l'aveva portato nella casa. E la donna forse era quella che si era mossa in un'altra stanza, avendo gli zoccoli ai piedi.

Ormai completamente sveglio, cercò la sua valigia e la scorse in un angolo. Il mantello e la giacca erano invece su di una sedia vicino al letto, il mantello piegato e la giacca ben distesa sulla spalliera, senza traccia di polvere. Mancavano però le scarpe. Non riusciva a scorgerle sul pavimento, dove si ricordava di averle lasciate. Era un pavimento di piastrelle, bianche e rosse alternate. Forse il ragazzo gli aveva nascosto le scarpe per impedirgli di andar via.

Venne ancora il rumore degli zoccoli, per alcuni altri passi.

La stanza era dipinta di giallo chiaro, con un fregio colorato in alto sulle pareti, una catena di bimbi nudi che sostenevano festoni di fiori. Almeno così pareva nella scarsa luce. Una crepa andava da una parte all'altra del soffitto, e si vedevano delle grandi macchie d'umido.

Il letto era una rete posta sul pavimento, e non aveva lenzuola, ma solo coperte grigie, come quelle che usavano i militari. Vicino alla porta c'era un piccolo tavolo, con un catino sopra e uno specchio posato al muro e due candelieri con candele quasi nuove. Per terra vi era un altro catino e un bidone tedesco da benzina. Dall'altra parte della porta si vedeva un radiatore di termosifone, con un asciugamano steso ad asciugare. Tuttavia il termosifone non era certamente acceso. Forse si era rotto con il bombardamento, oppure quella gente non aveva carbone per farlo andare. Faceva molto freddo. Il ragazzo si tirò le coperte fino al mento, e rimase con gli occhi aperti a guardare il soffitto. Ora vedeva molte altre crepe, oltre quella principale che andava da una parte all'altra. Facevano insieme curiose figure, e anche le macchie d'umido facevano curiose figure, come animali e alberi e perfino teste. Non aveva più sonno. Aveva fame, piuttosto, un senso di languore dentro lo stomaco.

Passò del tempo ed egli stava ad immaginare figure sul soffitto, e stava attento anche per afferrare ogni rumore. Ma nel silenzio sentiva solo rumore di zoccoli, di quando in quando, e portava in lui un certo turbamento, ogni volta. Non sapeva neanche lui cosa volere di preciso, ma forse sarebbe stato bene se il ragazzo si fosse svegliato e lo avesse condotto via, senza vedere la donna.

Poi le campane cominciarono a suonare, alcune vicine e altre più lontane, e dopo un poco smisero. La persona con gli zoccoli si muoveva più spesso, ora, e si sentiva anche rumore di oggetti che venivano toccati e rimossi. Erano rumori incerti tuttavia, dai quali non si poteva indovinare cosa stesse facendo quella persona. Di frequente, anche, il ragazzo voltava la testa verso l'altro che dormiva. Quello continuava a dormire, e dalle coperte spuntava solo la sommità della testa, con capelli corti e neri.

Quindi il rumore degli zoccoli si sentì più vicino, appena fuori dalla stanza, e cessò d'un tratto. Il ragazzo si sollevò per guardare verso la porta, e per l'agitazione gli mancava il fiato.

La coperta sull'ingresso si mosse, e lei venne dentro e non fece rumore con i piedi senza zoccoli. Il ragazzo riprese fiato, ma in un modo disordinato, perché il cuore gli batteva troppo forte. Quella che era entrata era soltanto una ragazza che poteva avere quattordici anni, alta e spettinata. Aveva le sue scarpe in mano. Venne avanti, e appena si accorse che lui era sveglio si fermò e dopo un attimo riprese a venire avanti. Ora teneva gli occhi fissi sulle scarpe che teneva in mano. Quando fu vicina disse sottovoce: « Le ho pulite solo con lo straccio, perché non abbiamo lucido ».

Il ragazzo provò a parlare, ma poi disse di sì, solo con la testa, ed essa non poté vedere, perché guardava le scarpe, invece di guardare lui. Le posò sul pavimento e continuò a guardarle. « Se vuoi alzarti, puoi venire di là » disse. « C'è un po' di fuoco di là in cucina. »

Il ragazzo disse di sì con la testa.

« Anche se vuoi lavarti, c'è acqua di là » disse la ragazza.

« Grazie » disse finalmente il ragazzo.

Essa si mosse per andare, e in quel momento diresse per un istante gli occhi su di lui. Aveva gli occhi grandi, di colore chiaro. Andò fuori, e si udì ancora il rumore degli zoccoli.

Ora il ragazzo appoggiò di nuovo la testa sul cuscino e tirò su le coperte. A poco a poco si calmava. Ci sarebbe andato, di là, ma non subito. Con lei non avrebbe saputo cosa fare né cosa dire, dopo che avevano dormito insieme, nello stesso letto.

Passò dell'altro tempo, e poi la udì venire un'altra volta, ma egli rimase fermo sotto le coperte. Essa entrò come prima, senza zoccoli, e venne vicino al letto. Sembrava più sicura, adesso, e si era pettinata. Aveva delle grosse calze di lana verde, e un vestito grigio, dello stesso colore delle coperte militari. « Se vuoi venire di là, c'è un po' di caffelatte caldo » essa disse.

« Sì » egli rispose.

« È pronto, se vuoi venire » essa disse ancora, e se ne andò.

Il ragazzo cominciò ad alzarsi, e si muoveva con lentezza per non far rumore. L'altro ragazzo era immobile nel sonno. Egli s'infilò la giubba, e raccolse la valigia e il mantello e le scarpe. Uscì dalla stanza e si trovò in un corridoio scuro, dove appena poca luce entrava attraverso le fessure di una porta. Si mise le scarpe ed aspettò. Non si sentiva alcun rumore. Abituandosi all'oscurità vide dapprima della biancheria stesa ad asciugare su di una corda. E poi vi erano delle altre porte sulla parete di fronte, tutte chiuse con delle assi inchiodate. Faceva freddo.

In punta di piedi egli camminò verso la porta da dove veniva la luce, e l'aprì per guardare fuori. C'era una specie di cortile ingombro di macerie, con case mezzo crollate intorno, e un sentiero nel mezzo, che si allontanava fra le case rovinate. Il cielo era grigio e freddo. L'unica cosa che si vedeva era un albero di magnolia un po' lontano, che spuntava dalle rovine con qualche ramo, dalla parte dove andava il sentiero.

Egli richiuse la porta, avendo cura di non far rumore. Camminò piano per il corridoio e passò oltre la porta della stanza dove aveva dormito. Più avanti c'era un'altra porta simile a quella, egualmente chiusa da una coperta. Anche in fondo al corridoio vi era una porta, più grande, con delle assi inchiodate. Lì per terra stava un piccolo mastello per fare il bucato.

Il ragazzo aspettò senza muoversi di fronte alla porta inchiodata. Poi tossì, non sapendo come fare.

Subito si sentì rumore di passi, e la ragazza sporse la testa dalla coperta che chiudeva la porta a sinistra. « Vieni » disse.

Egli si voltò, e volle apparire sorpreso di vederla. « Posso lasciare qui la valigia? » domandò.

« Sì, » essa disse « puoi lasciarla dove vuoi. » Parlava in modo semplice e gentile.

Egli posò la valigia sul pavimento e piegò il mantello con molta cura e lo mise sopra la valigia. La ragazza si era ritirata dentro la stanza. Si passò le dita tra i capelli, nel tentativo di pettinarli. Quindi entrò.

Essa stava in piedi, di fronte alla porta, aspettandolo. Anch'egli si fermò per guardarla, appena entrato. Ai piedi, invece degli zoccoli, s'era messa un paio di scarpe, che erano vecchie. E non era bella. Solo i capelli erano belli in lei, chiari e ondulati, che le arrivavano sulle spalle. E anche gli occhi erano belli e vi era meraviglia in essi, e un accenno di sorriso, e una maniera dolce di guardare. « Vieni » disse.

Ma il ragazzo non si mosse. Una spiacevole agitazione era entrata in lui sotto lo sguardo di lei così dolce, ma poi aveva cominciato a pensare ai pantaloni che dovevano essere sgualciti e ancora sporchi di polvere, e d'improvviso si ricordò che erano anche rotti, dietro, e allora si smarrì del tutto. Esitando portò una mano dietro e sentì lo strappo. « Oh » disse, facendo dei movimenti con la testa.

« Che hai? » domandò la ragazza.

Egli era tanto confuso che non riusciva a parlare speditamente. « Forse, » disse « forse non fa troppo caldo qua dentro. Forse è meglio se mi metto il mantello. » Si afferrò alla coperta dietro e uscì senza voltarsi.

La ragazza non capì la sua confusione, ma l'accenno di sorriso sparì dai suoi occhi. Poi, quando il ragazzo tornò col mantello sulle spalle, essa evitò di guardarlo direttamente. « Siediti vicino al fuoco » disse.

Vi era in un angolo un grande recipiente di latta, con delle braci dentro. Il ragazzo si sedette su di uno sgabello tenendo le mani sopra il fuoco. Le braci erano coperte da uno strato di cenere e non davano molto calore, ma abbastanza per scaldarsi un poco stando lì vicini. Posato sui carboni vi era un pentolino con il caffelatte.

La ragazza si muoveva per la stanza, ma egli non aveva coraggio di guardarla, e ciò dipendeva dallo strappo sui pantaloni, e anche da quell'altro fatto, che avevano dormito insieme. La stanza aveva due finestre, con carta al posto dei vetri, e vi erano tre grosse travi ritte come colonne, per sostenere il soffitto. Un angolo era nascosto da coperte tese su delle corde, in un altro angolo si vedevano per terra utensili da cucina e bidoni tedeschi. Pochi tegami e pentole erano appesi a dei ganci sul muro.

La ragazza venne con una tazza d'alluminio. Vi versò il caffelatte e gliela porse. Egli prese la tazza e cominciò a bere a piccoli sorsi. Era amaro, ma buono, e sapeva di caffè vero.

« È caldo? » domandò la ragazza.

« Oh, sì, grazie. »

« Non c'è pane. Noi mangiamo pane solo alla sera, se no non basta. »

Essa si era fermata di fronte a lui, aspettando. Il grosso vestito le stava piuttosto goffamente, e si indovinava la sua magrezza, sotto. Aveva un piccolo scialle di lana posato sulle spalle, fermato davanti con uno spillo.

Quand'egli ebbe finito di bere, essa sporse le mani per prendere la tazza e la portò via assieme al pentolino, in un'altra parte della stanza. Poi venne a sedersi accanto a lui, per essere vicina al calore del braciere. Tutti e due stavano un po' chini in avanti, con le mani tese a scaldarsi. Essa aveva un viso sottile, con dei lineamenti alquanto duri, e le labbra strette e pallide. E le sue mani erano deformate da grossi geloni e da screpolature.

Ogni tanto l'uno guardava l'altro sollevando rapidamente gli occhi, e non capitava che si guardassero nello stesso tempo. Ma appena accadde che alzassero gli occhi insieme essa tentò un sorriso, e tuttavia egli non rispose e subito distolse lo sguardo. Allora anch'essa si chiuse, e rimase in un atteggiamento sottomesso, avvilito. Il silenzio era profondo, e si faceva sempre più imbarazzante. Il ragazzo cominciò a muovere le dita, e un poco anche le labbra, con nervosismo. « Chi sa che ore sono » disse alla fine. Sentì la propria voce tremare miseramente.

La ragazza non sollevò gli occhi dalle braci. « Era appena suonato mezzogiorno, quando son venuta a portarti le scarpe » disse. « Adesso forse sarà l'una. »

« È tardi » disse il ragazzo.

Ora la ragazza sollevò gli occhi. « Perché tardi? »

Per un istante egli cercò qualcosa da dire. « Perché è l'una » disse.

« Tullio ha detto che non devi muoverti di qui prima di sera » disse la ragazza.

« Chi è Tullio? »

« Lo conosci. È lui che ti ha portato a casa questa notte. »

« Oh, sì » egli disse, e subito domandò: « È lui quello che sta dormendo di là, non è vero? ».

« Sì » disse la ragazza.

Seguì un breve silenzio e il ragazzo divenne ancor più nervoso con le mani, perché era arrivato il momento di parlare di quella cosa. Aveva l'impressione che lei stesse aspettando. « Io, » disse « io devo ringraziarvi perché mi avete pulito le scarpe. E anche perché avete messo in ordine la mia roba. Siete stata voi a mettere in ordine la mia roba, non è vero? »

« Oh, non è niente » disse la ragazza.

Egli tirò il fiato lungamente. « Mi dispiace di avervi disturbata, questa notte » disse.

« No, no » essa disse. « Non ho sentito nulla. »

« È stato per colpa delle scarpe » disse il ragazzo. « Mi si era fatto un nodo nei lacci e non riuscivo a scioglierlo, e allora quel ragazzo ha dovuto farmi luce, e voi vi siete girata nel letto. Avevo proprio paura che vi foste svegliata. »

La ragazza ora lo guardava con meraviglia. « Oh, non ero io, quella » disse. « Era Carla. Io sono Giulia. Io dormo qui, dietro quelle coperte. »

Il ragazzo sentì un caldo improvviso alla faccia, e cominciò a balbettare per la confusione. « Io non volevo » disse. « Io pensavo che foste voi, ma non ne ho colpa. Quella donna dormiva con il viso sotto le coperte, e si vedevano solo i capelli. Così ho potuto pensare che eravate voi, ma mi sono sbagliato. Non intendevo dire una cosa che potesse farvi dispiacere. »

« Tornerà tra poco, Carla » disse la ragazza con semplicità.

Egli le fu riconoscente per quella semplicità, ma non si sentiva capace di dire più nulla.

« Carla è mia cugina » disse ancora la ragazza, e poi rimasero in silenzio, perché egli non parlava e teneva gli occhi fissi sulle braci. Dentro di sé pregava che accadesse qualche cosa, e non accadeva nulla.

Alla fine la ragazza disse: « Se volete lavarvi, qui c'è tutto quello che occorre ».

Egli pensò con terrore allo strappo dei pantaloni. « Oh, non importa » disse. « Non dovete proprio disturbarvi per me. »

« Ma non volete lavarvi? »

« Sì, sì » egli disse guardando come se cercasse qualcosa in giro. « Ecco, potrei andar fuori. Vi dispiace se vado a lavarmi nel corridoio? Là c'è la mia roba, con la valigia. »

« Fa più freddo, fuori » disse la ragazza.

« Oh, non fa niente, il freddo » egli disse.

Allora essa si alzò per portar fuori nel corridoio un catino e un bidone d'acqua. Egli la seguì con l'intenzione di aiutarla e non riuscì a far nulla. La ragazza rovesciò il piccolo mastello di legno, vi posò sopra il catino e lo riempì d'acqua. Poi andò ad aprire la porta d'ingresso e una maggiore luce arrivò fino in fondo al corridoio.

Il ragazzo cercava di perdere tempo con la valigia. Tirò fuori il sapone, il pettine, l'asciugamano, tutto con grande lentezza. Lei stava lì a guardare, e quando vide il sapone disse: « Oh, non è buono quel sapone. Ve ne do io un pezzo ».

Rientrò nella cucina e subito dopo venne con un pezzo di sapone bianco e profumato.

« Grazie » disse il ragazzo e rimase fermo col mantello indosso, benché ormai fosse tutto pronto.

« Vi serve ancora qualche cosa? » domandò la ragazza.

« No, no, grazie » egli disse in fretta. Tuttavia non si mosse, e anche lei stava lì ferma, senza capire, e forse non le passava neanche per la testa il pensiero che doveva andarsene.

Allora egli disse coraggiosamente: « Ecco, vorrei che ve ne andaste dentro, per piacere. E non dovreste uscire, fin che non ho finito ».

« Oh, va bene » disse la ragazza, e se ne andò in cucina.

Egli si tolse in fretta il mantello e la giubba e cominciò a lavarsi piegato sul catino. L'acqua sapeva di fiume, ma il sapone era buono e faceva molta schiuma, con un profumo come di fiori. Da molto tempo egli non aveva più usato un sapone così buono. Quella gente sembrava tanto miserabile in certe cose, e poi aveva sapone buono e caffè vero e una casa che prima doveva essere stata bella, col termosifone e quella pittura sulle pareti. Tuttavia, egli non vedeva l'ora d'andarsene di lì. La ragazza era gentile, certamente, ma il ragazzo gli aveva fatto tutte quelle domande come per prenderlo in giro, e poi l'aveva messo a dormire in un letto dove c'era una donna. E faceva anche il ladro, l'aveva capito benissimo.

Prese il catino con l'acqua sporca e andò a versarlo fuori dalla porta e cominciò a sciacquarsi con dell'altra acqua. E finito che ebbe, si rizzò e prese l'asciugamano per asciugarsi e sentì una voce di donna alle sue spalle, una voce che parlava e rideva insieme. « Buon giorno, reverendo » disse la voce.

Egli si voltò di scatto, e rimase immobile, a guardare. Questa era una nuova ragazza, alta come quell'altra, ma meno magra. Vedeva la sua figura contro lo sfondo chiaro della porta.

La ragazza rideva. « Ehi, reverendo, » disse « hai uno strappo così lungo nei pantaloni. »

Tutta la sua forza se ne andò di colpo, e non ebbe neanche il coraggio di abbassare gli occhi. Aveva un aspetto proprio pietoso, coi capelli appiccicati sulla fronte e la bocca troppo aperta e le gocce d'acqua che gli scendevano dal viso e dal collo dentro la camicia.

« Asciugati » disse la ragazza. « Non stare lì impalato come uno stupido. »

« Oh, sì » egli disse automaticamente, e non si mosse.

« E non preoccuparti per i pantaloni » disse la ragazza. « Giulia te li aggiusterà. Te li aggiusterà così bene che non si vedrà niente. »

Egli continuava a guardarla come stordito.

« È brava, sai » disse la ragazza. « Lavorava da sarta, prima del bombardamento. »

Ancora egli non si muoveva, ed essa gli rise in faccia, in un modo proprio insolente, e poi entrò in cucina.

Allora il ragazzo prese ad asciugarsi con una fretta eccessiva, ma non aveva neanche finito che le due ragazze tornarono insieme. Tutte e due si chinarono per osservare meglio lo strappo nei pantaloni.

« È un peccato » disse quella magra, e l'altra rise, per un motivo che non si capiva.

Egli non si muoveva, sempre più pieno di confusione e di vergogna.

E quella che aveva riso disse: « Voltati un po' dall'altra parte, reverendo. Non si vede niente così ».

Egli si girò verso la porta inchiodata.

Le ragazze osservarono più attentamente lo strappo, ed egli sentiva anche che toccavano la stoffa nel punto dove era rotta. Aveva una grande voglia di mettersi a urlare, oppure di piangere, ma intanto stava solo fermo e rigido, trattenendo perfino il respiro.

« È un peccato » disse ancora la ragazza magra. « E adesso non ho filo di questo colore, soltanto nero. »

Egli si sentì un po' sollevato perché capiva che in quel momento non lui, ma i pantaloni avevano importanza.

« Non si vedrà poi molto, il nero sul blu » disse l'altra ragazza.

« Sì, ma è un peccato perché è roba buona » disse quella magra, e subito andò via lasciandoli soli nel corridoio.

Egli era sempre voltato verso la porta inchiodata.

« Bene, e non ti muovi? » domandò la ragazza.

« Sì, signorina » egli disse, e si girò verso di lei, ma tenne la testa bassa.

« Sbrigati, allora » disse la ragazza. « Te li sei strappati passando sotto il reticolato, i pantaloni? »

« Sì, signorina » egli disse.

« Bene, smettila di chiamarmi signorina » disse la ragazza.

« Io mi chiamo Carla. E dammi del tu. In fin dei conti, abbiamo dormito insieme, questa notte, no, reverendo? »

Egli sprofondò in una vergogna ancor più grande di prima. Divenne tutto rosso in viso, e respirava ansando un poco. Lei lo guardava divertita, forse anche sorpresa.

Alla fine egli sentì di poter parlare, e alzò perfino gli occhi su di lei, benché pietosamente. « Ecco » disse. « Io volevo parlarvi proprio di questo, perché mi dispiace tanto di avervi disturbata. » E non riuscì ad andare più avanti.

« Oh » disse la ragazza, semplicemente, e lo prese per un braccio e lo portò in cucina, vicino al braciere. « Siediti, per carità » disse, e subito lo lasciò.

Egli non si sedette ma rimase in piedi dove la ragazza lo aveva lasciato, appoggiato con la schiena contro la parete. Ora l'espressione del suo viso era imbronciata con ostinazione. Più che mai avrebbe voluto trovarsi fuori, tra gente diversa che non ridesse su fatti come uno strappo di dietro e il dormire insieme nello stesso letto e sui sentimenti delle persone. Tuttavia le ragazze non badavano più tanto a lui, pareva, e dopo un poco egli sollevò gli occhi dal pavimento per guardarle. Una si chiamava Giulia e l'altra Carla. Giulia stava cercando in una piccola scatola di cartone. Carla invece si muoveva rapida e sicura, facendo qualcosa nella cucina. S'era tolta il cappotto, e sotto era vestita con un disordine capriccioso. Aveva una gonna corta fin sopra i ginocchi e una maglia di lana a strisce, anche troppo attillata. E portava calze di seta e scarpe con la suola molto alta, come quelle delle signorine, e un berretto di lana gialla che le copriva solo la sommità della testa. Era anche dipinta sulla bocca.

A un certo punto Carla lo guardò e i loro occhi si incontrarono. « Bene, reverendo » disse. « Mai visto un sonno duro come il tuo. Ho fatto un sacco di rumore alzandomi, e non ti sei neanche mosso. Eri molto stanco, non è vero? »

Egli non rispose. Meglio sarebbe stato che lei non usasse quel tono ironico con lui, e non si mettesse a ridere così sfacciatamente ogni due o tre parole.

Giulia trovò ciò che cercava nella scatola e venne da lui con l'ago e il filo. « Bisognerebbe che ti togliessi i pantaloni » disse con tutta ingenuità.

Egli si sentì di nuovo preso dal terrore. « I pantaloni? » disse.

Giulia non capiva. « Non posso cucirli se li tieni addosso. »

« Oh, no » egli disse. « Non ho altri pantaloni da mettermi. »

Carla li guardava e rideva.

Anche Giulia si confuse un poco. « È solo per ripararli » disse. « In mezz'ora finisco, e dopo puoi rimetterli. »

« No, no » disse il ragazzo. « Non posso togliermi i pantaloni. »

Carla venne vicino a loro, seria in viso, ma con un'aria insolente come quando rideva. Allungò le mani sulla cinghia dei pantaloni. « Forza, reverendo » disse.

Egli afferrò la cinghia perché lei non la sciogliesse, e intanto diceva sempre di no con la testa, e aveva un'espressione così disperata che Carla scoppiò a ridere.

Ma Giulia aveva capito, e non rise. « Lascia stare, Carla » disse con forza. Ed al ragazzo disse: « Vieni » e lo portò dietro le coperte, dov'era il letto. « Spogliati qui dietro » disse. « E dopo passami i pantaloni. Io aspetto fuori. »

Carla continuava a ridere, quasi istericamente. « Non ridere così » disse Giulia pregando. « Non capisci che gli fai male? È differente da noi. »

Ma Carla non smise di ridere.

Dopo un poco, egli sporse timidamente il braccio dalle coperte, con i pantaloni. Giulia li prese e andò a sedersi sotto una finestra per cucire lo strappo. Si mise a lavorare con attenzione, prendendo ad uno ad uno i fili sull'orlo e cucendoli insieme, perché il rammendo si vedesse il meno possibile.

Intanto Carla si era seduta vicino al braciere e rivolgeva parole al ragazzo nascosto dietro le coperte. « Ehi, reverendo, » diceva « non mi hai ancora detto come si stava in seminario. Pare che ti abbiano cacciato via perché non eri abbastanza virtuoso. È vero che ti han cacciato via? »

Il ragazzo non rispondeva, e Carla si fece più dispettosa. « Eppure dovresti raccontarmi com'è andata questa faccenda » disse. « Sono sicura che mi divertirei. Tullio ha detto che sapevi già il latino, e anche il greco, e che l'anno venturo ti saresti vestito con la tonaca. È proprio un peccato che tu non sia scappato con la tonaca. Pensa, saremmo andati per la strada insieme, e tutti ci avrebbero presi per fratello e sorella, e io ci avrei fatto una bella figura, con un fratello prete. Saresti venuto a spasso con me, no, reverendo? »

Neanche questa volta il ragazzo rispose, e lei non si divertiva abbastanza così, anche perché non poteva vedere la sua faccia. Allora si alzò e andò a scostare le coperte dietro le quali il ragazzo stava nascosto, e subito smise di ridere. Egli stava in mutande e camicia, seduto sul materasso di Giulia, e piangeva. Non fece nulla per nascondersi, ma seguitò a star seduto e a piangere.

Essa rimase a guardarlo, con l'espressione del viso che si faceva rapidamente amara. Poi si ritrasse e andò a prendere il mantello e venne a metterglielo sulle spalle, coprendolo tutto perché non sentisse più vergogna. E si sedette accanto a lui sul materasso e gli passò un braccio sul collo facendogli appoggiare la testa sulla sua spalla. Così tenendolo stretto prese a ravviargli i capelli con le dita, lentamente.

Lui non faceva resistenza. Con la testa abbandonata sulla sua spalla, e gli occhi chiusi, piangeva più di prima, e non più in silenzio. Dei lunghi singhiozzi lo scuotevano tutto.

« Su, basta piangere, adesso » lei disse. « Mi dispiace di averti fatto del male. Io intendevo solo scherzare. Hai capito, no, che intendevo solo scherzare. »

Il ragazzo mosse la testa per dire di sì.

« Ecco che ho fatto una cosa cattiva senza pensarci. Mi dispiace. »

Egli tirò su col naso, a scatti. « Fa niente » disse.

« Ma devi diventare più forte » disse la ragazza. « Bisogna aver forza per stare a questo mondo. Vedrai che ti capiteranno tante cose ben peggiori di questa. »

Egli stava appoggiato su di lei, e non l'ascoltava, quasi. Sentiva vagamente il suono delle sue parole e l'odore forte del suo profumo, e tutto gli faceva bene, gli scioglieva il rancore e la pena che aveva dentro. Teneva gli occhi chiusi, e le lacrime continuavano ad uscirli dagli occhi chiusi. Non voleva guardarla. Stando così in quella posizione poteva vedere di lei solo le gambe, e le gambe erano troppo scoperte perché la gonna le era salita troppo in alto quando s'era seduta. Gli piaceva di più tenere gli occhi chiusi, e immaginarla diversa, e intanto lasciar uscire le lacrime con un senso di liberazione.

Senza parlare, la ragazza lo baciò sui capelli e poi gli scostò la testa tenendola fra le sue mani e lo guardò, con sofferenza e tenerezza. Allora egli aprì gli occhi per guardarla, e lei era bella. Aveva i capelli come quelli di Giulia, ma più scuri, e anche gli occhi più scuri, e il viso rotondo. La guardava così bella, e di quando in quando vedeva la sua immagine annebbiarsi per le lacrime che gli si formavano negli occhi.

« Basta piangere, adesso » essa disse. « Non mi perdoni? »

Egli dovette tirar su un altro singhiozzo per il naso, prima di poter parlare. « Sì, signorina » disse.

« Non devi dire signorina » disse la ragazza. « Devi dire Carla. »

« Sì, Carla » egli disse.

Lei ebbe un sorriso breve. « Ecco, così va bene » disse. Poi prese di tasca un piccolo fazzoletto e gli asciugò le lacrime sul viso e si fermò con il fazzoletto sotto il naso. « Soffia » disse.

Il ragazzo soffiò timidamente.

« Più forte » essa disse.

Il ragazzo soffiò più forte. « Quand'ero piccolo, mia mamma... » disse, e poi la bocca gli si tirò in una smorfia di sorriso e di nuovo le lacrime gli vennero giù per il viso, e così piangeva e rideva insieme, senza vergogna.

« Non piangere, non piangere, per piacere » disse la ragazza.

Ma egli fece di no con la testa, e quando poté parlare disse: « Non mi fa più male, adesso. Son contento di piangere ».

La ragazza lo lasciò piangere, e in certi momenti pareva sul punto di piangere anche lei. Ma poi ebbe uno scatto, e si alzò. « Andiamo vicino al fuoco. Fa troppo freddo qui. »

Lo portò con sé accanto al braciere e si sedettero vicini. La ragazza che cuciva presso la finestra si voltò a guardarli con uno sguardo strano e lungo. Quindi riprese a lavorare muovendo attentamente le piccole mani rovinate. Stava con la testa china e i capelli le pendevano dalle tempie. Capelli castani, con dei riflessi più chiari, che le nascondevano quasi tutto il viso. Ma la parte del suo viso che si vedeva aveva perduto ogni durezza, nella soavità dell'espressione.

E Carla non parlava. Aveva preso una mano del ragazzo posandola sulle sue ginocchia, e toccava le dita ad una ad una un poco scherzosamente, come se si fosse trattato della mano di un piccolo bimbo.

D'un tratto domandò: « Come ti chiami? ».

« Daniele » egli disse.

« Daniele » essa disse piano, e aveva una specie di meraviglia malinconica sul viso, come chi pensa a cose che non possono essere.

Posato sul pavimento, il fornello a benzina soffiava leggermente con la sua fiamma. La pentola della verdura bolliva, e il vapore usciva dal coperchio. Ora essi stavano seduti insieme attorno al braciere. Lo strato di cenere sui carboni era diventato più spesso, e si sentiva poco calore. Spesso Carla guardava un piccolo orologio che teneva al polso.

« Che ore sono? » domandò Daniele.

« Le quattro passate » disse Carla.

Il giorno di fuori si era mantenuto nuvoloso e la carta alle finestre era grigia e non molta luce entrava nella stanza.

« Forse è ora di andarlo a svegliare, Carla » disse Giulia.

« Sì, adesso vado » disse Carla, ma non si mosse per niente.

Il fornello perdeva pressione. Giulia si alzò per dare qualche colpo alla pompa, poi tornò a sedersi. Il soffio della fiamma riempiva la stanza, adesso, e faceva piacere sentirlo, nelle pause fra le loro parole.

Poi Carla guardò ancora l'orologio e si alzò. « Vado a svegliarlo » disse.

Daniele la accompagnò con lo sguardo finché fu uscita.

Restarono in due attorno al braciere. La fiammata del fornello esitò, poi riprese. « Non funziona bene » disse Giulia.

Daniele volse la testa con intenzione di dire qualche cosa, ma non ne fece nulla.

« Dev'essere per le guarnizioni che perdono » disse Giulia. « Tullio ha detto che lo aggiusterà quando avrà tempo. »

« Sì » disse questa volta Daniele. Egli aspettava che tornasse Carla, e ogni tanto guardava la porta, sperando di vederla entrare.

Giulia fece un altro tentativo per disperdere il silenzio. « Quanti anni hai? » domandò.

« Quindici e mezzo » disse Daniele. « E tu? »

« Io tredici e mezzo » disse Giulia. « Quasi quattordici. »

« Sei giovane » disse Daniele.

Essa sorrise, ma non trovò più niente da dire, e allora si alzò e non tornò più a sedersi. Diede ancora qualche colpo alla pompa del fornello, e si diede da fare per preparare da mangiare. Prese dalla cassa una scatola di carne e delle uova, e poi un tegame dai ganci sul muro, e portò ogni cosa sopra una tavola che era contro la parete. Aprì la scatola di carne e ruppe le uova e versò tutto nel tegame. Quindi cominciò a mescolare. Aveva dei gesti lenti che faceva senza studiarli. Daniele la guardava, e guardava anche la porta, per vedere se Carla tornasse. Ormai da troppo tempo era andata via.

Poi Giulia tolse la pentola dal fornello, senza spegnerlo, e si preparò a versare la verdura. Allora Daniele andò ad aiutarla, e prese nelle sue mani una latta con tanti buchi, che serviva per scolare la verdura.

Giulia gli sorrise con riconoscenza. « Attento a non scottarti » disse. Versò con precauzione il contenuto della pentola. La verdura si fermò nella latta con i buchi e l'acqua passò in un recipiente che stava sotto. Si levava un vapore denso e bianco, pieno dell'odore della verdura bollita.

« Vado a buttar via l'acqua? » domandò Daniele.

« No » disse Giulia. « Serve dopo, per lavare i piatti. »

Andava meglio, ora, fra loro due, come se fossero già amici. Daniele la seguì vicino alla tavola, dove essa mescolò la verdura con le uova e la carne.

Poi si sentì rumore di passi sulla porta, ed egli voltò la testa per vedere. Ma non fu Carla. Venne avanti una bambina, con un secchio in mano, e appena s'accorse di Daniele depose a terra il secchio, e si fermò.

« Oh, Maria » disse Giulia.

La bambina non le rispose. Teneva fissato su Daniele il suo sguardo che era come incantato, e un po' sciocco, anche. Portava un vestito come quello di Giulia, di stoffa grossa e scura.

Daniele provò a sorridere, ma essa non mutò la sua espressione.

Giulia intervenne facendole una carezza sul viso. « Non aver paura. È un nostro amico. Digli buona sera. »

Tuttavia la bambina non parlò, e rimase ferma. Allora Giulia la prese per una mano e la condusse a sedersi vicino al fuoco. Il secchio che la bambina aveva portato era pieno di braci. Giulia smosse la cenere per preparare il posto, quindi versò il secchio. La bambina continuava a guardare.

« Non badare se è così scontrosa » disse Giulia tornando alla tavola.

« È tua parente? » domandò Daniele.

« No, l'abbiamo trovata la notte del bombardamento. Poi è rimasta con noi perché era sola. »

« Non ha proprio nessuno? »

« Non so. Non sappiamo niente di lei. » Essa aveva portato il tegame sulla fiamma del fornello, e continuamente mescolava mentre il cibo cuoceva. Daniele le stava sempre vicino.

« È una bambina di questo quartiere » disse Giulia. « Ma nessuno di noi si ricorda di averla mai vista, prima del bombardamento. Non sappiamo se fosse così anche prima. »

Il buon odore del cibo si diffondeva per la cucina, e Daniele aveva fame, già da molto tempo.

« Quella notte, » disse Giulia « noi si vide subito che era un po' curiosa nel suo modo di fare. Pensavamo che fosse impressionata per le bombe, e anche perché diceva che aveva perduto i suoi parenti. Noi si sperava che potesse star meglio, dopo. Invece è andata sempre peggio. »

Daniele diede alla bambina una strana occhiata. « È matta? » domandò.

« No, non è matta. È solo così chiusa, e ci mette molto tempo a capire le cose. Ci mette sempre più tempo. »

Il cibo nel tegame si era rassodato, cuocendo, e Giulia si preparò a spegnere il fornello. « Fatti un po' più in là » essa disse a Daniele.

Daniele si allontanò di due passi e rimase a guardare. Essa aprì la valvola a poco a poco e la fiamma lentamente perse forza e morì. Si sentì l'odore acuto del gas.

« Bisogna stare attenti quando si spegne » essa disse. « Dovrebbe andare a petrolio, invece petrolio non se ne trova, e allora lo facciamo andare a benzina. Ma bisogna stare attenti quando si spegne, e anche quando si accende. Una volta ha fatto una gran fiammata, e quasi mi prendevano fuoco i capelli. »

Daniele non disse nulla. Ora nel silenzio si poteva udire il rumore delle parole e dei movimenti di Tullio e Carla, nell'altra stanza.

Giulia preparò sulla tavola i posti per mangiare, e mise il pane tutto insieme nel centro. Poi chiamò Carla, e Carla rispose.

Poco dopo venne Tullio. Aveva in testa un vecchio e sudicio berretto da ciclista, con la visiera tutta sformata e logora, così che si vedeva il cartone dentro. Il suo vestito era di stoffa pesante, rattoppato in diversi punti. Guardò ogni cosa intorno, con uno sguardo pronto e intenso. Guardò Daniele, e lo salutò appena, e subito si mise a sedere al suo posto. Giulia gli mise nel piatto una porzione di frittata. Senza attendere gli altri egli cominciò a mangiare.

La bambina si staccò dal braciere e venne a prendere posto a tavola, accanto a Tullio. Giulia versò anche nel suo piatto una porzione di frittata, ma essa non cominciò a mangiare. « Hai portato l'erba ai conigli? » le domandò Tullio.

La bambina diede uno sguardo diffidente a Daniele, poi rispose: « Sì ».

« Mangia, Maria » disse Giulia.

Allora la bambina cominciò a mangiare.

Daniele aspettava ancora. « Siediti » gli disse Giulia, indicando il posto di fronte a Tullio. Gli diede una porzione di frittata eguale a quella degli altri, e anche un pezzo di pane, perché Daniele non si decideva a prenderlo dal centro della tavola.

Carla arrivò in ritardo, e sorrise a Daniele, prima di sedersi vicino a lui.

« Dove sei stata a prender l'erba? » domandò Tullio alla bambina.

« Lungo il fiume » essa rispose.

« Non devi mai dimenticarti di dar da mangiare ai conigli. »

« Va bene » disse la bambina.

La luce era così scarsa che si vedevano i volti delle persone come una macchia chiara.

« Quando verranno le feste di capodanno, » disse Tullio « ammazzeremo i conigli, e allora Giulia ti farà un collo di pelliccia. Starai più calda, con la pelliccia. »

« C'è poca erba, adesso » disse la bambina.

Tullio non le rispose. Aveva finito di mangiare e guardava verso la finestra, dove la carta si era fatta bruna. « Viene buio sempre più presto » disse.

Daniele desiderava dire qualche cosa, ma non gli venne in mente nulla. Del resto, Tullio aveva parlato con voce distratta, e certo non aspettava risposta da nessuno. Ancora guardava verso la finestra.

Silenziosamente Giulia si alzò e raccolse i piatti e si mise a lavarli sul pavimento sotto la finestra.

All'improvviso Tullio si rivolse a Daniele. « E tu? » domandò. « Hai pensato dove andare? »

« No » disse Daniele.

Ci fu silenzio, dopo. Tullio tirò fuori il tabacco e si arrotolò una sigaretta. Quando l'accese, Daniele guardò il suo viso, e non si capiva quali fossero i suoi pensieri. Ma poco dopo egli parlò, e c'era irritazione nella sua voce. « Così hai perso un giorno per niente » disse. « Sei nelle stesse condizioni di ieri. Vai fuori, e ti pescano, e ti spediscono dai preti o da quei tuoi parenti. »

Prima che Daniele potesse parlare, Carla allungò un braccio sotto la tavola e gli prese una mano e gliela strinse. Così egli non parlò. Ma Carla disse pianamente: « Potrebbe restare qualche giorno con noi ».

Daniele aspettava con ansia la risposta. Però Tullio disse: « Accendi il lume, Carla ».

Carla abbandonò la mano di Daniele per alzarsi. Prima di accendere il lume applicò dei pezzi di cartone alle finestre, così che nella stanza ci fu completamente buio, per qualche istante.

« Hai soltanto quel vestito che porti indosso? » domandò Tullio.

« Sì » disse Daniele.

« Non puoi uscire vestito a quel modo » disse Tullio. « Ti pescherebbero subito. Ti ci vorrebbe almeno una giacca borghese. »

« Avevo un vestito borghese, in collegio » disse Daniele.

« E perché non l'hai portato? »

« Non l'ho potuto prendere » disse Daniele. « Lo tenevano in guardaroba, e così non l'ho potuto prendere. »

Tullio borbottò qualcosa d'incomprensibile, con una voce che si sentiva irritata.

Venne Carla a posare il lume sulla tavola, e si sedette al posto di prima. Il lume consisteva di una scatola di latta, con uno stoppino che usciva attraverso un buco nel coperchio, e la fiamma era corta e fumosa. I loro visi presero un po' di colore giallo dalla fiamma.

Giulia aveva finito di lavare i piatti, ma era andata a sedersi in disparte, vicino al braciere.

« E hai portato le tessere per mangiare? » chiese Tullio.

« No. »

« Ah » fece Tullio, con ironia.

« Non potevo prenderle, perché le tenevano in amministrazione » disse Daniele.

« Scommetto che non ci hai neanche pensato. »

« No. Ma anche se ci avessi pensato non avrei potuto prenderle. »

Tullio bestemmiò. « È per il modo sbagliato di fare le cose » disse. « E come farai a mangiare, adesso? »

« Non so » disse Daniele.

« Non possiamo andare a chiedere delle altre tessere per te. Vorrebbero sapere da dove vieni e perché sei senza. Ci fosse almeno la tessera per il pane. Il resto bene o male si trova. »

Ci fu qualche istante di silenzio. Quindi Carla disse: « Ci arrangeremo anche per il pane, in qualche modo ».

Tullio la guardò a lungo, con uno strano sorriso. « Ci tieni tanto che resti qui? »

Carla alzò le spalle, invece di rispondere. Prese di tasca un pacchetto di sigarette, e si rivolse a Daniele. « Fumi? »

« Oh, no, grazie » disse Daniele.

Essa accese una sigaretta, con calma.

« Devi stare attenta a non fare stupidaggini » disse Tullio. « Dev'essere un po' indietro per quelle cose. Già mi sembra un po' indietro per tutto. Mica è abituato a vivere, questo qui. » Poi si rivolse a Giulia: « Tu sei contenta che resti con noi? ».

Essa esitò e si confuse, forse perché non aspettava quella domanda. « Per me fa lo stesso » disse poi in fretta.

« Vieni qui, Giulia » disse Tullio.

Essa si avvicinò alla tavola, e la luce del lume le faceva due grandi ombre sotto gli occhi, illuminandola dal basso.

« Tu sei contenta se resta con noi? » domandò Tullio.

Senza guardare nessuno, Giulia rispose di sì sommessamente.

Il viso di Tullio ebbe una rapida espressione di sorriso. Quindi voltò la testa verso Daniele. « Allora puoi restare con noi per qualche giorno » disse.

Daniele parve esitare. « Oh, non vorrei essere di disturbo » disse.

Tullio si arrabbiò. « Non è questione di disturbare o non disturbare. Voi siete abituati a nascondere i vostri pensieri sotto le parole. Ma devi cambiare, se vuoi restare con noi. Vuoi o non vuoi restare? »

« Sì » disse Daniele.

« Bene, » disse Tullio « allora resterai, fino a quando non sarai in condizioni di andartene. Naturalmente, se vuoi andartene prima, puoi farlo quando ti pare. In qualunque momento puoi andartene. »

« Non parlargli in questa maniera, Tullio » disse Carla.

« Deve capire presto e bene » disse Tullio ancora con asprezza. « E restando qui lavorerai, si capisce. Aiuterai Giulia nei lavori di casa, e io ti darò da tenere dei conti. Sei capace di tenere dei conti? »

« Sì. »

« E ti dovrai adattare a questa vita. Forse tu sei abituato da signore, ma noi non possiamo darti altro che questo. »

« Oh, è anche troppo » disse Daniele.

La voce di Tullio cambiò all'improvviso. « Non è troppo » disse. « Non si mangia molto, e la casa non è sana. Fa troppo freddo e umido, qua dentro. Sarebbe meglio abitare in un'altra casa e mangiare qualcosa di più. Ma bisogna accontentarsi, e pensare che molta gente sta peggio di noi. Tanti non trovano da mangiare tutti i giorni, e non hanno neanche quattro muri umidi dove ripararsi. Molti stanno peggio di noi, anche se non è giusto che la gente stia peggio o meglio. »

Nessuno rispose alle sue parole, e ci fu silenzio. Giulia era tornata a sedersi vicino al braciere. Carla accese un'altra sigaretta.

« Bene » disse Tullio dopo un poco, e si alzò.

« Vai fuori? » domandò Carla.

« Dopo » disse Tullio. « Adesso bisogna andare a prendere un materasso e delle coperte per lui. Possiamo sistemargli un posto qua dentro. »

« Oh, io posso dormire anche in corridoio » disse Daniele.

« Fa più freddo, in corridoio » disse Tullio. « Entra aria da per tutto. »

« Fa niente, anche se entra aria » disse Daniele.

« Bene, per me puoi sistemarti dove vuoi » disse Tullio. « Ma adesso andiamo a prendere la roba. Dev'essere già buio. »

Uscirono, lui e Daniele. Fuori il cielo era coperto e la notte scura, perché non era ancora sorta la luna, oltre le nuvole. Tullio si avviò verso sinistra, e Daniele lo seguiva standogli il più vicino possibile per non perderlo.

Mentre camminava, Tullio si mise a parlare, con la sua voce bassa e ferma. « Dicono che potrebbero scoppiare delle malattie a star dentro con i morti » disse. « Ma noi non badiamo a queste storie. Del resto, siamo venuti qui perché non si sapeva in quale altro posto andare, e anche perché questo posto è più comodo e più sicuro di qualsiasi altro. Se non ci facciamo vedere in giro, nessuno viene a cercarci. Io scommetto che lo sanno che c'è della gente qua dentro. Ci siamo noi, e un paio di vecchie dalle parti della chiesa. Ma non vengono a vedere. Basta non farsi vedere, e non viene nessuno. »

« Bisogna stare tutto il giorno dentro la casa? » domandò Daniele.

« No, si può andare fino alla casa del calzolaio, e di là uscire sulla strada. Al municipio, noi tutti figuriamo di abitare nella casa del calzolaio, che è fuori della zona. Ma non c'è posto per tutti dal calzolaio, così vi abbiamo messo solo la piccola. Del resto, l'importante è che figuriamo di abitare lì, per le tessere, e anche perché siamo minorenni e non si potrebbe star soli. »

« Sicuro » disse Daniele. Anche Tullio parlava come se fossero ormai amici, e faceva piacere trovarsi con lui e avere una casa dove tornare, dopo. Una casa dove c'era Carla, e Giulia.

Tullio si fermò davanti ad una macchia scura, che doveva essere una casa. « Aspettami » disse, e sparì.

Venne poco dopo con delle coperte che mise sulle braccia di Daniele. « È roba che abbiamo raccolto dopo il bombardamento » disse. « Ce n'era molta in giro in quei giorni, e si poteva prendere. »

Si allontanò ancora, e quando tornò aveva un materasso sulle spalle. Presero la via del ritorno. Daniele camminava più sicuramente, ora, avendo davanti agli occhi la macchia chiara del materasso.

Quando arrivarono a casa, Carla non era in cucina. La bambina aspettava, seduta al suo posto. Giulia aveva spostato il braciere al centro della stanza, e stava tirando una corda tra le pareti e uno dei travi che sostenevano il soffitto. Disse, rivolta a Tullio: « Gli facciamo un riparo con delle coperte, e dormirà qui. È meglio che non nel corridoio ».

« Sì, è meglio » disse Tullio, senza molto interesse.

Andò nell'angolo dov'erano i bidoni, e ne scelse uno che aveva una croce bianca dipinta su tutti e due i lati. La bambina si alzò, vedendolo prendere il bidone.

« Vieni anche tu » disse Tullio a Daniele. « Andiamo a prendere l'acqua da bere. »

Uscirono con la bambina e camminarono dritti oltre la porta. Pareva a Daniele di andare sul sentiero che aveva visto appena alzato, in direzione dell'albero di magnolia.

« Da questa parte non ci sono reticolati » disse Tullio. « La zona è chiusa dal muro di un cortile che sta dietro la casa del calzolaio. Ma c'è un buco nel muro, e si può passare. »

Tullio andava avanti, tenendo la bambina per mano. Passarono attraverso la breccia del muro ed entrarono nel cortile.

« Vuoi vedere i conigli? » disse la bambina.

« Dormono, adesso » disse Tullio. « È meglio lasciarli dormire. »

« Va bene » disse la bambina.

Si vide l'ombra della casa davanti. Tullio batté alla porta, non molto forte, e subito la porta si aprì. L'aveva aperta un uomo alto e magro, con la testa calva.

Entrarono in una stanza rischiarata da un lume simile a quello della casa di Tullio. La stanza era abbastanza grande, ma ingombra di una quantità di cose. In un angolo, contro le pareti, vi era un letto matrimoniale. Una donna seduta su di una cassa stava a scaldarsi vicino ad una cucina economica. L'uomo e la donna guardavano Daniele con curiosità.

« È un amico » disse Tullio. « Si fermerà qualche tempo da noi. »

« Non occorrerà andarlo a denunciare? » disse l'uomo. « Ho paura che dicano qualche cosa, se vado a denunciarlo. Ogni volta che vado a cambiare le tessere, ho paura che dicano qualcosa. » Aveva un modo di parlare lamentoso e servile.

« Non occorre andarlo a denunciare » disse Tullio. « Nessuno deve sapere che è da noi. »

La donna si alzò svogliatamente e cominciò a spogliare la bambina.

Tullio andò verso il fondo della stanza, dove c'era un'altra porta. « Di qui si esce sulla strada » egli disse a Daniele.

Presso la porta stavano due altri bidoni con la croce bianca. Tullio lasciò il suo e ne prese uno pieno. « Questi con la croce bianca servono per l'acqua da bere » egli disse. « E gli altri senza croce servono per l'acqua per lavare. L'acqua per lavare andiamo a prenderla al fiume. Ci andrete tu e Giulia, questa sera. »

« Va bene » disse Daniele.

« E se qualche volta hai freddo durante il giorno, » disse

Tullio « puoi venire a scaldarti. Da noi non si può accendere il fuoco, se no vedono il fumo, quelli di fuori. »

La bambina salì sul grande letto e si mise sotto le coperte. Tullio e Daniele si diressero alla porta del cortile per tornare a casa.

« Non andare a letto subito » disse Tullio verso l'uomo. « Passerò di qui per andare fuori. »

« Va bene » disse l'uomo.

Uscirono, e fecero i primi passi adagio per riabituarsi all'oscurità. Ancora non era sorta la luna.

Appena passata la breccia nel muro, Tullio si fermò. Indicò verso destra, con un gesto che Daniele non poté vedere. « Di là c'era la tua casa » disse.

« Sì » disse Daniele.

« È fuori della zona » disse Tullio. « Qualche giorno andremo a vederla, quando potrai uscire. »

« Grazie. »

« Qualche giorno andremo anche a prendere quel vestito che hai lasciato in collegio. È roba tua, ti appartiene. »

« Oh, non fa niente, il vestito. Non voglio più farmi vedere dai preti. Mi terrebbero dentro, se mi facessi vedere. »

Tullio rise, ma senza ironia. « Intendevo dire che andremo a prenderlo senza che ti vedano » disse, e riprese a camminare verso casa.

Daniele gli stava al fianco, perché il sentiero in quel tratto era abbastanza largo. « Tullio, » egli disse improvvisamente « hai detto sul serio che sei comunista? »

« Sì. Perché? »

« Niente » disse Daniele. Ma dopo qualche passo domandò: « Cosa vuol dire comunista? ».

Tullio si fermò per rispondere, e depose a terra il bidone. La sua voce divenne calda, come se fosse stato un prete a predicare. « Vuol dire, » disse « che le cose non vanno bene così come vanno. Troppa miseria in giro. E troppa gente ancora che vive bene e se ne frega degli altri. Se c'è da patir la fame dobbiamo patirla tutti, e se c'è qualcosa da mangiare bisogna dividerla egualmente fra tutti. Non è giusto che alcuni mangino bene e abbiano buoni vestiti e case, e il resto invece non abbia altro che tribolazioni. »

« No, questo non è giusto » disse Daniele.

« E poi, non c'è altra strada per noi » disse Tullio. « Perché siamo troppo poveri. Quello che abbiamo è così poco, che se qualcuno si prende qualcosa in più, qualcun altro resta senza, e deve morire per colpa sua. Ma anche se avessimo molto di più, anche se fossimo un popolo ricco, bisognerebbe dividere lo stesso con eguaglianza, perché è l'idea che è giusta. E non vale solo per noi, ma per tutti i popoli del mondo. Verrà un giorno che tutti noi sulla terra saremo eguali e come fratelli, e il bene e il male sarà uguale per tutti. Non so quando verrà questo giorno, ma verrà. Forse presto, anche. Forse comincerà appena finita questa guerra. »

Riprese il bidone, e camminando disse ancora: « Questo è quello che so dirti io, ma non è tutto, naturalmente. Ci sono tante altre cose che io non so. Quando vado alle riunioni per sentire quello che dicono, ci sono delle cose che capisco e altre che non capisco. Io non ho studiato, e quando parlano delle teorie e delle idee non capisco tutto. Ma quello che capisco mi basta per credere che è una strada giusta ».

Giunti alla porta di casa Tullio si fermò di nuovo. « Qualche giorno » disse « ti porterò ad una riunione, se vorrai. Tu puoi capire molte cose più di me. »

« Non so » disse Daniele.

Quando furono nel corridoio, egli posò il braccio libero sulle spalle di Daniele, e così camminarono fino alla cucina.

Giulia aveva finito di stendere le coperte, e il posto per Daniele era pronto, il materasso a terra e le coperte. C'era anche un cuscino, dalla parte della testa, e la valigia era stata messa là vicino. Tullio guardò e parve soddisfatto.

« Le coperte sanno un po' di muffa » gli disse Giulia.

« Sarà per qualche giorno e poi andrà via » disse Tullio. « Del resto, questa notte può dormire anche di là, se gli fa comodo. »

« No, no » disse Daniele. « Starò benissimo, qui. »

« Io vado » disse allora Tullio verso Giulia. « Ti aiuterà lui per l'acqua. »

« Va bene » disse Giulia.

Tullio le andò vicino e le sorrise. « E non aver paura, questa notte » disse scherzosamente.

Giulia abbassò gli occhi sul pavimento. « Oh, no » disse. « Non ho paura. »

Ascoltarono il passo di lui che se ne andava, e poi ci fu solo silenzio nella stanza dov'essi stavano, e anche fuori, nella grande zona dov'erano sepolti i morti sotto le rovine.

Soltanto dopo qualche tempo Giulia parlò. « Adesso andremo a prendere l'acqua » disse.

« Sì » disse Daniele.

Tutti e due si sentivano un po' imbarazzati, ed evitavano di guardarsi. Erano loro due soli nella casa.

« Non tutte le sere tocca di andare a prender l'acqua » disse Giulia. « Delle volte un bidone basta per due o tre giorni. Hai roba sporca da lavare? »

« No. »

« Forse la camicia. È bianca e si sporca presto. Se Carla porta del sapone, domani te la lavo. » Riportò il lume sulla tavola e cominciò a tossire. Forse un po' di fumo del lume le era andato in gola, perciò tossiva. Era una tosse profonda, che la scuoteva tutta.

Daniele la guardava preoccupato, ma non sapeva cosa fare. « Hai la tosse » disse quando essa si calmò.

Lei aveva ancora il viso rosso e le lacrime agli occhi, per quell'accesso di tosse. Tuttavia sorrise. « Ogni anno mi viene la tosse. Poi passa, quando viene l'estate. »

Daniele non seppe che dire.

Giulia si aggiustò il piccolo scialle di lana chiudendolo in alto con lo spillo, in modo da ripararsi anche la gola. « Allora andiamo » disse. « Prendiamo due bidoni, questa sera. »

Scelse due bidoni che non avevano la croce e passò un bastone attraverso un anello di filo di ferro che era sul manico.

Presero ciascuno un'estremità del bastone e uscirono all'aperto.

Fuori faceva freddo, ma era un po' meno buio. Forse la luna stava per sorgere, al di là dalle nubi. Fecero una lunga strada in mezzo alle rovine.

« Bisogna andar a prendere l'acqua un po' lontano, sopra corrente » disse Giulia. « A prenderla vicino c'è pericolo dell'infezione. »

Daniele non disse nulla. Si cominciava a sentire odore di fiume, come nella sua casa.

I bidoni si urtavano ogni tanto e facevano rumore. E a un tratto Giulia si fermò e li allontanò l'uno dall'altro sul bastone. « Adesso siamo vicini » disse. « Non bisogna far rumore. »

Poi furono subito sul fiume. Era un ramo secondario, molto stretto. Si indovinava la corrente nel buio, e al di là la sagoma di qualche casa si rivelava contro il cielo più chiaro. « Là c'è la gente » disse Giulia verso le case.

Scendevano in quel punto sul fiume alcune pedane che un tempo servivano per lavare i panni. Riempirono i bidoni, e poi si fermarono sulla riva per riposare un poco. Neanche il fiume faceva rumore, scorrendo lentamente.

« Giulia, » domandò ad un tratto Daniele « dov'erano prima i grattacieli? »

« Là » disse Giulia indicando un posto oltre il fiume.

Daniele guardò lontano nella notte. « Là ci sono mio padre e mia madre » disse. « Sono morti col bombardamento. »

« Lo so. Me l'ha detto Tullio. »

« Anche i tuoi sono morti col bombardamento? »

« No » disse Giulia rapidamente. « Mia madre è morta prima, quando io avevo otto anni. » E subito si diede da fare per passare di nuovo il bastone sull'anello dei bidoni. « Torniamo a casa, adesso » disse.

Camminavano in silenzio. La chiarità del cielo era aumentata, e si vedevano meglio i resti delle case e i cumuli delle rovine. Un silenzio troppo grande pesava su quelle cose, faceva pensare per forza ai morti che stavano sotto. Tuttavia essi camminavano insieme.

Posarono i bidoni al loro posto nell'angolo, e Giulia andò di nuovo a vedere il letto di Daniele. « Sanno di muffa » disse, parlando delle coperte. « Forse è meglio se vai a dormire di là, per questa notte. »

« Oh, no » disse Daniele. « C'è Carla, di là. Non voglio disturbarla un'altra volta. »

« Questa sera non c'è Carla. »

« No? »

« No » essa rispose brevemente.

Egli la guardò, ma essa stava con gli occhi abbassati, e non avrebbe detto altro a questo proposito. Tuttavia non aveva voglia di andare a dormire di là. « Bene » disse. « Dormirò qui lo stesso. È meglio che resti al mio posto, se questo è il mio posto. »

« Come vuoi » disse Giulia. « Magari possiamo fare metà per ciascuno di queste coperte che sanno di muffa. Ti darò in cambio due delle mie. »

Essa si era già mossa per andare a prendere le coperte, ma Daniele la fermò. « Non farlo » disse. « Non farlo, per piacere. Piuttosto vado a dormire di là. »

« Bene » disse Giulia, e non andò a prendere le coperte.

Essa si trovava vicino al lume, ora, ed egli la guardava. Anche con quella luce sul viso, i suoi lineamenti erano troppo duri. E tuttavia non sembrava brutta, forse per i capelli, o per gli occhi, o per una dolorosa malinconia che era in lei.

« Giulia, » egli disse « tu credi che farei bene ad andar via? »

Essa voltò vivamente la testa. « Perché? »

« Così. C'è difficoltà per mangiare, e io sono anche senza tessere. Non vorrei essere di peso a voi. »

« Non sarai di peso » disse Giulia. « Non è di questo che ti devi preoccupare. » Il suo viso si contrasse un poco, e parve sul punto di dire qualcosa d'importante. Ma poi domandò semplicemente: « Hai sonno? ».

« No. Ho dormito fino a tardi, questa mattina. »

« Sediamoci, allora. Sono contenta che tu sia qui. Ero sempre sola, prima, non potevo mai parlare con nessuno. »

Si sedettero vicino al braciere. Il lume era rimasto sulla tavola, e la sua poca luce arrivava fin sul viso di Giulia. Ma il viso di Daniele era in ombra.

« Così parleremo un poco » disse Giulia, appena furono seduti. Tuttavia non disse altro. Ogni tanto alzava gli occhi e accennava a sorridere, per la felicità di essere in due e di non sentire la solitudine pesare come quando restava sola nella casa e nel grande silenzio. Ma non parlava.

« Avete una bella casa » disse allora Daniele.

« Oh, è tutta rovinata. »

« Ma si vede che doveva essere bella, prima del bombardamento. »

« Non era nostra » disse Giulia. « Noi si abitava in un'altra parte del quartiere. » Ora sul suo viso erano riapparse delle pieghe, come prima quando pareva dovesse dire qualcosa d'importante. Riprese a parlare in fretta, con una risoluzione improvvisa. « In questa casa c'erano delle donne » disse. « Delle donne che si vendevano. »

Daniele la guardò con stupore. « Vuoi dire delle donne cattive? »

« Sì. »

Daniele guardò intorno nella stanza e poi ancora Giulia. Pareva afflitto dal pensiero che prima in quella casa ci fossero state delle donne cattive.

Allora le pieghe sul viso di Giulia si fecero più profonde, ed essa stette come incerta se parlare ancora. Quindi disse, con la voce bassa: « Mia mamma era una che faceva un mestiere come le donne che stavano in questa casa ».

« No » disse Daniele pregando.

« Sì » disse Giulia. « E non ho neanche padre. Io non so chi sia stato mio padre, non lo sa nessuno. »

Daniele strinse le labbra. « Perché dici queste cose? Io non ti ho domandato niente. Non voglio sapere niente. »

« Devi sapere » disse Giulia con esasperazione. « Devi sapere tutto di noi. La madre di Tullio era una che lavava biancheria per i soldati, e il padre di Tullio era uno che andava in giro a riparare pentole di rame. Questo era il suo mestiere, quando aveva voglia di lavorare. Sono morti tutti e due, la notte del bombardamento. E il padre di Carla era in prigione perché aveva rubato. Poi scappò e adesso è qui in giro, e fa ancora il ladro o qualcosa di peggio. E la madre di Carla faceva la serva. Quattro anni fa è andata a Napoli, e non sappiamo più niente di lei. Carla potrebbe scrivere per cercarla, ma non vuole. Forse è stato suo padre a dirle di non scrivere. E siamo tutti così, io e Carla e Tullio. Devi sapere che razza di gente siamo. »

Daniele aveva ascoltato tenendo la testa bassa, e non parlò nella pausa. La voce di Giulia si fece calma e amara. « Noi eravamo miserabili anche prima della guerra. Tu sei diverso, invece. Si vede bene che sei diverso. Così potrai andar via, se non ti piace di stare con gente come noi. »

Allora Daniele ebbe la forza di guardarla. « Tu vuoi che vada via? »

« No » disse Giulia. « Non devi capire sbagliato. Io sarei contenta se tu restassi, ma non importa ciò che penso io. Ho parlato per farti sapere quello che siamo. »

Daniele stette pensieroso. « Giulia, » disse poi « sono stato fortunato a incontrare persone buone come voi. »

Giulia scosse la testa con meraviglia. « Noi non siamo buoni. Siamo quello che siamo, né buoni né cattivi. Facciamo cose buone e cattive insieme, come capita di fare. Perché noi non stiamo tanto a vedere se le cose che facciamo sono buone o cattive, basta che siano cose che servono. Ma anche se ci badassimo non vorrebbe dir niente, perché è differente per noi e per te. Se tu resterai con noi, ti accorgerai che ci sono cose molto brutte fra quelle che facciamo, e potresti vergognarti di star con noi, e allora sarebbe meglio che tu te ne andassi prima. Sarebbe meglio per te, e anche per noi. »

« Forse me ne andrò. Ma non sarà per quello che tu hai raccontato. Solo non voglio essere di peso. »

Gli occhi di Giulia si accesero. « Solo per questo? »

« Sì, devi credermi. »

« Allora non puoi andar via » disse Giulia affannosamente. « Non darti pensiero per il mangiare. Si trova sempre quel poco che basta per vivere. »

« Ma io vorrei lavorare, almeno » disse Daniele. « Vorrei meritarmi quello che mi date. Tu pensi che io possa aiutare Tullio in qualche cosa? »

« Tullio ha detto che terrai i conti » disse Giulia. « Lui si arrabbia sempre quando deve fare i conti. È perché non ha un temperamento da star fermo. »

« Ma non è lavoro, quello » disse Daniele. « E neanche aiutare per la pulizia è un lavoro. Vorrei fare qualche altra cosa. Tu pensi che Tullio vorrà farmi fare qualche altra cosa? »

« Non so » disse Giulia.

Egli esitò un poco, quindi disse, timidamente: « Vorrei tanto lavorare per voi, Giulia. Farei qualsiasi cosa, ma non vorrei rubare ».

Giulia alzò gli occhi con inquietudine. « Te l'ha detto lui che ruba? »

« Me l'ha fatto capire. »

« Bene » disse Giulia. « Tullio non ti farà rubare. Se tu non vorrai, non te lo farà fare. »

« Son più contento così » disse Daniele.

Parlarono ancora, di cose da nulla. Ma Giulia era ormai stanca. Dopo poco tempo si alzò. « È ora di andare a letto » disse. « Aiutami a portar fuori il fuoco. »

Insieme trascinarono il braciere nel corridoio. « Di notte bisogna portarlo fuori » essa disse. « Fa venire mal di testa. »

Tornarono in cucina, essa portò il lume dentro l'angolo di Daniele e lo posò sulla valigia. « Così potrai leggere, se ne hai voglia. Ma non lasciarlo acceso tutta la notte, se no ci affumica tutti. »

« Oh, non ho voglia di leggere » disse Daniele.

Giulia stava lì come cercando un argomento. « Tullio ha detto che hai portato tanti libri dentro la valigia » disse. « Mi piacerebbe leggere dei libri. »

Daniele sorrise. « Non sono libri da leggere, quelli. Sono libri che servono per studiare. Se avessi saputo, ne avrei portato anche qualcuno da leggere. »

« Bene, non importa » essa disse, e non se ne andò, benché sembrasse sul punto di farlo. Abbassando la voce, aggiunse: « Volevo dirti ancora che sono contenta che sei venuto qui da noi. Ero così sola, prima, ma adesso diventeremo amici ».

« Certo, diventeremo amici » disse Daniele.

« Grazie » disse Giulia, e subito uscì dal riparo per andare nel suo letto.

Egli si tolse rapidamente la giacca e le scarpe e si stese sotto le coperte che sapevano un poco di muffa. Il cuscino aveva invece un odore diverso, di sapone buono e di capelli, ma non era il profumo di Carla. Dal lume si levava la fiamma bassa e fumosa, che dava poca luce. Ed egli ascoltava i rumori leggeri che gli venivano dall'altro angolo della stanza dove Giulia si stava spogliando. Poi non sentì più rumore, e allora domandò: « Sei a letto, Giulia? ».

« Sì. »

« Allora posso spegnere? »

« Sì, se vuoi. »

Egli soffiò sul lume e vi fu completamente buio, perché la scialba luce della notte non poteva passare attraverso le finestre schermate e attraverso le coperte per arrivare fino a loro. Vi era oscurità e silenzio. Soltanto sul lucignolo era rimasta una piccola brace che lentamente moriva producendo fumo e un acre odore di nafta bruciata.

Poi Giulia tossì un poco, forse soltanto per farsi sentire.

« È tuo questo cuscino che mi hai messo sul letto? » domandò Daniele.

« Sì. »

« Allora te lo riporto. Non voglio che tu resti senza cuscino per causa mia. »

Essa rispose in ritardo, come se vi avesse pensato sopra. Con la voce che era appena un soffio disse: « No, non portarlo, per piacere. Non mi serve. Ne ho preso un altro ».

Ci fu una lunga pausa, poi Giulia domandò: « Dici le preghiere, tu, prima di addormentarti? ».

« No. Perché? »

« Così. »

« Ti dispiace se non dico le preghiere? »

« Io non ho mai detto le preghiere. »

« Io le dicevo una volta » disse Daniele. « Adesso mi pare inutile. »

« Sì » disse Giulia, solamente.

Poi ci fu ancora silenzio, ma ciascuno sapeva che l'altro non dormiva.

Passò qualche tempo, quindi Daniele chiese: « Carla tornerà domani? ».

« Sì. »

« È fuori insieme a Tullio? »

« No. »

Di nuovo ci fu qualche istante di silenzio, quindi Daniele domandò: « Non puoi dirmi perché è andata fuori? ».

Giulia esitò nel rispondere, e poi disse: « Per lavorare ». E subito dopo disse in fretta: « Dormiamo, adesso ». E ancora la sua voce giunse debole come un soffio.

VII

Il tempo si ruppe, dopo qualche giorno, a causa del vento del sud, che portò nuvole dense e scure, e una pioggia triste. La gente dovette rimanere più a lungo dentro le case, nei letti o attorno ai miseri fuochi di sterpi e foglie. Sul pavimento delle due stanze, Giulia depose catini e barattoli vuoti per raccogliere le gocce che in vari posti cadevano dal soffitto. Le macchie di umido si fecero più grandi e più scure, e la carta alle finestre era tutto il giorno grigia, e il lume doveva star acceso per molte ore. La cucina era sempre piena di fumo e dell'odore della nafta bruciata.

Poi il vento del sud cessò, e venne la nebbia. Venne una sera quasi improvvisamente, e pareva che fosse nata dal fiume. Le persone che andavano per le strade si sentirono più sole nell'oscurità prematura, dove le cose e gli altri uomini apparivano sfumati e si perdevano presto. Durò per due settimane. Si levava prima del tramonto e diventava spessa durante la notte ed era dura a disperdersi il giorno dopo. Si attaccava alle case, ai campanili, agli alberi, per non farsi sciogliere dal sole.

E qualche giorno il sole non riusciva a scioglierla e non appariva sulla città. Allora guardando dall'alto delle mura non si vedeva niente, né verso i monti né verso il mare, e la città pareva isolata in un mondo misterioso fatto di foschia bianca. E i rumori avevano un suono sordo che andava lontano. Così più a lungo si potevano sentire gli autocarri per le strade della periferia, e i treni che correvano nella pianura, verso la guerra.

Poi si fece più freddo, e la gente ebbe paura che nevicasse. Invece venne il vento dell'est, che liberò il cielo e gli orizzonti. Accadde poco dopo Natale. Dalle mura si potevano vedere i monti che sembrarono ad un tratto vicini, ed erano azzurri in basso e bianchi in alto, a causa della neve. Il sole restava nel cielo tutto il giorno, ma scaldava poco, perché il suo calore veniva portato via dal vento dell'est. Tuttavia la gente era più contenta di ciò, e nel meriggio si metteva a ridosso delle case per prendere il sole.

Quando era così sereno il tempo, si poteva avere una più grande speranza di passare anche attraverso quell'inverno. Poi sarebbe venuta la primavera.

E ogni giorno molti si perdevano in quel loro cammino attraverso l'inverno. Accadeva specialmente ai vecchi e ai bambini. Diventavano deboli e spaventosamente magri, e poi una malattia qualsiasi li portava via. Nessuno pensava a curarli, perché non c'erano abbastanza medicine. Del resto, anche avendo medicine, ci sarebbe stato poco da fare. Erano malattie qualsiasi, che molte volte non avevano neanche un nome.

Chi moriva non lasciava un grande vuoto. La gente pareva essersi rassegnata all'idea della morte. Presto o tardi sarebbero morti tutti, così diceva la gente. Quelli che si vedevano passare verso il cimitero erano soltanto alcuni che andavano avanti.

Giulia era in una cattiva giornata. Non aveva voglia di parlare, e stava con gli occhi chiusi e la testa appoggiata all'indietro contro il muro. Si teneva stretta nella coperta, anche se non faceva molto freddo, essendo così al sole e al riparo dal vento.

Era il loro posto per prendere il sole, in fianco alla casa, dove la gente da fuori non poteva vederli. Davanti avevano rovine e avanzi di case, tutta la zona dei morti. Lontano si vedeva il tetto della chiesa di Sant'Agnese, dove la zona finiva.

Daniele teneva il libro chiuso sui ginocchi, e spesso si voltava verso Giulia, fino a che non la vide aprire gli occhi. Allora le domandò: « Non ti senti bene? ».

« Solo un po' di mal di testa » essa disse. Anche dal modo come teneva aperti gli occhi si capiva che non stava bene. Non aveva portato niente da cucire, quel giorno.

« È meglio che andiamo dentro » disse Daniele. « Non ti fa bene il sole, se hai mal di testa. »

« Non importa » disse Giulia, e richiuse gli occhi.

Allora Daniele tentò di leggere il libro per qualche tempo, e poi s'accorse che non gli restava niente in testa. Era sempre così. Prima, quando in collegio aveva pensato alla fuga, si era immaginato che avrebbe lavorato tutto il giorno, e poi studiato alla sera fino a mezzanotte. Si era sentita una straordinaria forza allora. Adesso invece non aveva mai voglia di studiare. Tenere i conti per Tullio e aiutare Giulia erano lavori semplici, che richiedevano poco tempo, e avrebbe ben potuto studiare, se ne avesse avuto voglia. Ma non ne aveva voglia, e intanto il sole faceva meravigliosi i capelli di Giulia, e davanti c'erano le rovine fino alla chiesa di Sant'Agnese, chiare e scure sotto la luce. E la grande chiesa era come un tempo, come tante volte egli l'aveva vista dalle finestre della sua casa. Solo le mancava il campanile di fianco.

Ad un certo punto Giulia si levò in piedi. « Io vado dentro » disse. E siccome Daniele stava per alzarsi, disse ancora: « No, tu resta, per piacere ».

Se ne andò a piccoli passi. Da sotto la coperta uscivano le sue gambe sottili, ancora come quelle di una bambina.

Daniele si perdette nei suoi pensieri, guardando le rovine sotto la luce. Il sole invernale aveva un calore tenue, che stordiva un poco. Ed egli rimaneva inerte in quello stordimento, senza provar rimorso per le ore perdute. I giorni se ne andavano uno dopo l'altro, ed era come se stesse passando del tempo che non aveva niente a che fare con la sua vita. Con Tullio non avevano più parlato della sua partenza, eppure se ne sarebbe andato via di lì, un giorno. Era così strano abitare in quel posto, assieme a Giulia e Carla e Tullio e la piccola Maria, tutte persone tanto diverse da lui, e diverse anche da ogni altra persona con cui era vissuto prima.

Gli arrivò il passo di qualcuno che entrava nella casa, e doveva essere Carla. Era solo lei che camminava in quel modo sicuro e pesante. Sapeva sempre quello che doveva fare. Anche Tullio sapeva sempre quello che doveva fare, ma camminava senza rumore.

Carla entrò nella casa e andò nella sua stanza, solo per guardarsi allo specchio. Si osservò bene la bocca, gli occhi, i capelli. I capelli erano un po' scompigliati, ma stavano bene così. Quindi passò in cucina. Le due finestre erano aperte, e il sole entrava con due strisce eguali sul pavimento, e Daniele non c'era. Seduta su di uno sgabello c'era Giulia, che non faceva niente. La guardò nel viso pallido e spossato, dove gli occhi erano più fortemente cerchiati. « Ancora? » domandò.

Giulia accennò di sì con la testa.

« È una bella seccatura » disse Carla. « Mi pareva che non fosse ancora tempo. »

« Forse mi metterò a letto » disse Giulia.

Carla aveva le labbra molto dipinte, come sempre, quando andava fuori. S'era messa in piedi, vicino al braciere, dove i carboni erano così coperti di cenere che non davano calore, quasi. Un pulviscolo chiaro si muoveva nelle strisce di sole. Sulle pareti e sul soffitto si vedevano bene le screpolature e le larghe macchie d'umido e la pittura che quasi ovunque s'andava scrostando. C'era un contrasto tra il sole e la miseria di tutte quelle cose che morivano.

« Una bella seccatura » disse ancora Carla. E dopo una lunga pausa domandò: « E Daniele? ».

« È fuori » disse Giulia. « Al sole. »

Carla sembrava sopra pensiero, indifferente alle cose e a Giulia. Poi accese una sigaretta, e si mosse senza fretta verso la porta.

« Forse mi metterò a letto, Carla » disse Giulia.

Carla uscì senza rispondere. Andò in cerca di Daniele. Lo vide, e sorrise, così che pareva lieta. Non volle il posto lasciato vuoto da Giulia. « Fammi un po' di posto accanto a te » disse.

Egli si scostò per lasciarla sedere, ed essa si sedette vicina, in silenzio. La gonna le era salita troppo in alto sopra il ginocchio, ma lei non badava mai a quelle cose. Aveva un modo strano di compiere certi atti, un modo che turbava. Non era niente d'importante, solo sedersi o pettinarsi o legarsi le scarpe. Eppure non faceva quelle cose come Giulia, per esempio. Di Giulia, egli non s'accorgeva neanche che le facesse. In Carla invece c'era sempre qualche cosa di oscuro per lui, che gli mescolava il sangue, e poi gli faceva sentire vergogna e anche disgusto di sé, qualche volta. Non era bene provare quel turbamento per Carla. Carla era la ragazza di Tullio, egli lo sapeva. Allora non importava cosa altro fosse.

La sigaretta che Carla fumava aveva un odore dolciastro, di tabacco alla melassa. Pensando, egli teneva gli occhi fissi sulla sigaretta, e sulle dita di lei che all'estremità erano un po' gialle di nicotina.

Carla se ne accorse. Tirò fuori il pacchetto delle sigarette e glielo mise tra le mai. « Fuma. »

Egli fece segno di no con la testa. Tuttavia tenne il pacchetto fra le mani e lo studiò da una parte e dall'altra. Le due parti erano uguali, con un cerchio rosso e delle parole scritte in nero. Egli lesse forte quelle parole: « Lucky Strike ».

Carla rise un poco. « Non è così che si dice » disse. « Si dice: *"Laki Straik"*. »

« *Laki Straik* » disse Daniele. « Cosa vuol dire? »

« Non so » disse Carla. « Non me lo ricordo più. Un giorno me l'ha spiegato, uno di questi ragazzi americani. Poi mi son dimenticata. »

« Sai anche parlare inglese? »

« Qualche parola. Solo per farmi capire. »

Poi tacque. Ed egli continuamente cercava qualche altro argomento e non trovava. « Come sono gli americani? » domandò.

« Così » disse Carla. « Non si può dire in due parole come sono. »

« Per me non sono cattivi » disse Daniele. « Mi hanno aiutato molto, quella notte che sono scappato dal collegio. Mi hanno fatto salire sul camion, e mi hanno dato caffè e caramelle, e anche i guanti, senza che domandassi niente. »

« Qualche volta sono buoni » disse Carla. « E qualche volta sono cattivi, non si può mai capire. È difficile capire la gente quando non è come noi. »

La sigaretta era arrivata alla fine, ed essa buttò il mozzicone lontano fra le macerie. Non continuò a parlare. Era inquieta e chiusa, adesso, come maturando un pensiero.

« Quando sono andato in collegio il primo anno, » disse Daniele « avevo dodici anni, e tante volte ci si alzava di notte, io e un altro, e si andava a fumare di nascosto. Non ci provavo nessun gusto a fumare. »

« No » disse Carla distrattamente.

« Mi piaceva solo perché era una cosa proibita » disse Daniele. « Scommetto che ci avrebbero cacciati dal collegio, se ci avessero sorpresi a fumare. Da allora non ho più provato. »

« Fa bene, fumare » disse Carla. « Aiuta a tirare avanti. » Prese un'altra sigaretta e l'accese. Aveva un accendisigari eguale a quello di Tullio, solo un poco più piccolo. Tirò le prime boccate in fretta, nervosamente. Anche Daniele aveva rinunciato a parlare.

« Daniele? » chiamò ad un tratto Carla, sottovoce.

Egli alzò la testa e si fermò con gli occhi sul viso di lei, e vide che era cambiato. Aveva gli occhi torbidi, ora, e il viso acceso. E lo fissava con una intensità che lo metteva a disagio, per un calore su tutto il corpo, appena sotto la pelle. Ebbe improvviso il desiderio di andar via, di tornare con Giulia. « Andiamo dentro » disse in fretta. « Si sente già freddo a star qua fuori. »

« Aspetta » disse Carla, senza lasciarlo con gli occhi. Si spostò da una parte e lo prese per le spalle. « Appoggiati qui con la testa » disse. « T'insegnerò a fumare. » Anche la sua voce era cambiata. Era più bassa, e tremava un poco.

Egli si trovò con la testa appoggiata alle sue gambe, e stava scomodo in quella posizione. Il libro era caduto per terra, ed egli pensò per un attimo di raccoglierlo, e poi se ne dimenticò. Sentiva l'orologio di Carla battere vicino ad un orecchio.

Essa sorrise, con la testa chinata verso lui. « Paura? » domandò.

Anch'egli provò a sorridere, ma fece solo una smorfia con la bocca.

« Non aver paura » essa disse. « Non ti faccio niente. Solo t'insegno a fumare. » Lentamente avvicinò alla bocca di Daniele la mano che teneva la sigaretta.

Egli vide l'estremità sporca di rosso venire verso le sue labbra e sentì le dita di Carla premere sul viso. Aspirò e allontanò la mano e buttò fuori il fumo.

« No, non così » disse Carla. « Quando hai il fumo in bocca devi tirare il fiato e mandarlo giù nei polmoni, se no non serve. »

« Brucia. »

« No che non brucia » disse Carla, e rise con sforzo. « Guarda come faccio io. » Tirò una lunga boccata di fumo, quindi aprì la bocca perché Daniele potesse vedere.

Egli vide il fumo entrare nella gola e poco dopo uscire dalla bocca e anche dal naso, e intanto il viso di Carla si abbassava sempre più verso il suo, ed egli lo guardava incantato. Solo chiuse gli occhi, quando ormai la bocca di Carla era così vicina alla sua da toccarla. Sentì che la bocca di lei era una cosa morbida e dolce, che sapeva di fumo.

Carla baciava con un desiderio lento. Si fermò sulle labbra, e Daniele era docile e inerte, e lei non voleva che fosse così, e cominciò a stringere e a mordere, ed egli lasciava fare. Ma poi all'improvviso strinse la bocca e sorse in piedi di scatto. Era rosso in viso e respirava affannosamente, e la guardava con odio e spavento.

« Cos'hai? » disse Carla. « Perché mi guardi così? »

« Perché facciamo queste cose? » egli disse. « Io non voglio, non voglio. »

Carla strinse la bocca con rabbia. « È per Giulia che non vuoi? » domandò.

L'espressione sul viso di Daniele non cambiò, come se non avesse sentito. Fece un passo indietro. « Non voglio » disse di nuovo, e corse via, verso la porta di casa.

Carla lo guardò andar via. Il suo viso era ancora acceso e gli occhi torbidi, e si mordeva un labbro. Poi i segni della passione se ne andarono, e le venne tristezza, e poi cambiò ancora, e i suoi lineamenti divennero fissi e duri.

Daniele si era fermato sull'ingresso della cucina. Aveva paura ad entrare, perché Giulia si sarebbe certamente accorta. Forse era meglio tornar fuori, andare magari fino alla casa del calzolaio e perdere un po' di tempo con la piccola Maria. Ma Giulia l'aveva sentito venire. Lo chiamò da dentro.

Egli avanzò nella stanza, e non vide Giulia.

« Sono qui » essa disse dal suo riparo.

« A letto? »

« Sì » disse Giulia. « Ma non è niente, sai. Solo mi sentivo stanca, e adesso sto meglio, a letto. »

Daniele era fermo in mezzo alla cucina. Non voleva farsi vedere da lei.

Ma Giulia disse: « Tira un po' da parte le coperte. Voglio vedere il sole ».

Egli fece scorrere le coperte sulla corda che le sosteneva. Giulia guardò solo le strisce di sole sul pavimento. Una si era fatta sottile, ma l'altra, quella della finestra di ponente, era più larga e lunga. « Mi piace vedere il sole » essa disse.

« Sì » disse Daniele. Giulia era così serena, e forse non si era accorta di niente.

« Siediti qui » disse Giulia.

Egli si sedette sul materasso, guardando davanti a sé la sottile striscia di sole.

« Voltati da questa parte » disse Giulia.

Egli si voltò, e subito vide che lei già sapeva. Ma non disse nulla. Soltanto studiò il suo viso e poi prese un fazzoletto da sotto il cuscino e tendendo un braccio gli pulì la bocca. Daniele abbassò la testa e di nuovo si mise a guardare la striscia di sole. Giulia rimise il fazzoletto sotto il cuscino, senza neanche guardare i segni del rossetto. Lasciò il braccio abbandonato sopra le coperte.

Passò del tempo senza che nessuno parlasse o facesse un movimento. Poi essa mosse di nuovo il braccio e lo toccò su di una spalla. « Daniele? »

Daniele parlò senza voltarsi. « Mi dispiace » disse. « Io non pensavo che avrei potuto fare una cosa simile. »

« Non importa, sai » disse Giulia. Ma nonostante i suoi sforzi, era una cosa triste.

« Hai sentito quando parlavamo? » domandò Daniele.

« Me l'immaginavo » disse Giulia vagamente.

E dopo una lunga pausa egli disse: « Forse è meglio se vado via, Giulia ».

« Perché? »

« Non so. Mi sento così colpevole. »

« Non è colpa tua. Io lo so che non è colpa tua. »

« Sì, è anche colpa mia » disse Daniele. « Tullio si arrabbierà, quando verrà a saperlo. »

« No, non si arrabbierà » disse Giulia. « Non con te, almeno. E poi, non è necessario che tu glielo dica. Non è una cosa importante. »

« Non è una bella cosa » disse Daniele.

« Ma non è importante » disse Giulia. « Non devi metterti in testa di andar via per questo. Tullio non dirà niente, sono sicura. » Forse voleva parlare ancora, ma tacque, perché sentì il passo di Carla nel corridoio.

Carla entrò e venne dritta verso di loro. Aveva in mano il libro di Daniele. « Ecco, ti ho riportato il tuo libro » disse.

Egli prese il libro, ma non parlò, e neppure alzò la testa.

Allora Carla gli posò una mano sui capelli, e sorrise in un modo cattivo. « Sta ancora male, povero piccolo » disse. E a Giulia domandò: « Ti ha raccontato, no, cosa gli è successo? Una ragazza lo ha baciato. Proprio baciato, sai ».

Giulia divenne rossa per quel suo tono insolente. « Lascialo stare, Carla » disse. « Dovresti avere vergogna. »

« T'interessa? » domandò Carla.

« Lascialo stare » disse ancora Giulia. « Hai proprio bisogno di lui? »

Carla la guardò fissamente e smise di ridere, ma la sua faccia rimase dura e cattiva. « Ho capito, sai » disse. « È da un pezzo che ho capito. »

« No » disse Giulia. « Cos'hai capito? »

Ma Carla alzò le spalle e non rispose. Si allontanò da loro, fermandosi vicino al braciere. « Fa freddo, ormai » disse con indifferenza.

Gli altri speravano che adesso se ne sarebbe andata. Invece essa si sedette, e cominciò a smuovere le braci con un ferro. Faceva ciò tranquillamente, come giocando, per far capire a loro che non se ne sarebbe andata. Daniele stava sempre nella stessa posizione. La striscia di sole davanti a lui era sparita, e l'altra era diventata di un colore quasi rosso.

« Giulia, » disse ad un tratto Carla « per me te lo puoi prendere, sai. Te lo potresti prendere anche subito, se non avessi quella cosa. È un peccato che ti sia venuta quella cosa proprio adesso che sarebbe il momento buono. »

Giulia non disse nulla.

« Dovresti spiegargli quello che hai » disse Carla. « È lì tutto preoccupato. Scommetto che non sa neanche cosa sia lo sviluppo. »

Neanche ora Giulia parlò.
« Vuoi che glielo spieghi io? » domandò Carla.
« Carla, smettila » disse Giulia. « Non essere così. Ti giuro che non è vero niente di quello che pensi. Non parlare di quelle cose. »
« Perché? » disse Carla. « Sono cose che capitano a tutte le donne. Anche quelle che sono buone e sembrano angeli. E le prime volte fa un po' male, ma non è poi necessario far le smorfiose come te. A me è cominciato che ero più piccola di te, e non sono mai stata un giorno a letto. A te piace che ti accarezzino, per questo ti metti a letto. Non hai mai provato ad accarezzarla, Daniele? »
« Basta, Carla » gridò Giulia.
Ma Carla non aveva intenzione di smettere. Cominciò a spiegare quello che aveva Giulia e pareva si divertisse a vedere la confusione di Daniele. Egli la ascoltò per un poco e poi non volle più ascoltarla e si voltò verso Giulia. Giulia si era nascosta con tutta la testa sotto le coperte. La toccò e la sentì rigida e indovinò che piangeva. « Non continuare, Carla » disse. « L'hai fatta piangere. »
« È per te che piange » disse Carla. « Non hai capito che è per te che piange? »
« Dio, come sei cattiva » disse Daniele.
Allora Carla si alzò, guardandolo direttamente negli occhi. « Siamo tutti cattivi, in un modo o nell'altro » disse. « Anche tu dovresti accorgertene, quanto sei cattivo. » E subito uscì dalla cucina.

Un po' di tempo passò senza che Daniele sapesse cosa fare. Giulia stava sempre con la testa sotto le coperte e non si muoveva. La striscia di sole sul pavimento divenne rosa pallido, e poi sparì. Allora egli si alzò e andò a chiudere le finestre. Poi venne di nuovo a sedersi sul materasso. « Giulia » chiamò. Essa non rispose. Daniele la chiamò ancora, ed essa non rispose. Allora egli le scoprì il viso dalle coperte, ma essa nascose gli occhi con un braccio, come una bimba che si vergogna.

« Fa niente, Giulia » egli disse. Lei era così debole e disgraziata, ed egli sentì compassione per lei, e anche una tenezza grande, mai provata prima. Le prese il braccio e lo spostò scoprendole gli occhi. Poi rimase con la mano sulla fronte. « Hai anche la febbre » disse. « Non c'è nessuna medicina da prendere per questa cosa? »

Delle lacrime uscirono dagli occhi di Giulia, e si fermarono un poco nell'orbita, prima di scendere lungo le guance.

« È vero che piangi per me, perché sono così sciocco? » domandò Daniele.

Essa fece segno di no con la testa. « Adesso tu non potrai guardarmi senza pensare a quello » disse. « A tutte le cose brutte che ci sono in me. »

« Non è così » disse Daniele. Tuttavia era poco convinto. Nella stanza si faceva rapidamente buio. Allora egli si alzò e applicò lo schermo di cartone alle finestre e accese il lume sulla tavola. Poi tagliò la verdura a pezzi e la mise in una pentola con dell'acqua. Giulia lo guardava, e non era più infelice. Egli le sorrideva di quando in quando. Ecco che tutte le cose brutte si potevano anche dimenticare.

Poi egli accese il fornello e il rumore della fiamma riempì la cucina e arrivò nell'altra stanza. Allora Carla venne con un viso serio, quasi imbronciato. Si mise a lavorare sulla tavola per preparar da mangiare. Daniele le rimase vicino. Essa muoveva le mani nel suo modo rapido e sicuro, e due o tre volte tirò su col naso, e poteva anche darsi che avesse pianto, nel tempo che era rimasta fuori.

Passarono dalla casa del calzolaio per uscire sulla strada e si diressero verso la via principale. Camminavano a fianco a fianco, di buon passo, con le mani in tasca. Tullio aveva il bavero della giubba rialzato e le orecchie nascoste dentro il suo vecchio berretto. Non aveva niente sopra il vestito, perché egli non possedeva un cappotto. Anche Daniele era senza mantello. Tullio gli aveva fatto indossare un grosso maglione col collo da ciclista, e una vecchia giacca troppo larga. I pantaloni e la sciarpa erano invece quelli scuri del collegio. Sopra la strada, la stretta striscia di cielo fra le case appariva di un azzurro chiaro.

Nella via principale avevano già acceso le lampade dell'illuminazione pubblica. Erano lampade schermate, e poste a grande distanza l'una dall'altra, e facevano poca luce. Si vedevano rare persone in giro a quell'ora, quasi tutti soldati e ragazze. I soldati portavano buoni cappotti di lana, e andavano insieme con le ragazze. Presso la porta di un cinema popolare, un gruppo di gente aspettava, stretto contro il muro. Aspettavano per entrare, dato che dentro faceva meno freddo. Essi camminavano verso la stazione. Prima di uscire dalle mura, Tullio piegò a sinistra per un vicolo angusto, ormai pieno d'ombra. Dopo pochi passi si fermò davanti ad una porta oscurata.

« È qui? » domandò Daniele.

« No » disse Tullio. Spinse col piede la porta a molla ed entrarono. Il locale era vasto e fumoso, male rischiarato da due lumi a petrolio attaccati al soffitto. Si sentiva un forte odore di vino e di fumo. Alcune ragazze stavano sedute ad una lunga tavola assieme a dei soldati. La tavola era ingombra di bottiglie e bicchieri e pacchetti di sigarette. Quattro borghesi giocavano a carte attorno ad un piccolo tavolo, sotto un lume.

Una di quelle ragazze s'incantò a guardarli mentre essi entravano, ed un'altra salutò rumorosamente Tullio, con una voce falsa. Tullio le fece un cenno con la mano, ma andò dritto al banco, che era in fondo alla sala. Sopra il banco stava appeso un altro lume a petrolio, più grande degli altri due. L'uomo dietro al banco salutò Tullio come un amico.

Tullio gli strizzò l'occhio. « Caffè » disse.

« Due? » domandò l'uomo guardando Daniele.

« Sì » rispose Tullio.

L'uomo uscì da una piccola porta sul fondo. Dietro al banco vi erano scaffali quasi vuoti, e in alto un orologio rotondo che segnava le otto, e forse era fermo.

La ragazza che aveva salutato Tullio si alzò dalla tavola portando con sé un soldato. Passando vicino a loro diede un colpo sulla schiena di Tullio. Tullio si voltò. « Ehi, giovinezza, come ti senti? » disse.

« Bene » disse la ragazza ridendo. Era bella e aveva gli occhi lucidi. Poi se ne andò dalla piccola porta, trascinando il soldato per mano. Anche il soldato rideva e aveva gli occhi lucidi.

L'uomo venne di ritorno, con due tazze da caffè su di un vassoio. Tullio ne porse una a Daniele. « Butta giù. Serve per il freddo. »

Daniele esitò sentendo l'odore acre della grappa. La tazza era piena fino all'orlo. Ma vide Tullio buttar giù la sua grappa di colpo, e allora si sforzò di bere, in due o tre sorsi. L'alcool bruciava nella gola, e gli fece venire un brivido per la schiena.

Tullio prese del denaro, ma l'uomo gli fermò la mano. « Un'altra volta » disse.

Tullio rimise in tasca il denaro e tirò fuori il tabacco per farsi una sigaretta. Daniele si voltò a guardare nella sala. Le ragazze facevano chiasso, parlando e ridendo coi soldati. Una aveva press'a poco l'età di Carla, le altre erano invece più vecchie. Dovevano essere ubriache. Dalla porta entrarono ancora altre soldati. Un bambino li accompagnava, li portò a sedere alla lunga tavola, e poi se ne andò.

« Perché non mi mandi più quella ragazza? » disse l'uomo dietro il banco. « Potrebbe fare dei buoni soldi, adesso. »

« Quando vuol venire, la conosce la strada » disse Tullio.

« Oh, » fece l'uomo « dicevo solo per lei. Potrebbe fare dei buoni soldi. »

Tullio non gli rispose. Aveva finito di arrotolarsi la sigaretta, e l'accese. « Andiamo » disse a Daniele.

Uscirono nel vicolo e tornarono nella via principale. Avvicinandosi alla stazione, le case in piedi diventavano sempre più rare, e ai lati della strada vi erano quasi solo macerie e muri senza niente dietro. Anche la porta monumentale di San

Sebastiano era crollata e avevano smosso le rovine per far passare le macchine. Daniele aveva fatto quella strada, due mesi prima, e poi si era perduto nel quartiere e aveva trovato Tullio. Ora Tullio camminava al suo fianco, pensieroso e serio in faccia. La sigaretta che aveva acceso uscendo dall'osteria gli si era spenta, ed egli continuava a tenerla tra le labbra, in un angolo della bocca. Si provava un senso di sicurezza, a trovarsi insieme a lui, perché egli era così sicuro, in tutte le cose che doveva fare. Daniele si aggiustò la sciarpa alta sul collo. La grappa non lo aiutava molto contro il freddo, solo gli bruciava nello stomaco.

Nel piazzale della stazione autocarri s'incrociavano con grande frastuono. Andavano verso la guerra, oppure tornavano, e i loro fari illuminavano la polvere sospesa nell'aria. Il cielo era ormai divenuto scuro, ma si vedeva ancora il segno del crepuscolo dalla parte di ponente.

Camminavano sul lato della strada, vicino al cavalcavia. Molta gente era andata ad abitare sotto il cavalcavia, dopo il bombardamento, e si sentiva il loro vociare assieme al frastuono degli autocarri. Dei fuochi erano accesi in vari posti, con delle persone intorno sedute a scaldarsi.

Gli uomini di guardia al passaggio a livello non dissero nulla vedendoli passare. Poco più avanti Tullio si fermò e riaccese il mozzicone di sigaretta. « Siamo quasi arrivati » disse.

Tuttavia avevano ancora un lungo cammino da fare. Abbandonarono la grande strada, inoltrandosi nel sobborgo. Le vie erano deserte e buie, perché mancavano di illuminazione.

A poco a poco la città finiva. Le case si erano molto diradate e spesso i campi arrivavano fino al ciglio della strada. Il segno del crepuscolo era sparito. Nel cielo si vedeva una quantità di stelle. Il vento dell'est non era molto forte, ma bastava a mantenere il tempo sereno. Poi cominciarono a camminare lungo un alto muro a sinistra. « Abitano qua dentro » disse Tullio. « Era un magazzino militare, e i tedeschi l'han bruciato, prima di andar via. »

Passarono dentro il recinto attraverso una larga apertura

dove il muro era stato buttato giù. Si intravedevano le sagome di alcuni capannoni allineati. Anche lì della gente gridava e vi erano dei fuochi sparsi. Nell'interno dei capannoni senza più tetto, contro i muri anneriti dal fumo, la gente aveva costruito le sue abitazioni con coperte e pezzi di latta e di tavole. Durava ancora l'odore del vecchio incendio, diverso da quello dei fuochi.

Tullio chiamò alla porta di una capanna, e una voce di donna gli rispose da dentro. Allora entrarono. Nel centro vi era una specie di grossa stufa, fatta con un fusto da benzina, rossa per il fuoco. Su di una cassa era acceso un lume a nafta. Il resto dell'ambiente restava in ombra. Una donna ed una ragazza erano sedute vicino alla stufa.

La ragazza si alzò vedendo Tullio, e parve contenta. Poteva avere diciott'anni, ed era una brutta ragazza, coi capelli neri e crespi.

« Non c'è Andrea? » domandò Tullio.

« Te lo chiamo subito » disse la ragazza. Uscì sulla porta e cominciò a gridare forte il nome di Andrea.

« Sedetevi, ragazzi » disse la donna. Essa doveva essere stata molto grassa, un tempo, ma ora la pelle le faceva una quantità di pieghe sulla faccia.

Si sedettero su degli sgabelli attorno alla stufa. Il calore era molto forte davanti, però sulla schiena si sentiva il freddo che penetrava attraverso le pareti. La capanna era di forma quadrata, non molto grande. Daniele si tolse la sciarpa dal collo. Il suo viso cominciava a sfogare, a causa del caldo dopo il freddo.

La ragazza rientrò. « Adesso viene » disse, e rimase in piedi a guardare Daniele con aperta curiosità. « È uno nuovo? » domandò.

« Quasi » disse Tullio.

La ragazza continuò a guardare Daniele, ed egli si vergognava un poco.

Andrea venne subito dopo. Era un bel ragazzo, con qualche aria di importanza ed eleganza, anche, benché fosse vestito di stracci. Aveva i capelli neri, lasciati un po' scomposti nel mezzo. « Salve, capo » disse entrando.

« Salve » disse Tullio.

« Antonio non ha ancora portato le biciclette » disse Andrea.

Tullio guardò il suo orologio. « È ancora presto » disse. « Possiamo aspettare un poco. »

« Intanto c'è quella col rimorchio » disse Andrea.

« Sì, lo so » disse Tullio.

« Ho montato un altro copertone di dietro » disse Andrea. « Con quello di prima non si poteva più tirare avanti. »

« Bisogna aver riguardo con le gomme » disse Tullio. « È sempre più difficile trovarne. »

Andrea si mise a studiare Daniele con interesse. « È quello nuovo? » domandò.

« Sì. »

« Giovane » disse Andrea.

« Farà sedici anni a maggio. »

« Sembra anche più giovane » disse Andrea. Poi si sedette. « Sarà una faccenda lunga? » domandò.

« No » disse Tullio. « Il più è la strada da fare. »

La ragazza stava sempre in piedi e continuava a guardare Daniele, in una maniera che lo metteva a disagio. Tullio se n'era accorto, e rideva, invece di aiutarlo.

« Sai giocare a scopa? » domandò la ragazza.

« No » disse Daniele.

« Peccato » disse la ragazza. « Ti posso insegnare, se vuoi. »

Tullio rise, ma gli venne in aiuto. « Qua » disse alla ragazza. « Farò io una partita con te. Cosa ci giochiamo? »

« Non so » disse la ragazza. « La camicia, se ci stai. Non ho altro che quella. »

Spostarono il lume su di un lato della cassa, e cominciarono a giocare con un mazzo di carte sporche e consumate. Ogni tanto Tullio allungava una mano verso la ragazza e la pizzicava in qualche posto. Allora essa rideva senza vergogna, e piuttosto scioccamente. La donna stava seduta quasi immobile, con le gambe molto larghe, nell'atteggiamento di uno abituato all'ozio. Pareva che non si interessasse a niente.

« È vero che eri in collegio dai preti? » domandò Andrea.

« Sì » disse Daniele.

« Si stava bene? »

« Così. »

« Fino a sette anni anch'io pensavo di farmi prete » disse Andrea. « Poi ho cambiato. »

La ragazza perdette la partita a scopa, e Tullio scherzò un poco sul fatto della camicia.

« Facciamo la rivincita » disse la ragazza.

« E cosa ci giochiamo? » domandò Tullio.

« Be', si può vedere. »

Ripresero a giocare ed essa perdette anche la seconda partita. « Vi scalderò un po' di caffè » disse. Era disinvolta, nonostante fosse così brutta, e aveva una voce gradevole. Si alzò per mettere un pentolino sulla stufa.

« Come vi trovate in questo posto? » domandò Tullio alla donna.

« È scomodo per l'acqua » disse la donna. « C'è abbastanza legna, ma è scomodo per l'acqua. Bisogna fare più di un chilometro per trovare acqua. »

« Pazienza » disse Tullio. « Non si può avere tutto. »

« Ma almeno si decidessero a riparare l'acquedotto » disse la donna. « Avevo sentito dire che dovevano ripararlo. »

« Fra dieci anni, forse » disse Andrea.

« Non so » disse la donna. « Prima la gente diceva che con gli americani le cose sarebbero andate meglio. Tutti dicevano così. » Parlava come se Tullio avesse qualche colpa perché loro erano senz'acqua.

« Bisogna sapersi aiutare da soli » disse Tullio. « Prima di tutto bisogna sapersi aiutare da soli. »

« Sì, ma come si fa? Noi non abbiamo niente. »

Tullio alzò le spalle. « Non parlavo di voi. Parlavo di tutti. »

Il pentolino sulla stufa borbottava con un rumore basso. La ragazza alzò il coperchio della cassa e prese delle tazze di alluminio di tipo militare. Distribuì il caffè a tutti. Bevvero rumorosamente, perché gli orli delle tazze scottavano. Il caffè era amaro e profumato.

« Passerai di qui tornando indietro? » chiese la ragazza.

« Sì » disse Tullio.

« Intanto Antonio non si vede » disse Andrea.

« Non era sicuro di poter venire » disse Tullio. « Aspetterò ancora un poco, ma non era sicuro. »

Finito di bere il caffè, la donna si alzò pigramente. « Mi metterò a letto » disse.

Si sfilò la veste stando vicino alla stufa, poi andò a sdraiarsi in un giaciglio. Vi erano tre giacigli per terra, più vicino alle pareti.

« Sempre così » disse Andrea con acredine.

« Si mangia troppo poco per stare in piedi » disse la donna.

« Non fa niente tutto il giorno » disse Andrea. « È capace di dormire venti ore di seguito. »

« Piantala » disse la ragazza. « È il meglio che le resti da fare. »

Stettero per qualche tempo in silenzio. Il pentolino era rimasto sulla stufa, e borbottava forte.

« Non sai giocare neanche a briscola? » domandò la ragazza.

« No » disse Daniele.

« Scommetto che ci terresti, alla sua camicia » fece Tullio.

« Magari » disse la ragazza con una smorfia ridicola.

Di quando in quando, la donna si girava nel suo giaciglio, e si grattava il corpo così forte che si sentiva il rumore. « Dev'essere piena di pidocchi » disse Andrea. « Finiremo per prenderli anche noi. »

« Dai più fastidio tu dei pidocchi » disse la ragazza.

Già due o tre volte Tullio aveva guardato l'orologio. « Antonio non verrà più, ormai » disse.

« Come facciamo allora? » domandò Andrea.

« Andremo io e lui col rimorchio » disse Tullio. « Questa volta resterai a casa. È una cosa da niente. »

« Bene, meglio così » disse Andrea.

« Non vuoi ancora un po' di caffè? » domandò la ragazza.

« Dopo, quando torneremo indietro » disse Tullio. « Adesso ci serve una coperta. Fa freddo a star fermi sul rimorchio. »

La ragazza tolse una coperta da un giaciglio.

« Ci saranno pidocchi? » domandò Tullio.

« No, spero » disse la ragazza. « A che ora ripasserai? »

« Fra le due e le tre, se va bene » disse Tullio.

« Terrò acceso il fuoco » disse la ragazza.

Uscirono insieme ad Andrea. La bicicletta col rimorchio era appena fuori, appoggiata contro il muro del capannone. Tullio accese una lampadina tascabile e si chinò ad ispezionare le gomme. Le premeva ad una ad una col pollice, per sentire se erano gonfie.

« Sono in ordine, sta tranquillo » disse Andrea.

« Ci sono i ferri e le pezze? » domandò Tullio.

Andrea toccò una borsa dietro la sella. « Tutto qui » disse.

Si diressero verso l'uscita, e Tullio spingeva la bicicletta con le mani sul manubrio.

« Capo? » disse Andrea.

« Che c'è? »

« Niente » disse Andrea. « Solo, se non ti servisse niente al ritorno, io avrei da dormire in un altro posto. »

« Ancora quella ragazza? »

« Un'altra » disse Andrea.

« Tu perdi troppo tempo con le ragazze. »

« Abita proprio vicino a noi » disse Andrea. « È arrivata tre giorni fa, non potevo fare a meno di vederla. Si chiama Astra. Non avevo mai sentito un nome simile. »

Tullio rise.

« È per via del freddo » disse Andrea. « Si sta più caldi, a dormire in due. Anche lei è di questo parere. »

« Bene » disse Tullio. « Se ci sarà qualche ordine per la merce lo lascerò detto a tua sorella. »

« D'accordo » disse Andrea, e subito li lasciò per tornarsene indietro.

Andarono a piedi fino alla strada. Poi Daniele salì sul rimorchio e si coprì bene con la sciarpa e la coperta e si infilò i guanti di lana. Tullio montò in sella e partirono. Egli non aveva guanti, ma le manopole sul manubrio erano riparate con due pelli di coniglio. Il rimorchio sobbalzava sulle buche, perché la strada era cattiva. Daniele si teneva aggrappato alle sponde del rimorchio, stando seduto sul fondo. Vedeva davanti a sé la schiena di Tullio, e il cielo pieno di stelle.

« Che te ne pare di quella ragazza? » domandò Tullio.

« Non sembra neanche sua sorella. »

« Perché è così brutta » disse Tullio ridendo. « Ma è una brava ragazza, sai. Forse dipende proprio dal fatto che è così brutta. »

« Le piace giocare a carte » disse Daniele.

« Di questi tempi è una disgrazia, se una ragazza è brutta » disse Tullio. « Le altre più o meno si arrangiano sempre. »

Andarono avanti per un pezzo in silenzio, poi Tullio disse: « Andrea perde troppo tempo con le ragazze. Va sempre in cerca di qualcuna nuova, e così perde troppo tempo. Ma a parte questo è un buon elemento, e quando c'è da lavorare lavora. È difficile trovare uno col suo coraggio ».

Stavano percorrendo una strada di campagna, che non era fiancheggiata da alberi, e faceva delle continue curve, così che Daniele non capiva bene in quale direzione andassero. I piedi gli si stavano raffreddando, e anche le mani e il naso. Al naso forse sentiva più freddo di tutto. Tullio continuava a pedalare con forza e da un pezzo ormai non parlava più.

« Non andiamo per la strada grande? » domandò Daniele.

« No » disse Tullio. « Ci possono essere delle pattuglie sulla strada grande. Per di qui faremo un giro più lungo, ma è sicuro. »

Non avevano incontrato nessuno ancora, su quella strada.

« Hai freddo? » domandò ad un tratto Tullio.

« Un poco » disse Daniele.

Tullio fermò la bicicletta. « Prova a spingere tu » disse. « Vedrai che ti scaldi presto. »

Egli prese posto sul rimorchio, e Daniele montò in sella. « Devo andare sempre per questa strada? »

« Sì » disse Tullio. « E se trovi gente, fila via dritto. »

Daniele era tutto intirizzito, ma si faceva molta fatica a tirare il rimorchio, e dopo un poco cominciò a scaldarsi. Il naso fu l'ultimo a scaldarsi, perché l'aria pungeva sul viso, ma alla fine si scaldò anche quello.

La campagna era deserta e fredda e silenziosa. Raramente la strada passava accanto a delle case, tuttavia anche le case erano chiuse e buie, benché non fosse molto tardi. Qualche volta un cane si metteva ad abbaiare dall'aia di una casa colonica, e i ragazzi lo sentivano poi per un pezzo, mentre andavano nella notte.

Continuarono così per forse due ore, dandosi il cambio ogni pochi chilometri. Due volte Tullio fece dei lunghi giri per delle strade più strette, volendo evitare gruppi di case.

Però andando avanti le case si fecero più frequenti, ed era impossibile evitarle. Daniele che stava sul rimorchio riconobbe i luoghi guardando intorno. « Tullio, » disse « adesso siamo vicini. »

« Sì, quasi arrivati » disse Tullio.

« Oh, di qui siamo passati tante volte, quando ci portavano alla passeggiata » disse Daniele.

« Sì, ma non parlare, Daniele » disse Tullio. Proseguì ancora per un breve tratto, quindi voltò a destra per una nuova strada che era più cattiva e più stretta dell'altra. Presto furono di nuovo nella campagna aperta. Poi una fila di pioppi sorse dalla notte, e allora si fermarono e fecero scendere la bicicletta in un fossato asciutto a lato della strada.

« Ricordati che la bicicletta è qui, al decimo pioppo » disse Tullio.

Daniele guardò da sotto l'albero spoglio che saliva verso le stelle. « Va bene » disse.

« Se dovesse capitare qualche pasticcio, » disse Tullio « taglia la corda senza preoccuparti di me, e vieni qui. Poi aspetta mezz'ora, e se in mezz'ora non vengo torna pure a casa di Andrea. Lui ti dirà cosa devi fare. »

« Credi che capiterà qualche cosa? » domandò Daniele.

« No, » disse Tullio « dico così per dire. Andrà bene di sicuro. »

Stavano attraversando un campo arato. Il terreno era disuguale e duro per il gelo, e lo sentivano improvvisamente più alto e più basso sotto i piedi. Due o tre volte Daniele si voltò per guardare la fila dei pioppi e fissare la direzione nella mente. Alla fine del campo si voltò ancora, ma i pioppi erano ormai spariti nell'oscurità.

Passarono un altro fosso asciutto. Tullio andò avanti seguendo il ciglio del fosso, fino a che apparve la sagoma di una lunga costruzione. Allora si fermò. « Questo che si vede, dovrebbe essere il guardaroba » disse.

« Mi pare, ma non sono sicuro » rispose Daniele.

Andarono avanti ancora per un poco, e poi si fermarono. Ora la sagoma della costruzione si era fatta più distinta e si poteva vedere anche la linea della chiesa, e più lontano l'edificio centrale del collegio, che era più alto delle ali. « Sì, è il guardaroba » disse Daniele.

« Bene, » disse Tullio « portami dalla parte del cortile. » La sua voce era bassa e ferma come sempre.

Daniele lo guidò attraverso un campo, in un'altra direzione. Seguirono il muro di una costruzione a due piani. Poi la costruzione finì, e cominciava un muro di cinta.

« È qui » disse Daniele.

Tullio studiò il muro per cercare un punto dove fosse più facile salire. « Togliamoci le scarpe » disse. « Si va meglio senza scarpe. »

Si tolsero le scarpe e le lasciarono alla base del muro. « Adesso io salgo sulle tue spalle e vado sopra » disse Tullio.

Salì sulle spalle di Daniele e raggiunse facilmente la sommità del muro. Al di là si vedeva un grande cortile, con alcuni alberi, e sul fondo l'edificio centrale, a tre piani. Tutte le finestre erano buie.

« Vieni » disse Tullio verso il basso. Con le mani aiutò Daniele a salire, e tutti e due si lasciarono cadere dalla parte interna.

« Adesso vai avanti tu, che saï la strada. »

Daniele si avviò a destra, rasente il fabbricato a due piani che avevano seguito all'esterno. Attraverso l'arco di un portico passarono in un altro cortile, più piccolo. Si sentì un autocarro passare lontano, sulla strada grande. Ma là dentro tutto era silenzio né essi facevano rumore con i piedi senza scarpe.

Daniele si fermò all'inizio di una scala esterna. « Il guardaroba è qua sopra » disse.

Alla sommità della scala vi era una porta chiusa.

« Sei sicuro che c'è solo il vecchio, dentro? » domandò Tullio. Adesso parlava bisbigliando appena.

« Prima c'era lui solo » disse Daniele. « Dormiva in fondo al primo reparto, a sinistra. »

Tullio cominciò a frugare con un arnese nella serratura, e muoveva la mano lentamente. Daniele aveva i piedi gelati e tremava. Respirava con la bocca aperta. Un altro autocarro passò sulla strada grande, e quando il suo rumore finì la serratura aveva già ceduto.

Tullio aprì appena uno spiraglio e richiuse. « C'è luce, dentro » disse.

« No » disse Daniele.

« Sì, » disse Tullio « proprio qua sopra la porta. »

Allora Daniele si ricordò. « È il lume » disse. « Il lume della Madonna. »

« Accidenti, non mi avevi detto che c'era questo lume. »

Daniele non disse niente. Sperò nel suo cuore che adesso sarebbero tornati indietro, a causa di quel lume. Invece Tullio aprì di nuovo la porta e ascoltò. « Vieni » disse, ed entrò per primo, e appena furono dentro riaccostò la porta.

Il lume della Madonna faceva una tenue luce rossastra. Si vedeva di fronte il passaggio scuro che dava nel secondo reparto. Il guardaroba era formato da quattro grandi stanze, l'una di seguito all'altra, con un passaggio in mezzo.

« Aspettami qui » disse Tullio.

Daniele lo vide sparire nel secondo stanzone. Rimase addossato alla parete, nell'ombra che faceva la mensola che sosteneva il lume. L'aria della stanza era calda, ma egli continuò a tremare. Tuttavia non aveva più paura, adesso che era dentro. Tullio sapeva il fatto suo, e non c'era da aver paura. La campana del collegio batté un colpo. Poteva darsi che fosse l'una, oppure l'una e mezzo, o anche solo mezzanotte e mezzo. L'orologio del collegio batteva anche le mezz'ore, e non si poteva sapere. Il barattolo d'acqua sopra la stufa faceva un rumore leggero, quasi come un sibilo. I piedi tornavano a scaldarsi, stando sul pavimento di legno.

Tullio venne di ritorno. « Andiamo, di là non c'è nessuno. »

Camminarono dritti attraverso il passaggio. Ogni volta che il pavimento scricchiolava sotto i loro piedi, essi si fermavano per ascoltare. Passato il secondo stanzone, Tullio accese la lampadina e fece girare il filo di luce sulle pareti. « Presto, cerchiamo la tua roba. »

« È subito qui a destra » disse Daniele. « Numero quarantacinque. »

Le pareti di quel reparto erano occupate in tutta la loro altezza da scaffali e caselle, coperti da tende. Trovarono la casella quarantacinque, ma dentro c'era la roba di un altro, non quella di Daniele.

Daniele si sentiva mortificato. « Siamo venuti qui per niente » disse. « Avrei dovuto pensarlo prima. »

« Non ci badare » disse Tullio. « Tieni la lampadina e fammi luce. »

Appena ebbe le mani libere, Tullio tirò fuori un sacco che teneva sotto la giubba e cominciò a riempirlo con roba presa dalle caselle. Faceva ciò con calma, avendo cura di scegliere gli oggetti. Spesso restava un attimo immobile per ascoltare. Daniele lo seguiva per fargli luce.

« Vedrai che in mezzo a questa roba ci sarà qualcosa che va bene anche per te » disse Tullio.

A poco a poco il sacco si riempiva con indumenti di ogni specie, biancheria e vestiti. Tullio si arrampicava fino al soffitto per cercare ciò che voleva. E quando il sacco fu quasi pieno, egli lo consegnò a Daniele e si fece dare la lampadina. « Vado a dare un'occhiata al reparto quattro » disse.

Però al reparto quattro non c'era niente da prendere. Aprì due grandi armadi, ed erano pieni di vesti da prete e di paramenti per la chiesa. Era roba molto bella, di seta con ricami e disegni e pietre colorate, ma egli non avrebbe saputo che farsene. Ritornò da Daniele. « Vuoi che andiamo? »

« Se vuoi. »

« Non hai paura? »

« No » rispose Daniele.

Tullio spense la lampadina e si caricò il sacco sulle spalle. Andavano ora verso la luce del lume, e pareva una grande distanza, camminando a quel modo. Udirono ancora il sibilo leggero del barattolo sulla stufa. Nel primo reparto faceva più caldo che non negli altri. Pareva che fuori ci fosse una maggiore luce, e aria fredda, buona da respirare.

Tullio riaccostò la porta, e scesero le scale e si avviarono verso il posto da dove erano entrati.

« Si potrebbe andare a vedere se si trova qualcosa da mangiare, vuoi? » domandò Tullio.

« No, non vorrei » disse Daniele.

Tullio rise e si voltò verso di lui per parlare. Allora si accorse che Daniele nascondeva qualcosa di bianco sotto la giubba. « Cos'hai sotto la giubba? » domandò.

« Lenzuola. »

« Ah » fece Tullio, come non essendo contento. E dopo pochi passi disse: « Nascondile meglio. Di notte il bianco si vede da lontano ».

Scavalcarono di nuovo il muro e si rimisero le scarpe. « Metti dentro il sacco quelle tue lenzuola » disse Tullio. « Non avevi proprio nient'altro da rubare? »

Daniele mise le lenzuola nel sacco e non rispose. L'orologio batté ancora le ore, mentre camminavano lungo il fosso asciutto. Furono molti rintocchi di seguito. Daniele si dimenticò di contarli ma doveva essere mezzanotte. Poco dopo anche l'orologio del paese batté le ore, e Daniele contò i colpi, ed era mezzanotte. Cominciò il campo arato.

« Tullio, » disse Daniele « non le ho prese per me, le lenzuola. Io posso farne anche a meno. Ma sono per Giulia. Quando le viene quel male deve stare a letto per due o tre giorni, e allora è bene che abbia un paio di lenzuola. »

Tullio tirò avanti senza parlare.

« Credi che sia proprio rubare questo che ho fatto? » domandò Daniele.

« Secondo come la pensi » disse Tullio.

Arrivarono al decimo pioppo e tirarono su la bicicletta dal fosso e caricarono il sacco sul rimorchio.

« Io penso, » disse Daniele « penso che loro hanno molte lenzuola, più di quante non siano necessarie. Noi invece siamo senza e Giulia ha bisogno di lenzuola, e se le merita. Bisognerebbe che ciascuno al mondo avesse quello che si merita. »

Tullio rise. Daniele aveva preso quel tono da predicatore che egli stesso aveva, quando parlava di quelle cose.

« Non è giusto, così? » domandò Daniele.

« Adesso dovrò trovar fuori un paio di lenzuola anche per Carla » disse Tullio, e si capiva che era contento.

Andarono veloci per tutto il tratto di strada in vicinanza delle case, e si stava meglio, ora, seduti sul rimorchio sopra il soffice sacco. Poi Tullio cedette il posto in sella a Daniele e proseguirono più adagio. La campagna gelata dormiva sotto le stelle. Gli alberi che crescevano più vicini alla strada apparivano spogli ed incerti. Tutto il resto era confuso nell'oscurità.

« Adesso avrai un vestito borghese e potrai uscire » disse Tullio. « Non girare molto per la città, nei primi tempi. È meglio se vai sulle mura, o lungo il fiume. »

« Va bene » disse Daniele.

Fecero un lungo tratto di strada in silenzio, e poi Tullio

disse: « Bene, una cosa volevo dirti. Adesso, andando avanti con la stagione, le giornate diventeranno più buone e più lunghe. Allora, quando uscirai, prendi con te Giulia. Non ha una salute molto buona, capisci, e sta sempre chiusa in casa e non le fa bene. Dovresti prenderla con te e portarla a camminare all'aria e al sole ».

« Va bene. »

« Però devi comportarti in modo che lei non capisca che lo fai apposta. Devi trovare qualche scusa per portarla fuori. Penso che con te verrà volentieri. »

« Va bene. »

Non parlarono più di ciò per tutto il resto della strada.

Quando bussarono alla porta della capanna, venne la ragazza ad aprire. « È andata bene? » domandò.

« Sì » disse Tullio.

La donna si girò nel suo giaciglio, a causa del rumore, e cominciò a grattarsi.

La ragazza prese il pentolino del caffè e lo mise a scaldare sulla stufa. Essi si sedettero tutti insieme là intorno.

« Avete fatto presto » disse la ragazza. Essa aveva la sola camicia, e una coperta sulle spalle, ma non si curava di coprirsi davanti. Attraverso la scollatura si vedeva una parte del seno. Si aveva l'impressione che facesse apposta a mostrarsi.

« Adesso bisogna trovar fuori un vestito per lui » disse Tullio indicando Daniele.

« Dove? » domandò la ragazza.

« Nel sacco. Ce ne sono diversi. »

La ragazza sciolse l'imboccatura del sacco e cominciò a tirar fuori la roba.

« Aspetta, » disse Tullio « beviamo il caffè, prima. »

Il caffè era caldo e amaro, ma non più profumato come prima, perché aveva bollito troppo stando sopra la stufa.

Poi la ragazza vuotò il sacco e mise tutti i vestiti da una parte. Li misurò ad uno ad uno sulla statura di Daniele, e gli fece provare le giacche che potevano andare. Era molto premurosa nel far ciò, benché le sue maniere fossero troppo confidenziali. Tullio frattanto s'interessava dell'altra roba, e la divideva in vari mucchi, secondo la qualità.

Alla fine la ragazza scelse la giacca che andava meglio per Daniele. Era di stoffa pesante, color nocciola. « Vuoi provare anche i pantaloni? » domandò.

« No, no » disse Daniele. « Basta che siano press'a poco della mia lunghezza. »

Poi controllarono la roba divisa nei vari mucchi, e Daniele prese nota di tutto su di un taccuino.

« Farai un pacco solo di questa roba, » disse Tullio alla ragazza « lasciando fuori le lenzuola e il vestito per lui. Dirai ad Andrea di mandarmi le lenzuola e il vestito a casa. Il resto invece al solito posto. »

« Va bene » disse la ragazza.

« Allora noi possiamo andare » disse Tullio a Daniele.

« Non volete ancora caffè? » domandò la ragazza.

« No » disse Tullio.

Erano pronti per andare.

« Fermatevi fino a che farà giorno » disse la ragazza. « Potete mettervi a dormire qui, uno nel mio letto e uno in quello di Andrea. Di giorno è più facile passare. »

« Oh, passeremo lo stesso » disse Tullio, avviandosi verso l'uscita.

La ragazza lo raggiunse e gli mise una mano sulla spalla. « Non vuoi proprio fermarti? » domandò. Aveva un tono sinceramente ansioso nella voce.

Tullio le fece una rapida carezza sul viso. « Sarà per un'altra volta » disse. « Abbiamo faticato molto, questa notte. »

La ragazza stette sulla porta della capanna. Anche quando erano ormai spariti nel buio, stette ferma sulla porta. Faceva freddo, ed essa era triste. Poi rientrò e chiuse la porta e si stese nel suo giaciglio, anche se era certa di non poter dormire.

Fuori essi andavano pensierosi nella notte fredda, con le mani affondate nelle tasche e il bavero della giubba rialzato. Più avanti Tullio prese un'altra strada, diversa da quella per la quale erano venuti. « Adesso bisogna fare un maledetto giro per passare la ferrovia » egli disse. « Non possiamo andare proprio sotto il naso delle guardie. » Era di cattivo umore, e Daniele pensava che fosse per il giro che dovevano fare.

« Potevamo fermarci a casa di Andrea » disse.

« Avevi voglia di fermarti? »

« Per me era lo stesso » disse Daniele.

« Ma ti sarebbe andato di farcela? »

« Cosa? » domandò Daniele.

« Niente » disse Tullio, e continuò a camminare pensieroso, lasciando cadere il discorso.

Quando Daniele si svegliò, il soffitto era illuminato da molta luce, con le screpolature e le macchie d'umido che risaltavano nettamente. Egli vi cercò le figure che era solito vedervi, una casa e una testa coi capelli come Giulia e un uomo a cavallo. Un po' di stanchezza gli restava nella testa, ma non gli faceva male. Girandosi, vide sulla valigia il suo vestito nuovo e le lenzuola. Doveva esser tardi, e tuttavia non si sentiva alcun rumore nella cucina. Ma non poteva darsi che Giulia dormisse ancora. « Giulia? » chiamò.

Allora essa si mosse e aveva gli zoccoli ai piedi. « Ti sei svegliato? »

« Che ore sono? »

« Saranno le tre passate. »

« E Tullio dorme ancora? »

« No, è uscito prima di mezzogiorno. Aveva da fare con la roba che avete portato. »

« Mi vergogno di aver dormito tanto » disse Daniele. Guardava di nuovo il soffitto, e si sentiva leggero, senza pensieri. Giulia continuava a muoversi con grande rumore di zoccoli. Poi apparve con la tazza di caffelatte in mano.

Egli si mise a sedere di colpo. « C'è un bel sole fuori, non è vero? »

« Sì. Non pare neanche che sia inverno. »

« C'erano tante stelle questa notte » disse Daniele. « Così sempre pensavo che oggi sarebbe stata una bella giornata. E pensavo anche che saremmo potuti andare a passeggio sulle mura, noi due. Adesso io ho un vestito nuovo. »

Giulia sorrideva perché egli era tanto spensierato. « Oggi è troppo tardi, ormai. »

« Domani, allora. »

« Va bene, domani » disse Giulia. Aspettò che egli finisse di bere, poi uscì con la tazza. Ma appena fu uscita, Daniele la richiamò indietro. E quando essa venne di nuovo da lui, egli aveva in mano un paio di lenzuola, ed era piuttosto imbarazzato. « Queste le ho prese per te » disse.

« Per me? »

« Ho pensato, » disse Daniele « ho pensato che se ti capita di dover stare a letto qualche giorno, allora starai meglio con le lenzuola. Non sei contenta? »

« Ecco, » disse Giulia esitando « ho paura che ti dispiacerà di aver preso questa roba. »

La bocca di Daniele si strinse per un pensiero penoso. « Perché ho rubato? » disse. « Ebbene, non mi dispiace di aver rubato. »

L'espressione di Giulia cambiò. « Allora sono contenta, » disse « proprio contenta. »

Prese le lenzuola e le tenne strette sul petto e con le dita di una mano le accarezzava dolcemente, e forse non si accorgeva neanche di accarezzarle in quel modo. E rimase così qualche tempo e sembrava indecisa se dire una cosa o no. Alla fine disse: « Ho avuta molta paura questa notte, fino a che non siete tornati ».

« Mi hai sentito tornare? » domandò Daniele.

Giulia accennò di sì con la testa, e sorrideva.

« Mi dispiace » disse Daniele. « Ho cercato di far piano per non svegliarti. »

« Era perché dovevo ancora prender sonno » disse Giulia. Fece una pausa, sempre accarezzando inconsciamente le lenzuola. Quindi disse ancora: « Sai, era la prima volta che andavi fuori, perciò avevo un po' di paura. Con Tullio sono abituata, ma con te, con te è diverso. »

Il cuore cominciò a battere forte dentro il petto di Daniele, e gli mancò il fiato per dire molte parole. Disse soltanto: « Grazie », e abbassò gli occhi sulla coperta e gli occhi ridevano, nonostante la confusione che aveva in sé. Da molto tempo non si sentiva felice come in quel momento. Era una felicità vaga, con cui le lenzuola non avevano molto a che fare. Non si capiva con certezza di che cosa fosse fatta quella felicità.

VIII

Era accaduto che il popolo degli straccioni, che prima erano rimasti confinati nelle strade e nelle piazze dei loro quartieri, aveva invaso a poco a poco tutta la città. In ogni ora del giorno, la via principale e la piazza della Signoria e quella del Duomo erano adesso piene di straccioni. Non si capiva bene cosa ci stessero a fare, perché non avevano niente da guadagnare stando in quei posti. Non si poteva comprare né vendere in quei posti, e i pochi negozi rimasti aperti avevano in mostra cose inutili per essi, cose che costavano troppo denaro. Eppure rimanevano attaccati a quei posti, e pareva che si trovassero meglio lì che in qualsiasi altro luogo della città. Giravano avanti e indietro oziosamente, e quando c'era il sole molti si sedevano per terra appoggiandosi ai muri per prendere con la schiena il calore che il sole dava alle pietre. E si interessavano un poco a quanto avveniva intorno, e ne discutevano molto.

Forse era accaduto che si sentissero meno a disagio ora in quei posti, ove gli alberghi e i negozi non erano più tanto eleganti, e dove le rovine ad ogni pochi passi arrivavano a mostrarsi sui lati, come nelle loro strade e nelle loro piazze.

Oppure era accaduto che aumentando di numero e di miseria, si fossero sentiti più arditi, padroni di tutto, e così fossero mossi alla conquista dei luoghi principali della città. Forse questa era proprio la ragione giusta, e spiegava anche la loro ostinazione nel restare in quei posti. Volevano ostentare la miseria degli stracci e dei corpi denutriti proprio là dove una volta non avevano avuto il coraggio di mostrarsi perché li avrebbero cacciati via. Pareva che ci fosse una qualche forza in essi. Pareva che qualcosa sarebbe venuto fuori da quella forza, col tempo.

Così tutto il giorno il popolo degli straccioni rimaneva in quei posti, e solo verso sera tornava alle sue case.

Allora succedeva uno strano cambiamento nella gente della via principale.

Molti dei nuovi venuti erano egualmente vestiti di stracci, solo meno sporchi, e avevano l'evidente preoccupazione di portare decoro nella miseria. Essi parevano tenerci molto, a quella specie di decoro, perché non erano stati miserabili, prima, e intendevano farlo capire a tutti. Erano stati gente agiata. Avevano lavorato tutta la vita, oppure i loro padri o i loro nonni avevano lavorato tutta la vita per accumulare denaro sufficiente a vivere con decoro e agiatezza. Il denaro era andato con la guerra. Se l'erano trovato tra le mani che non valeva quasi nulla ed erano caduti in miseria, non avendo saputo cosa fare. Forse non c'era niente che essi potessero fare per rimediare a quello stato di cose. Forse, anche se qualcosa fosse stato possibile fare, non sarebbero stati capaci di farlo. Così essi si sarebbero trovati allo stesso livello degli straccioni, se non fosse stato per la maggiore pulizia, e per quella specie di decoro, e per la diversa ora di andare a passeggio nella via principale.

In mezzo a loro vi erano i nuovi ricchi. Gente che con la guerra si era all'improvviso arricchita, mercanteggiando o rubando. Anche se il denaro non valeva molto, essi ne avevano a milioni e continuamente ne guadagnavano, così che le loro donne e le loro figlie potevano andare a passeggio nell'ora elegante, con pellicce e gioielli e curiose pettinature. Non erano molto pulite, ma ciò non aveva granché importanza di fronte al resto.

Era strano vedere a passeggio insieme quella gente fra cui era avvenuto un così rapido passaggio di ricchezza. I nuovi ricchi e i nuovi poveri. Una cosa che non si sapeva neanche come giudicare.

Dovevano andare a trovare un vecchio fuori porta San Tommaso, così aveva detto Tullio, e si era fatto la barba e pulito le scarpe. Le aveva strofinate forte con uno straccio, ma le scarpe non ci avevano guadagnato molto, essendo troppo vecchie. Egli portava un piccolo cesto di vimini coperto con carta da giornale.

La giornata non era fredda, benché il sole fosse velato da una leggera foschia.

« Io non mi trovo con queste visite » disse Tullio. « Bisogna dire una quantità di cose inutili, e non mi ci trovo. Non capisco perché la gente debba dire delle cose solo per parlare. Quando non c'è niente da dire si dovrebbe star zitti. »

Daniele stette zitto.

« Per questo ti ho fatto venire » disse Tullio. « Spero che mi aiuterai a cavarmela. Tu sei abituato a trattare con della gente come il vecchio, e dovrai dire tutte quelle inutili stupidaggini. »

Daniele rise. « Non hai una grande stima di me » disse.

Anche Tullio rise. « Ecco, così va bene » disse. « Questa è proprio una di quelle stupidaggini. »

« Vedrai. Starò lì impalato e non sarò capace di dire una parola. »

« È uno strano tipo di vecchio » disse Tullio. « Ha fatto il maestro di scuola per non so quanti anni, poi l'han messo in pensione, ancora prima che scoppiasse la guerra. E adesso è in miseria. Scommetto che un mese di pensione non gli basta per mangiare una settimana. »

Arrivarono alla via principale e passarono dall'altro lato della strada, dove batteva il sole e c'era molta gente. Daniele si vergognava per il suo vestito nocciola troppo nuovo.

« Non so come faccia a vivere, quel vecchio » disse Tullio. « Forse è la gente che si è presa in casa che lo aiuta a vivere. Deve aver affittato o venduto la casa, e si è tenuta una sola stanza. Ma è superbo come se abitasse in un palazzo. »

Passarono la piazza della Signoria e Tullio seguitò per la via principale, invece di andare verso San Tommaso. Forse non aveva voglia di arrivare troppo presto alla casa del vecchio. Erano appena le tre del pomeriggio.

« Quello che fa compassione in quella gente, » disse Tullio « è che non erano abituati alla miseria. Il vecchio stava bene, prima. Aveva un figlio che faceva l'avvocato. »

« Ed è morto? »

Tullio si era distratto a guardare la vetrina di un negozio, e non rispose subito. Poi riprese a camminare. « Forse non è morto » disse. « Non so cosa gli sia successo, ma non dev'essere morto. Era in Croazia quando hanno fatto l'armistizio, poi non se ne è saputo più nulla, così almeno dicono in giro. Ma il vecchio deve sapere dove è andato a finire. So che volevano dargli una indennità per questo figlio, e lui non l'ha voluta, e ci sarà pur qualche ragione se non ha voluto i soldi. »

Tullio adesso era fermo davanti ad una vetrina di terraglie, e guardava distrattamente le cose esposte, e parlava anche distrattamente. « Secondo me è passato ai partigiani » disse. « E lui lo sa. È uno di quelli che si farebbero ammazzare piuttosto che cambiare idea. » Non c'era nessun motivo perché egli si fermasse davanti a una vetrina di terraglie. Ma ad un tratto domandò: « Cosa regaleresti, tu, a una ragazza che compie quindici anni? ».

« Io? Niente » disse Daniele. « Non ho soldi. »

« Ma se tu avessi soldi, cose le regaleresti? »

« Non so. Forse un libro. »

« Perché un libro? » disse Tullio, e rise. « Cosa vuoi che ne faccia Carla di un libro? »

« Ah, è Carla. Non pensavo che fosse lei ».

Ripresero a camminare e passarono sotto i portici dalla parte dell'ombra, dove c'era meno gente. Andavano avanti adagio.

« Bene, cosa regaleresti a Carla? » domandò Tullio.

Daniele aveva pensato, durante tutto quel tempo. « Potresti regalarle una bottiglia di profumo » disse.

« No, non profumo » disse Tullio. « Si consuma troppo presto e non resta nulla. Ci vorrebbe qualcosa da adoperare sempre, e così lei si ricorderebbe che gliel'ho regalata io. Anche tra molto tempo si ricorderebbe. »

Daniele non rispose. Il pavimento del portico era formato da lastre di pietra irregolari, e camminando egli cercava di non calpestare i segni fra pietra e pietra. In un certo modo, ciò voleva significare che aveva dei pensieri nella sua mente. Anche le sue labbra erano strette, come quando pensava. All'improvviso domandò: « Tullio, vuoi molto bene a Carla? ».

Tullio lo guardò fissamente, e s'accorse che qualcosa lo preoccupava. « E tu le vuoi bene? »

« Io? » fece Daniele, e subito l'imbarazzo gli apparve sulla faccia. « Sì, le voglio bene » disse. « E anche a Giulia voglio bene, come se fossero mie sorelle. » Ora egli sembrava ancora più preoccupato di evitare i segni fra pietra e pietra. « Però con te è una cosa diversa, non è vero? » domandò.

« Sì. »

« E in quel modo devi volerle molto bene, no? E anche lei deve voler molto bene a te, non è vero? »

« Sì » disse Tullio, sopra pensiero. Si capiva che qualche cosa non andava bene per Daniele. Qualcosa doveva turbarlo a proposito di Carla, si poteva capire. Così disse ancora: « Le cose fra me e Carla non stanno proprio come tu pensi, Daniele. In principio forse era diverso, quando abbiamo cominciato, e ci volevamo bene. Ma dopo sono successi dei fatti che hanno rovinato ogni cosa. Non è tutta colpa nostra se sono successi quei fatti. Più che altro siamo stati sfortunati. Ma continuiamo a stare insieme lo stesso, anche se non è più una bella cosa stare insieme in questo modo. Cerchiamo di aiutarci da buoni amici. Carla ha fatto molto per me ».

Daniele non parlò di quello che lo turbava dentro, ma rimase pensieroso. Camminavano adagio, andando verso la piazza del Duomo. Prima di arrivare in fondo alla via, Tullio si voltò per tornare indietro. « Bene » disse. « Non abbiamo ancora deciso cosa regalare a Carla. »

Daniele smise subito di badare ai segni fra pietra e pietra. « Potresti regalarle un portacipria » disse. « Anche a mia mamma ne avevano regalato uno, quando si era sposata. Lo portava sempre nella borsetta. Era bello, d'argento. »

« Costerà troppo, d'argento » disse Tullio. Ma poco dopo domandò: « Dove li vendono? ».

« Dal gioielliere, se lo vuoi d'argento » disse Daniele. « Se no dal profumiere, o anche in un negozio di mode. »

Si misero allora a cercare nelle vetrine, e Daniele trovò per primo un portacipria in mostra in un negozio di profumi. Era un oggetto rotondo, di metallo lucido, e costava molto denaro. Tullio non si decideva a comprarlo, perché costava troppo. E mentre stavano così fermi davanti alla vetrina, una guardia passò alle loro spalle e andò un poco avanti, e poi tornò indietro e venne a fermarsi presso la porta del negozio.

Daniele non si era neanche accorto della guardia, ma Tullio disse subito: « Andiamo ».

« Non lo compri? » domandò Daniele e vide la guardia e rimase senza poter muoversi per la paura. La guardia fissava proprio lui.

« Andiamo, Daniele » disse Tullio con forza.

Allora egli poté muoversi e seguì Tullio. Appena trovarono una strada, lasciarono la via principale, inoltrandosi nel quartiere di San Tommaso.

Daniele era ancora agitato. « Ho avuto paura, Tullio » disse. « Hai visto come mi guardava quella guardia? Mi guardava come se avesse saputo del mio vestito. »

Tullio sputò per terra. « Pagherei chi sa cosa per rompere il muso a uno di quei bastardi » disse.

« Adesso ho paura di girare per le strade » disse Daniele. « Quello di sicuro sapeva del mio vestito. »

« Non era per il vestito » disse Tullio. « È una carogna, ecco tutto. Forse pensava che volessimo rubare. Ce ne sono di carogne, che si divertono a rompere le scatole alla gente. »

« Forse lo fanno per mangiare » disse Daniele. « Se non facessero così li manderebbero via, e non saprebbero come mangiare. »

« Sì, » disse Tullio « ma ce ne sono di troppo carogne. E poi, si metteranno sempre dalla parte del padrone, quelli. »

Stavano attraversando il quartiere di San Tommaso, per delle strade strette e sudice. Vi era gente nei posti dove batteva il sole.

Il quartiere di San Tommaso era stato fortunato con la guerra. Le case stavano tutte in piedi, ad eccezione di due punti verso le mura, dove erano cadute delle bombe. Tuttavia la miseria l'aveva invaso egualmente, e dovunque c'era un po' di posto, i senza casa avevano costruito le loro capanne.

Fu Tullio che vide i bambini. Era un gruppo di bambini riuniti nell'angolo di un cortile e stavano tutti chini su qualcosa che era per terra e non si vedeva.

Uno solo dei bambini si accorse dei ragazzi che si avvicinavano. Era troppo all'esterno del gruppo, e non riusciva a vedere ciò che accadeva dentro. Egli guardò con meraviglia Daniele, e poi Tullio, e non si spaventò. Era piccolo e sudicio e vestito male. « Sta facendo i gattini » disse con importanza.

Tutti gli altri bambini stavano attenti alla gatta, uno di essi, che era il padrone della gatta, era molto animato e spingeva gli altri per cercare di tenerli lontani. La gatta stava facendo i gattini tranquillamente, dentro una scatola di cartone.

« Visto da dove è venuto fuori? » domandò un bambino.

« Da dietro, » disse il padrone della gatta « ma non si vede bene. »

Un altro bambino disse seriamente: « Se sono nella pancia, si capisce da dove devono venir fuori ».

Una bambina, che era la più grande di tutti quei bambini,

alzò la testa ridendo, e così vide Tullio e Daniele. Allora si fece tutta rossa in viso e improvvisamente seria.

« Ih, guarda cosa sta mangiando » disse un bambino con disgusto.

Uno alla volta i bambini si accorgevano di Tullio e Daniele, e diventavano imbarazzati e silenziosi. Alla fine tutti stettero zitti. La bambina che aveva riso si era un poco ritirata dal gruppo.

« Quanti sono? » domandò Tullio.

« Quattro, per adesso » disse il padrone della gatta.

« Non ha ancora finito? » domandò Tullio. Faceva le domande con viso sorridente e un tono allegro di voce, perché i bambini non si sentissero così imbarazzati.

« Prima pareva che avesse finito, e invece ne ha fatto un altro » disse il padrone della gatta.

Un altro bambino prese coraggio. « Sarebbe bene che ne facesse ancora » disse. « Poi li mangiamo, quando diventano grandi. »

« Ma devono mangiare anche loro per diventar grandi » disse Tullio. « Cosa gli darete da mangiare? »

« Ci pensa la gatta a dargli il latte » disse il bambino.

Tullio rise un poco. La gatta era così magra che sarebbe morta presto di fame, se non trovava niente da mangiare. « State attenti che non ve li rubino » disse.

« Oh, no » disse il padrone della gatta. « Li metto a dormire con me. »

Tullio distribuì del denaro a quei bambini, prima di andarsene.

E uscendo dal cortile videro di nuovo la bambina che sapeva come nascevano i gatti e aveva riso. Si era messa in disparte, seduta per terra in un posto dove arrivava il sole. Aveva sei o sette anni, e i capelli neri, tagliati corti.

Tullio le andò vicino e le sorrise. « Accompagnami fino alla porta, vuoi? » disse.

Senza parlare la bambina si alzò e si avviò con loro. Era a piedi nudi, con indosso solo una veste sporca.

« Non hai nient'altro da metterti indosso? » domandò Tullio.

La bambina scosse molto la testa per dire di no.

« Neanche una coperta? »

« Non fa molto freddo, oggi. »

« No, non fa molto freddo » disse Tullio. « Cos'hai mangiato, oggi? »

« Polenta » disse la bambina.

« Solo polenta? »

« Sì. »

« E ieri? »

Questa volta la bambina non rispose. Si fermò improvvisamente e abbassò gli occhi a terra con dispetto. Si vedeva che non sarebbe venuta avanti. Era così magra che le spuntavano le ossa da per tutto, ma con la pancia gonfia. Anche sotto la veste si notava il gonfiore della sua pancia.

Tullio frugò nel cesto e le porse due uova. « Queste sono per te » disse. « Quanti siete in casa? »

La bambina prese le uova senza alzare gli occhi.

« Quanti siete in casa? » domandò Tullio.

« Tre. »

« Altri tre? »

« No, due » disse la bambina.

Tullio le diede altre due uova. « Uno per uno agli altri due » disse.

La bambina alzò infine gli occhi e si mise a guardare Daniele, invece di Tullio. Daniele era vestito bene, e faceva una grande impressione su di lei. Essa aveva gli occhi troppo grandi nella faccia magra, e un'espressione di stupore e paura.

« Non conosci un ragazzo che si chiama Ernesto? » domandò Tullio.

« No » disse la bambina.

« Sta proprio vicino alla chiesa. Ha i capelli rossi. »

« Allora lo conosco. »

« Bene, va da lui. Digli che ti manda Tullio. Ricordati bene il nome: Tullio. »

« Tullio » disse la bambina.

La lasciarono in mezzo alla strada che teneva le uova con le due mani contro la pancia gonfia.

« Hanno la pancia gonfia perché hanno fame » disse Tullio, e poi non parlarono più, neanche dopo essere usciti dalla porta.

Presero per un viale a sinistra, che aveva ai lati delle villette a due piani, con un giardino davanti. Il vecchio abitava quasi in fondo al viale. Il cancello del giardino era aperto ed essi entrarono. In un angolo crescevano alcuni cespugli sempreverdi, e in tutto il resto solo erbe selvatiche mangiate dal gelo.

« Stai attento a non dire qualcosa che gli faccia ricordare suo figlio » disse Tullio prima di bussare alla porta. Vi era anche un campanello elettrico, ma le case non avevano ancora corrente.

Venne ad aprire una donna con una vestaglia pulita e un grosso nodo di capelli. « Cosa vuoi? » domandò. Aveva aperto solo una parte della porta e stava diffidente, pronta a richiudere, se necessario.

Tullio tese in avanti il cesto. « Sono venuto a trovare il maestro » disse.

La donna allora lo riconobbe e aprì maggiormente la porta. « C'è in giro certa gente » disse.

Pareva che dentro la casa facesse più freddo di fuori e c'era un odore poco buono, non si capiva bene di che.

« Sali pure » disse la donna. « Ormai sai qual è la sua stanza. »

Salirono le scale e la donna rimase sotto ad aspettare fino a che Tullio non bussò alla camera del vecchio.

Il vecchio li fece entrare, e parve contento che fossero venuti. Aveva ai piedi grosse pantofole, e in testa un ridicolo berretto nero senza tesa, che gli arrivava fino alle orecchie. Per il resto era vestito come se dovesse uscire, con la cravatta e il cappotto.

Tullio s'era tolto il berretto entrando nella camera e lo

aveva nascosto in una tasca della giubba. « Ho portato un amico » disse. « Si chiama Daniele. »

Il vecchio studiò Daniele da vicino. « Da dove vieni? » domandò.

« Da casa » disse Daniele. « Io sto nella sua casa. »

« Non sapeva dove andare e l'abbiamo preso con noi » disse Tullio. « Prima era in collegio, studiava. »

« Che classe facevi? »

« Ho cominciato la quinta ginnasio. »

« E non vai più avanti? »

Daniele guardò Tullio, prima di rispondere. Quindi disse: « Sono scappato dal collegio, tre mesi fa. Non ci potevo più stare ».

Il vecchio si sedette su di una poltrona dall'alto schienale, ricoperta di stoffa color vino. Non disse nulla a proposito del collegio. Daniele aspettava, ma egli non disse nulla, e pareva distratto. Era molto diverso da quanto Daniele si era immaginato. Questo era piccolo di statura, quasi meschino, molto magro per la vecchiaia, con i tendini del collo che risaltavano sotto la pelle quando alzava la testa. Ma ora teneva la testa bassa, e stava come se li avesse dimenticati. Poi d'improvviso si scosse. « Sedetevi, ragazzi » disse.

Tullio mostrò il paniere. « Ho portato qualche cosa. »

Daniele aveva paura di quel momento. Fin da quando erano entrati, il vecchio doveva aver visto il paniere, eppure si era comportato come se non l'avesse visto. Ed ora, dopo che Tullio ebbe parlato, egli fissò gli occhi su di lui. « Grazie » disse, e sorrise con pena.

Daniele pregava perché Tullio non facesse qualcosa di sbagliato, che aumentasse il peso della situazione.

Tullio cominciò a levare dal paniere la roba, deponendola sopra il piano di un cassettone. Il vecchio non guardava più.

« Questa stagione è cattiva per le uova, » disse Tullio senza voltarsi « ma andando avanti ci sarà ancora abbondanza. Basta che venga primavera e subito ci sarà abbondanza di uova. Sarà un grande aiuto per tutti. »

Il vecchio non disse nulla, quando Tullio fece una pausa. Daniele si era messo in piedi vicino al letto, e non osava sedersi, benché ne avesse voglia. Si sentiva scontento di essere venuto.

« È stato Antonio a trovare queste uova » disse Tullio. « Si è molto allungato dall'anno scorso. Scommetto che non sareste capace di conoscerlo, vedendolo per la strada. Qualche giorno verremo a trovarvi insieme. »

Pareva che il vecchio non avrebbe risposto. Invece disse: « Sarò contento di vederlo ».

Ora la roba era tutta disposta sopra il cassettone, le uova e le salsicce, e un po' di caffè e di zucchero in due cartocci.

« Sedetevi, ragazzi » disse di nuovo il vecchio.

Tullio attraversò la stanza per mettersi su di una sedia vicino al letto. Anche Daniele si sedette. Vi erano due sedie di un bel legno scuro, e pure il grande letto matrimoniale e il cassettone e l'armadio erano dello stesso legno scuro. La poltrona invece era brutta e non si accordava col resto dei mobili. In un punto dell'alto schienale, proprio sopra la testa del vecchio, vi era un buco nella stoffa e usciva del crine vegetale.

« Non si sa niente di Mario? » domandò il vecchio.

« No » disse Tullio.

Ancora tutti rimasero in silenzio. Pareva proprio come aveva detto Tullio, che non avessero niente da dirsi e che meglio di tutto fosse stare in silenzio, anche se il silenzio pesava.

Poi fu ancora il vecchio a parlare. « Come vanno le cose in città? » domandò.

« Miseria » rispose Tullio, e parve aver esaurito l'argomento. Ma poi riprese: « L'inverno è cattivo. La gente non sa come tirare avanti perché manca tutto. E vi è sempre più gente, qui in città ».

Tullio aspettò che qualcuno dicesse qualche cosa, ma né il vecchio né Daniele avevano intenzione di parlare. Il vecchio stava fermo con le mani sui braccioli della poltrona. Aveva delle vene troppo grosse, sulle mani.

« Sono testardi, » disse Tullio « sono la gente più testarda che abbia mai visto. Alle volte si mettono davanti al municipio o davanti al comando militare, e aspettano. Aspettano dalla mattina alla sera. Non gli domandano neanche più cosa vogliono, e loro stanno ad aspettare lo stesso. Forse qualche giorno salterà fuori qualche cosa, perché sono così testardi. »

Il vecchio scosse la testa che teneva bassa. « Non salterà fuori niente » disse.

« Il male è che non sono organizzati » disse Tullio. « Ma capiterà lo stesso qualche cosa, un giorno o l'altro. »

Il vecchio alzò la testa per guardare Tullio e la sua voce inaspettatamente si animò. « Perché dici questo? » domandò. « Come puoi sapere? »

« Io la penso così » disse Tullio. « Perché è una miseria troppo dura per poterla sopportare. Niente lavoro, niente mangiare, e anche quelli che avevano da parte un po' di soldi sono ridotti in miseria. Bisognerebbe avere dei milioni per vivere, ma la gente non ha milioni, e stanno morendo di fame a poco a poco. Tutti capiscono che in questo modo non si può andare avanti. »

Anche Tullio si era scaldato parlando, e Daniele lo guardava. Era strano vedere Tullio senza il suo vecchio berretto. Aveva una testa massiccia, che dava un'impressione di forza.

« E loro? » domandò il vecchio. « Cosa fanno loro? »

« Gli americani? » domandò Tullio.

Il vecchio accennò di sì con la testa.

« Qualche cosa fanno, » disse Tullio « ma è come niente. Appena arrivati fecero distribuire delle razioni di minestra. Diecimila razioni al giorno, per dieci giorni. E anche a Natale fecero distribuire delle razioni. Ma cosa serve? La gente non può vivere mangiando solo a Natale. Bisogna che tutto cambi, perché la gente viva. Bisogna che ci sia lavoro per tutti, e che tutti trovino da mangiare con i soldi che guadagnano lavorando. »

Il vecchio fece un movimento con la testa, ma non parlò.

« La gente sperava molto, prima che arrivassero gli americani » disse Tullio. « Diceva che avrebbero portato libertà e roba da mangiare. Invece le tribolazioni sono più grandi di prima. Uno adesso può parlare male del governo, ma non ci si riempie la pancia a parlar male del governo. Così non fanno altro che aumentare la confusione. »

« Allora anche tu pensi che si stava meglio prima » disse il vecchio.

Sul viso di Tullio apparve un'espressione come se egli fosse per ribattere le parole del vecchio, ma poi lasciò perdere. « Io non capisco tante cose » disse. « Perché se prendiamo a uno a uno questi soldati americani, non c'è da dirne male. Ce ne sono di buoni e ce ne sono di cattivi, come tutta la gente del mondo. Si può dire che ce ne sono più di buoni che di cattivi, e ci aiutano quando possono. Ma non serve. La nostra vita è sempre peggio, e loro non risolvono niente, anche se regalano caramelle ai bambini. »

« Non serve » disse il vecchio.

« Io non capisco perché abbiano portato tanta rovina, se non sono cattivi » disse Tullio.

Il vecchio ora era tutto rivolto verso Tullio e si stava animando alla discussione. « Tu vedi solo quello che hai davanti agli occhi » disse. « Il male non è tutto in questi uomini che vedi girare per le nostre strade. Questi non hanno la colpa più grande di ciò che succede. Fanno la guerra perché li hanno mandati a far la guerra, e non vedono l'ora di finirla e di tornarsene a casa. Non credo che nessuno faccia volentieri questo lavoro di ammazzare la gente e distruggere le città. »

« Se fosse dipeso dai popoli non ci sarebbe stata la guerra » disse Tullio.

« Ci saranno sempre le guerre » disse il vecchio. « Basta che un popolo sia trattato ingiustamente, o si convinca di essere trattato ingiustamente, e presto o tardi ci sarà una guerra, a meno che gli altri popoli non abbiano la volontà di rimediare all'ingiustizia. Ma sarebbe pretendere troppo dagli uomini. Nessuno vuol dare agli altri quello che ha, per il solo amore della giustizia. Questo non accadrà mai nel mondo. »

« Forse accadrà » disse Tullio.

« È accaduto raramente fra gli individui » disse il vecchio. « Ma non è mai accaduto fra i popoli. Forse perché tanti individui messi insieme sono più cattivi di uno solo. »

« No » disse Tullio. « È perché gli uomini che comandano un popolo non sono mai stati i più buoni. Sono i più forti, o i più furbi, magari anche i più capaci, ma non sono mai gli uomini più buoni. »

Tullio aveva parlato col suo tono da predicatore, e il vecchio sorrise. « Sono stati i comunisti a metterti in testa queste idee? »

« Sono idee giuste. »

« Sì, è un'idea giusta » disse il vecchio. « Non sono mai gli uomini più buoni. Ma neanche col vostro sistema vengono fuori gli uomini buoni. »

« Col nostro sistema è la parte migliore del popolo che governa se stesso » disse Tullio.

« Un popolo non governa se stesso » disse il vecchio. « Con qualsiasi sistema sono pochi gli uomini che governano un popolo, e vengono fuori sempre i più astuti e i più capaci, non importa se sono buoni o no. Finora gli esempi di maggiore violenza li ha dati proprio il tuo sistema. »

« In un primo momento è necessaria, la violenza » disse Tullio.

« E poi ci sarà ancora violenza » disse il vecchio. « Allora è inutile che rimproverino a noi quello che volevamo fare. Quello che stan facendo loro è peggio di quello che volevamo fare noi, ed è basato sullo stesso principio. Sempre dei popoli devono sottostare a degli altri popoli, questo è il principio, anche se loro lo mascherano con belle parole. Allora non serve a niente un soldato che regala caramelle o un maggiore che cerca di governare una città con umanità e giustizia. Non sono questi che contano. Questi vengono e vanno, e poi ne vengono degli altri, che possono essere buoni o cattivi, e la loro condotta non ha grande importanza, perché tutti agiscono secondo un principio che nasce da persone che noi non vediamo neppure, che molte volte non sappiamo neanche chi siano.

Sono appunto gli uomini più astuti e più capaci, quelli della politica e delle grandi fabbriche. E se il loro principio è quello di conquistarci, noi saremo schiavi. Forse noi non meritiamo un destino migliore. Ma loro dovrebbero sentire la responsabilità che si assumono nel conquistare altri popoli. Non parlo per la morte e la distruzione, che possono anche essere necessità della guerra. Però il disordine, la fame, la rovina morale sono cose cui dovrebbero porre un rimedio. Oppure dovrebbero lasciarci tentare di rimediare da soli. Non è così che si conquista un popolo, a meno che il loro principio non sia quello di distruggerlo. »

« Non ci distruggeranno » disse Tullio. « Presto o tardi tutta l'Europa sarà nella nostra stessa rovina, trecento milioni di persone. Allora la nostra idea si metterà in marcia, e qualcosa accadrà. »

« Ma cosa può accadere? » disse il vecchio quasi gridando. Era molto agitato, e non si capiva se desiderasse o no quello che pensava Tullio. Si alzò dalla poltrona e camminò fino alla finestra che era di fronte a lui e si mise a guardare sotto.

« Del resto è giusto » disse. « Questa è la vostra forma di speranza, e voi siete giovani e dovete sperare. Ma io ormai sono vecchio e inutile. C'erano molti sbagli in quello che facevamo noi, l'ho capito adesso con la guerra e tutto questo disastro. Però ci sono più sbagli in quello che fanno loro, e noi dipendiamo da loro, dalla buona volontà di uomini che non hanno buona volontà. Così le mie idee si fanno sempre più confuse, e non riesco a veder niente davanti a me. Forse sono troppo vecchio, e mi pare che nessuno possa far niente, nelle condizioni in cui siamo. Ma voi dovete sperare, qualsiasi cosa. »

Ora era davvero un uomo troppo vecchio e piccolo, che parlava disperatamente. Si mosse di nuovo verso la sua poltrona. Teneva anche le gambe rigide, e faceva pena a vederlo camminare. Si sedette guardando fisso la finestra. « Sono stanco » disse. « Una volta non mi accadeva di stancarmi così presto. »

Tullio si alzò dalla sedia, e dopo di lui si alzò Daniele.

« Presto verrò a trovarvi un'altra volta » disse Tullio.

Il vecchio lo guardò con un'espressione triste. Tullio allora andò a prendere il canestro vuoto sopra il cassettone, il vecchio lo seguì con lo sguardo. « Vieni quando puoi » disse. « Io sono sempre solo, e sono contento se qualcuno viene a trovarmi. Ma non devi preoccuparti di portare roba. Non è necessario, proprio non è necessario. »

« Non datevi pensiero per la roba » disse Tullio. « Quando posso ve ne porto volentieri. »

Il vecchio scosse la testa. « Sii prudente » disse. « Ti raccomando solo di essere prudente. Molta colpa ce l'avrei anch'io, se ti capitasse qualche cosa. »

« Non mi capiterà niente di sicuro » disse Tullio.

Il vecchio sorrise dolorosamente, e disse: « Ho impiegato quarant'anni della mia vita per insegnare l'onestà e la sopportazione, e ora non ti so dire altro se non di essere prudente ».

Anche il vecchio si alzò, perché essi stavano per andarsene. Si avvicinò a Daniele e lo studiò da vicino, come quando era entrato. Poi domandò a Tullio: « E lui? Cosa pensi di fare di lui? ».

« Niente » disse Tullio. « Farà quello che vuole. »

Il vecchio diede un'occhiata a Tullio, quasi che non si fidasse. « Devi stare attento con lui. Perché è diverso, capisci. Non è come voi. »

Forse il vecchio voleva parlare ancora, ma Tullio lo interruppe ruvidamente. « Non è diverso » disse. « Siamo tutti eguali, noi. È solo questione di abitudine. Quando si sarà abituato diventerà come noi. »

Il vecchio ebbe un'espressione mortificata. « Non è questo che intendevo dire » disse.

« Va bene » disse Tullio. « Ad ogni modo, la sua strada se la sceglierà da solo. È abbastanza grande per poterlo fare. »

Quando uscirono dalla casa il sole ormai declinava e tra poco sarebbe sparito nella foschia più densa che copriva l'orizzonte. Si era mosso un po' di vento dal settentrione, e faceva freddo. Tullio era ancora irritato. Due o tre volte Daniele girò gli occhi su di lui, e sempre lo vide con la faccia scura. « Tullio » disse.

« Cosa vuoi? »

« Non ti sono stato di grande aiuto. »

« Non ci pensare » disse Tullio. « L'importante era non trovarci io e lui soli. E poi questa volta è stato diverso. Non avevamo mai discusso di quelle cose, prima. »

Passarono la porta di San Tommaso ed entrarono in città. Tullio prese ancora per delle strade secondarie in mezzo al quartiere.

« Ti sei arrabbiato per causa mia » disse Daniele. « Ti sei arrabbiato quando lui ha detto che non sono come voi. Ma non fa niente quello che lui ha detto. Io sono contento se mi consideri come uno di voi. »

Tullio sorrise sforzatamente, senza che la sua faccia si rischiarasse. « Tu non sei come noi » disse. « Il vecchio ha ragione quando dice che sei diverso. Ma lui pensa che la differenza sia perché tu sei figlio di un avvocato o di un medico, e allora sbaglia. Lui pensa che quando uno vien fuori da un avvocato o da un medico non potrebbe diventare un farabutto o patir la fame, solo perché vien fuori da un avvocato o da un medico. È questo che fa rabbia. Noi non siamo eguali. Ogni uomo è diverso dagli altri uomini, ma non dipende da suo padre, se è povero o ricco. Dipende solo da lui, da come è fatto lui, se no non si spiegherebbe perché i farabutti vengono fuori dai poveri e dai ricchi senza distinzione. »

« Dipende anche dall'educazione » disse Daniele.

« Forse, » disse Tullio « ma non è tutto, l'educazione. Mario era figlio di un vagabondo ed era cresciuto nelle strade eppure non si poteva adattare alla nostra vita. Cercava di far meglio che poteva e non diceva mai niente, ma dopo che si era andati in giro lui stava da solo a pensarci sopra e si tormentava perché gli pareva di non aver fatto una cosa buona. Non era per lui la nostra vita. Allora è andato via. Aveva sedici anni, ed è andato a far la guerra, ed è morto, forse. Ha scritto due o tre volte dal fronte, e poi basta. Somigliava un poco a te, Mario. Pensava troppo. »

« Oh, io non penso molto » disse Daniele.

« Forse non te ne rendi conto, » disse Tullio « ma pensi troppo sulle cose. » Egli era serio, adesso, ma non più irritato.

« E il vecchio era tuo maestro? » domandò Daniele.

« No » disse Tullio. « L'ho conosciuto dopo il bombardamento. Ero insieme con Antonio e Mario, allora, e si andava a prendere il rancio che davano alla Casa del Balilla. Il vecchio era lì che aiutava e noi siamo capitati proprio nel suo gruppo. Lui avrebbe dovuto denunciarci, e allora saremmo finiti in uno dei campi che avevano fatto apposta per i ragazzi soli. Invece non ci ha denunciati. Aveva anche capito quello che noi si combinava stando fuori, e non ci ha denunciati lo stesso. Ma era molto diverso, allora. Lo hanno rovinato questi cambiamenti che son successi. Era troppo attaccato alle cose di prima. »

« Sì » disse Daniele. « È troppo confuso nelle sue idee. »

Tullio rise. « Sarebbero i nostri peggiori nemici, se contassero qualche cosa, » disse « ma non contano niente. La loro unica frase è che si stava meglio prima. E qualcuno li ascolta, perché davvero si stava meglio prima. Ma allora eravamo fermi, mentre adesso siamo in marcia. Gli uomini devono andare avanti, non importa per dove si deve passare. »

« Sì » disse Daniele.

« E poi, » disse Tullio « cosa importa se quelli di prima hanno fatto anche delle cose buone? Alla fine ci hanno messo nella guerra, e hanno rovinato tutto. Noi non siamo gente da fare la guerra, e non eravamo neanche preparati. Loro dovevano saperlo che noi eravamo così. E ci hanno rovinati nella guerra. »

Daniele non rispose e anche Tullio andò avanti un poco senza parlare. Poi disse: « Ma gli voglio bene lo stesso, a quel vecchio. Adesso che è così ridotto fa compassione più che altro. E poi, è stato lui ad aiutare Carla a tirarmi fuori di prigione. Perché Carla aveva trovato il calzolaio che ci stava a passare come responsabile per me, e aveva trovato anche i soldi per pagarlo, ma bisognava far le pratiche, ed era una cosa lunga. Allora il vecchio fece le carte e poi le portò in giro per gli uffici. Lui conosceva diversa gente negli uffici, e così son venuto fuori quasi subito, e siamo andati ad abitare dentro la zona. Prima si stava accampati sulle mura, tutti insieme ».

Le strade dove camminavano erano quasi deserte, perché era freddo e cominciava a far buio. La gente si era già ritirata dentro le case, e passando vicino ai muri si sentivano voci e pianti di bambini e anche acciottolio di piatti.

« Tullio, » disse Daniele « io vorrei fare qualche cosa per voi. Non badare se ti sembro poco adatto. Mi sento di poterlo fare. »

Tullio gli diede un'occhiata curiosa. « Anche rubare? » domandò.

Daniele camminava guardando per terra. « Sì » disse.

« Bene » disse Tullio, e si sentiva che era contento. Tuttavia qualche passo più avanti disse ancora: « Non sarà necessario che tu rubi, Daniele. Siamo anche in troppi a farlo, e poi non riusciresti come noi, non hai la stoffa. Sei proprio come Mario. Ma c'è una cosa che tu potresti fare per noi. È da qualche tempo che volevo parlartene ».

« Cosa? »

« Dovresti aiutarci in un affare. Ti spiegherò, un giorno o l'altro. »

« Dimmelo subito. »

Tullio sorrise. « Bene, si tratta di una ragazza. Una ragazza che avrà vent'anni, credo. »

« Sì » disse Daniele. Il suo viso era tutto concentrato.

« Poi c'è il padre della ragazza » disse Tullio. « È un farmacista, padrone di una grande farmacia. Anche la ragazza diventerà farmacista, come suo padre. Non so quanti anni dovrà ancora studiare, ma diventerà farmacista di sicuro, perché è una brava ragazza. Già adesso qualche volta aiuta in farmacia. »

« Sì. »

Tullio rideva. « Poi ci sono gli americani » disse.

« Oh, Tullio, non scherzare » disse Daniele. « Non ti fidi di me? »

« Non scherzo » disse Tullio. « Solo tu devi stare attento a quello che dico. »

« Va bene » disse Daniele, e si fece ancor più attento.

« Dunque, eravamo arrivati agli americani » disse Tullio. « Il padre della ragazza non può soffrire gli americani. A lei invece non dispiacciono. Ha cominciato con l'andare in barca assieme ad un sergente del comando militare. Andavano su per il fiume, dove ci sono le erbe alte, e adesso hanno affittato una camera in una di queste strade qua dietro. Capisci? »

« No » disse Daniele.

Tullio fece un gesto di sconforto. « La ragazza darebbe qualsiasi cosa perché suo padre non venisse a sapere quella faccenda del sergente americano » disse.

« Adesso capisco. »

« Chiunque avrebbe capito, a questo punto. »

« Ma non capisco ancora cosa ci posso fare io » disse Daniele.

« Adesso ti spiego » disse Tullio seriamente. « Bisogna avvicinare la ragazza per la strada, e questo lo devi fare tu. Se lo facessi io o uno di noi vestiti come siamo, la ragazza potrebbe spaventarsi. Potrebbe magari chiamare una guardia, e noi andremmo a finire dentro. Invece tu sei vestito bene, e hai modo di fare con quella gente. »

« E cosa le dovrò dire? »

« Oh, niente » disse Tullio. « L'aspetteremo una sera vicino la chiesa di San Paolo. Lei fa quella strada per tornare a casa. Bene, tu le andrai vicino e le dirai di passare un momento in chiesa. Se dovesse fare difficoltà, le dirai che devi parlarle di un sergente che lavora al comando militare, e verrà subito. In chiesa poi ci sarò io. »

« Ti farai dare dei soldi? »

« No, niente soldi » disse Tullio. « Questa ragazza ci servirà per le medicine. È difficile procurarsi medicine in questi tempi. Ci vuole la ricetta del medico, e i medici son carogne. Quando si tratta di povera gente son d'accordo nel dire che le medicine fan più male che bene. Allora bisogna tirarle fuori in qualche altro modo. Tu parlerai alla ragazza, e poi andrai a ritirare le medicine, quando sarà il momento. »

Daniele camminò senza dir niente.

« Questa sarebbe una cattiva azione » disse Tullio. « Tutti insegnano che è una cattiva azione. Ma io ho bisogno di medicine, e devo approfittare di quella ragazza. Mi dispiace, per lei. »

« Farò come tu dici, Tullio » disse Daniele.

Tullio gli batté una mano sulla spalla. « Bene, c'è ancora tempo » disse. Poi andò avanti senza parlare, ma era contento. E quando in fondo alla strada dove essi camminavano apparve la via principale, egli si fermò. « Bisogna che la faccia, quella stupidaggine » disse.

« Cosa? »

« Il portacipria. Ogni tanto una stupidaggine bisogna farla. Serve ad essere più in gamba, dopo. Non te l'hanno insegnato a scuola? »

« No. »

« Bene, è così » disse Tullio. « A scuola non insegnano mai niente di buono. »

Daniele voleva essere allegro, e rise. « Forse me l'avrebbero insegnato più tardi » disse.

Tullio tirò fuori da una tasca una busta di tela che gli serviva da portafogli. Vi era molto denaro dentro. « Dovresti andare tu a comprare quell'affare » egli disse. « A te non domanderanno niente di sicuro. Caso mai, dirai che è un regalo per tua sorella. »

« Va bene » disse Daniele, e si mise in tasca il denaro che Tullio gli aveva dato.

« La bottega sarà ancora aperta » disse Tullio. « Si trova a destra, dall'altra parte della strada. »

« Sì, mi ricordo. »

« E quando avrai finito tira avanti verso il Duomo. Poi

prendi la strada a sinistra, prima dell'orologiaio. Ti aspetterò all'angolo. »

« Va bene » disse Daniele avviandosi.

Tullio lo guardò allontanarsi, con un'espressione come se fosse pentito di averlo mandato. Quindi si strinse nelle spalle, e anch'egli si avviò lentamente.

La via principale era immersa nella penombra, perché le luci non erano ancora accese. Gente camminava senza fretta sotto i portici.

Tullio attraversò la via e si fermò, passando davanti al negozio del portacipria. L'interno del negozio era illuminato da una lampada, così egli vide Daniele dentro. Era vicino al banco e gli voltava le spalle, e si vedeva solo il contorno della sua testa, coi capelli biondi un po' spettinati. Dietro al banco stava una donna.

Ad un certo punto Daniele girò la testa da un lato e allora Tullio vide anche il suo profilo, che era troppo delicato, quasi come quello di una ragazza, e le labbra che si muovevano con la leggera esitazione che gli era abituale. Non era molto sicuro, specialmente quando aveva da fare con persone che non conosceva.

Tullio sorrise e tirò avanti. Per tutto il tratto che lo separava dalla bottega dell'orologiaio continuò a sorridere, da solo. Voleva bene a quel ragazzo. Non ne avrebbe tirato fuori niente di buono, ma ormai gli voleva bene, sinceramente. E non importava se era così debole e sperduto, e non sapeva far niente se qualcuno non gli stava vicino. Da solo non sarebbe stato capace di andare avanti nella vita, ma non importava. O forse era proprio per questo che lui gli voleva bene, ormai. Prima dell'orologiaio vi era una viuzza stretta. Voltò l'angolo e subito si fermò per aspettarlo.

Daniele arrivò poco dopo, tutto contento.

« Te l'hanno dato? » domandò Tullio.

« Sì » rispose Daniele, e fece l'atto di tirar fuori qualcosa di tasca.

« Aspetta più avanti » disse Tullio.

Presero a camminare in fretta per la viuzza che era già oscura.

« Ti hanno detto niente? » domandò Tullio.

« Niente » disse Daniele. « C'era una signora al banco, e mi ha detto che somigliavo a un suo nipote morto, e io le ho detto che il portacipria costava troppo caro. Così mi ha dato duecento lire di resto. »

« Quando sarai grande, diventerai peggio di Andrea, con le donne » disse Tullio ridendo.

« Oh, no » disse Daniele. « A me manca sempre il fiato quando devo parlare a una ragazza. Due anni fa in montagna ce n'era una che mi piaceva molto, e non sono mai stato capace di dirglielo. Mi mancava sempre il fiato. »

« Bene, ti arrangerai anche senza parlare » disse Tullio. « Le donne capiscono lo stesso, quando si tratta di quello. »

« Dici sul serio che capiscono anche se non si parla? » domandò Daniele.

« Sì, sta tranquillo » disse Tullio. « Fammi vedere quella roba, adesso. »

Prese nelle mani il portacipria e si fermò per esaminarlo meglio. Dentro vi era uno specchietto rotondo attaccato al coperchio, e un piumino. Tullio fece uscire un po' di cipria, sollevando il piumino, e si sentì il profumo. E si arrabbiò. « Un po' di lamiera nichelata e questa porcheria quattromila lire » disse riprendendo a camminare. « Si potevan comprare dieci chili di pane, con quei soldi. »

Daniele fino a quel momento si era sentito molto orgoglioso dell'acquisto. « Ho fatto male a comprarlo? » domandò timidamente.

« Che c'entri tu? Sono stato io a dirti di comprarlo, e lo sapevo già prima che era una stupidaggine. Solo che adesso mi è venuto in mente il pane, e allora mi sono arrabbiato. »

Tuttavia la sua collera durò poco. « Ogni tanto fa bene una stupidaggine » disse.

L'ombra della sera si addensava sempre più nelle strade strette. E Daniele non aveva fino allora badato alla direzione che avevano presa. Ma quando vi badò, s'accorse che non andavano verso casa. « Non andiamo ancora a casa, Tullio? » domandò.

« No, non ancora » disse Tullio. Camminando continuava a rigirar tra le mani il portacipria nichelato. E ad un tratto disse: « Faremo scrivere qualche cosa qua sopra. Conosco uno che fa di questi lavori. Tu dovresti tirar fuori una frase che vada bene per Carla ».

« Oh, è meglio non scriverci niente » disse Daniele.

« Perché? Bisogna scriverci qualche cosa. Carla è capace di dimenticarsi subito, se non c'è scritto niente. Vorrei che si ricordasse sempre che gliel'ho regalato io. »

« Si ricorderà lo stesso » disse Daniele.

Tuttavia pareva che Tullio si fosse messo proprio in testa di scrivere qualche cosa. « Ma non ci si può scrivere proprio niente? » domandò.

Daniele stette a pensare qualche istante. « Puoi scriverci la data » disse. « Quando compie gli anni? »

« Il ventuno di questo mese » disse Tullio.

« Allora fai scrivere "Tullio" » disse Daniele. « E poi "21 febbraio 1945". Fallo scrivere in basso, e dalla parte di dietro, non davanti. »

« Solo questo? » disse Tullio. « Magari possiamo scrivere "Tullio e Daniele". »

« No, il mio nome » disse Daniele. « Perché vorresti mettercelo? »

Tullio lo guardò attentamente, dopo che egli ebbe detto queste parole, ma non ci si vedeva bene. La strada che percorrevano si restrinse fino a diventare un vicolo così stretto da dover camminare l'uno dietro l'altro. Poi sbucarono in uno spiazzo dalle parti del Duomo. Attorno all'abside c'era un'alta impalcatura da muratori.

« Lasciano la gente senza casa, ma le chiese son sempre pronti a rifarle » disse Tullio.

Daniele alzò la testa per guardare. Si vedevano confusamente le travi e le assi dell'impalcatura, e più in alto una macchia scura, che doveva essere il buco fatto dalle bombe. « Mi ricordo, » egli disse « che quando venni il giorno del bombardamento, mi fece impressione questo buco dietro la chiesa. E là in fondo c'erano degli uomini che caricavano morti su un camion. Li prendevano come se fossero stati pezzi di carne. »

« Così succede quando ce ne sono troppi » disse Tullio.

« E qui davanti c'eran tutte file di morti » disse Daniele. « E io sono andato in mezzo a cercar mia madre. Non sono mai stato così male. »

Erano arrivati ai piedi della scalinata che saliva al pronao, e Tullio si fermò. Il viale verso le mura pareva molto più largo senza i grattacieli. Da quella parte era tramontato il sole, e la foschia all'orizzonte teneva ancora un poco della sua luce. Ma l'altra parte del cielo si andava rapidamente oscurando.

« Va » disse Tullio. « Io ti aspetto qui. »

Daniele lo guardò. Non ne avevano più parlato, dopo quella prima volta.

« Muoviti, fa presto » disse ancora.

« Grazie » disse Daniele, e partì.

Tullio si sedette sullo scalino più basso, e seguì con lo sguardo Daniele che andava verso il mucchio di rovine che era la tomba di suo padre e di sua madre. Daniele teneva molto a quelle cose. Quel po' di vento che si era mosso da settentrione era ghiacciato, e pungeva sul viso. Così Tullio nascose le orecchie dentro il suo berretto, e tirò su il bavero della giubba, e intanto guardava sempre nella piazza. Ciò ch'egli poteva vedere era ormai appena un'ombra contro la foschia che teneva ancora poca luce del sole tramontato. Un'ombra che si muoveva andando verso un luogo. Ed era Daniele. Così Tullio sorrise, come aveva fatto prima davanti al negozio del portacipria. Solo un poco più tristemente.

IX

Il viale degli ippocastani cominciava appena fuori dalle mura e continuava per quasi un chilometro, lungo la riva sinistra del fiume. Finiva dove iniziavano gli argini, e la ferrovia passava col suo ponte sopra il fiume.

Era un bel viale, molto largo, con quattro file di ippocastani che formavano due passaggi per i pedoni e uno per le macchine. Il passaggio per le macchine era asfaltato, e si collegava con la strada di circonvallazione. I passaggi per i pedoni avevano delle panchine di pietra bianca sotto gli ippocastani, e un tempo erano stati ricoperti di ghiaia minuta, che poi era scomparsa, inghiottita dal terreno. Fin dal principio della guerra non avevano più messo ghiaia sui viali della città.

La gente amava molto il viale lungo il fiume. Lo amava soprattutto d'estate, quando i grossi ippocastani facevano una grande ombra e il fiume era limpido e fresco. D'inverno tuttavia preferiva i viali sulle mura, dove c'erano egualmente delle panchine di pietra bianca sotto gli ippocastani.

Ora, in quell'inverno, la gente aveva trovato sempre più

difficoltà a vivere. Mancavano il cibo il vestiario il combustibile di cui la gente aveva bisogno per vivere. E le autorità si preoccupavano di ciò. E se per il cibo e il vestiario non potevano far nulla, per il combustibile potevano tentare qualche cosa. Così pensarono di far tagliare degli alberi, per dar legna alla gente.

Tuttavia restava da vedere quali alberi conveniva tagliare. C'erano i platani lungo le grandi strade della pianura, ma non appartenevano al comune, e inoltre sarebbe stato inutile tagliarli, se poi non si sapeva come portare la legna in città. Restavano gli ippocastani che erano più vicini, sulle mura e lungo il viale.

Dopo lunghe discussioni, le autorità si decisero per gli ippocastani del viale, e mandarono uomini a tagliarli. Quando gli uomini cominciarono a tagliare gli ippocastani, l'inverno non era ancora finito, ma già la gente sentiva nell'aria il senso della primavera, e non ogni mattina trovava la brina posata sui tetti e sui giardini. Però la legna era egualmente utile, benché meno di prima. Gli alberi venivano abbattuti e quindi spaccati sul posto, e chi aveva un buono del comune poteva presentarsi a ritirare qualche chilo di legna verde. Il lavoro andava avanti lentamente. Certo neanche per l'estate sarebbero arrivati in fondo al viale.

Vi era sempre una piccola folla che stava ad osservare gli uomini mentre lavoravano attorno agli alberi. Alcuni andavano apposta per osservare, ed erano vecchi, e rattristati da ciò che vedevano. I vecchi avevano un attaccamento maggiore per delle cose come alberi e giardini e piazze e strade. Essi erano affezionati a quelle cose indipendentemente dalla loro utilità. E faceva sempre male vederle sparire. Poi sarebbe stato più difficile ritrovarsi in una città ormai tanto cambiata, dove uno si sentiva sempre più sperduto, né essi avevano il cuore dei giovani che se ne andavano, o pensavano di andar lontano.

Altra gente invece andava a vedere portando con sé dei sacchi e aspettava che gli uomini avessero finito di lavorare per raccogliere da terra sterpi e scaglie di legno.

In genere, nessuno era contento di quel lavoro, né chi poteva aver la legna né chi non poteva averla. D'altronde la gente sarebbe stata sempre scontenta, anche se le autorità non avessero presa la decisione di tagliare gli alberi.

Giulia e Daniele passarono il punto dove gli uomini lavoravano per abbattere gli ippocastani, e continuarono a camminare a fianco a fianco, senza fretta. Ora l'ombra degli alberi cadeva sulla terra, e Daniele pareva occupato a guardarla. Vi era l'ombra scura dei tronchi, e quella meno scura dei rami, sempre meno netta man mano che i rami si assottigliavano in alto, fino a che per i rami più piccoli il segno dell'ombra si confondeva con la terra. Allora Daniele si fermò e alzò la testa per vedere l'intrico dei piccoli rami contro il sole, e la sua faccia per la troppa luce si contrasse come in un sorriso.

Anche Giulia si fermò dopo due o tre passi. « Cosa stai facendo? » domandò.

« Niente » disse Daniele. « Guardo il sole. »

Così si misero a guardare il sole, e dopo il sole guardarono il cielo che era azzurro intenso, con delle nuvole bianche che sembravano ferme. L'espressione delle loro facce divenne sempre più simile al sorriso. « Guarda quelle nuvole » disse Daniele. « Non è come primavera? »

« Sì. »

« Mi sento così contento quando viene la primavera. »

« Sì, anch'io mi sento contenta » disse Giulia.

Ripresero a camminare, e il sole sulla nuca e lungo la schiena dava un calore buono. Sulle panchine stava seduta gente che prendeva il sole e guardava l'acqua del fiume. Bambini giocavano dall'altra parte del viale, lontano dall'acqua.

« Tante volte sono venuto a passeggiare qui con mia mamma » disse Daniele. « D'estate c'era ombra e faceva fresco. »

Giulia voltò la testa verso di lui. « Come si chiamava? » domandò. « Non me l'hai mai detto. »

« Lisa » disse Daniele, e sorrise ad un ricordo che gli passò per la mente.

Il viale degli ippocastani finiva in quel punto, dove c'era il ponte della ferrovia. Più avanti andava solo una strada polverosa e senza alberi. Passava sotto il ponte, e poi seguiva il fiume sull'argine.

Si fermarono a guardare i rottami del vecchio ponte. I tedeschi l'avevano fatto saltare prima di ritirarsi, e si poteva vedere il groviglio delle sbarre fino in fondo, perché non erano ancora cominciate le piogge della primavera. Una parte del ponte crollato affiorava, e delle alghe si erano fermate contro le sbarre. L'acqua forzava un poco nel passare. Sopra vi era il ponte nuovo, di ferro anch'esso, e somigliava a quello di prima.
« Andiamo ancora avanti, vuoi? » domandò Daniele.

La strada sull'argine faceva delle continue curve seguendo il fiume. Era una strada che serviva ai barcaioli per tirare le barche con le funi, quando risalivano la corrente. Adesso non vi erano barche attraccate ai piloni della riva perché le fornaci dei mattoni e la fabbrica di terraglie non lavoravano più. Mancava il combustibile per far fuoco nei forni. E la gente che aveva lavorato sul fiume e nelle fornaci adesso non sapeva cosa fare, e stava in ozio seduta al sole. Guardavano passare quel ragazzo abbastanza ben vestito e quella ragazza magra che era ancora una bambina, e le donne scuotevano la testa perché erano gente semplice e forse avevano da piangere qualcosa di simile con le loro figlie. E Giulia capiva, e si vergognava per come le donne guardavano e scuotevano la testa, stando sedute sulle soglie delle loro case.

« Mi piacerebbe se si potesse andare di là » disse Giulia. « È più bello, senza case. »

Sull'altra riva non vi era strada, e neppure case, ma campi lavorati e qualche villa sparsa tra i campi, e non si poteva camminare su quell'argine.

« Andando avanti di qui arriveremo lo stesso dove finiscono le case » disse Daniele.

« Ma faremo tardi » disse Giulia.

« No » disse Daniele, e si voltò a guardare la posizione del sole nel cielo. Era ancora alto.

« Quando saremo a casa, » disse Daniele « ti aiuterò io a far da mangiare. Faremo tutto in pochi minuti. »

Le case erano finite, ed ora nel tratto di strada dov'essi camminavano sorgeva un alto muro che chiudeva il parco di una villa. Non si riusciva a vedere al di là, ma sopra la linea del muro spuntavano cime di alberi, e in qualche punto l'edera traboccava dalla parte della strada.

Quando arrivarono al cancello si fermarono per guardare. Giulia stava con le mani appoggiate alle sbarre e aveva gli occhi meravigliati. « Com'è bello » disse appena bisbigliando.

Era bello, il parco, con tanti alberi che non perdevano le foglie neanche d'inverno, e un piccolo lago, e una capanna col tetto di paglia in riva al lago, e statue bianche mezzo coperte d'edera. E anche la villa era grande e bella, benché quella fosse solo la parte di dietro, perché la facciata si trovava verso la strada grande.

« È chiusa » disse Giulia.

« Hanno un'altra casa, per l'inverno » disse Daniele.

« Sì » disse Giulia. Guardava le finestre che erano chiuse perché quella gente aveva un'altra casa. Poi scoperse i fiori, e disse con voce diversa: « Guarda i fiori ».

Daniele guardò nella direzione degli occhi di Giulia. Era un cespuglio fiorito un po' lontano e quasi nascosto tra gli alberi. « Che fiori sono? » domandò.

« Calicantus, forse. »

« Vuoi che vada a prenderne? »

« No » rispose Giulia, incerta.

« Vado a prenderne » disse Daniele con risoluzione. Salì sul cancello, scavalcò la punta delle sbarre e scese dall'altra parte.

Giulia era spaventata. « Sta' attento al guardiano. Ci sarà un guardiano in una villa così grande. »

Oltre il cancello, un piccolo viale scendeva dall'argine con degli scalini e poi andava verso la villa piegando in mezzo agli alberi. Daniele si mise a correre in direzione del cespuglio fiorito.

Il parco era deserto, e anche la strada lungo il fiume era deserta, da una parte e dall'altra. E Giulia guardava un po' il parco e un po' la strada, e fu inquieta fino a quando Daniele non tornò con le braccia cariche di fiori. Erano dei ramoscelli senza foglie, con i fiori di un colore giallo scuro, carichi di profumo.

« Presto » disse Giulia. « Passali per le sbarre. »

« Sta attenta che pungono. »

« No che non pungono. Non hanno spini. »

« Bene, io mi sono punto » disse Daniele. Passò i ramoscelli ad uno ad uno attraverso le sbarre, poi scavalcò il cancello e si mise di fronte a Giulia, ancora ansante per la corsa fatta, e orgoglioso.

Giulia aveva messo in ordine i fiori e se li teneva stretti al petto con un braccio. « Quanti ne hai presi » disse. « Avrai rovinato tutto il cespuglio. »

« Stavano lì e non servivano a nessuno » disse Daniele. « Ti piacciono? »

« Tanto » rispose Giulia.

« Son contento che ti piacciano » disse Daniele. « Li ho presi per te. »

« Oh » essa disse, e alzò gli occhi che le ridevano, e negli occhi aveva una macchia color oro, dove si riflettevano i fiori. Era come in attesa di qualche cosa.

Ma Daniele non disse più nulla, e dopo un attimo che stava così in attesa, essa si volse e riprese a camminare. « Li daremo a Carla » disse. « Domani è la sua festa. »

« Va bene, se vuoi così » disse Daniele.

« Li nasconderemo nella casa del calzolaio » essa disse. « E domani appena si sveglia glieli porterai. »

« Glieli porteremo noi due insieme. »

Giulia non rispose. Camminavano lungo il muro della villa nel tepore del sole. Poi il muro finì, e si vide la campagna aperta, con poche case disseminate a distanza. Verso l'argine i campi erano chiusi da siepi di rovi o da filo spinato.

Giulia si fermò.

« Non vuoi che andiamo avanti? » domandò Daniele.

« È tardi. »

« Non è tardi. Se andiamo avanti forse finiranno queste siepi, e potremo andare per i campi. »

Giulia guardò la campagna spoglia, piena di sole. Ma poi mosse la testa per dire di no. « Mi sento stanca » disse. « Non sono abituata a camminare. »

« Sediamoci un poco, allora. Vuoi? »

« Sediamoci » disse Giulia.

« D'ora in avanti verremo sempre a camminare, quando farà bel tempo » disse Daniele. « Poi ti abituerai, e faremo lunghe passeggiate. »

« Sì » disse Giulia, senza espressione. Posò i fiori sull'erba e si sedette all'estremità dell'argine, verso il fiume. Daniele si sedette accanto a lei. Guardando secondo la corrente si vedeva ancora un tratto di strada e poi il fiume faceva una curva, e la strada non si vedeva più. Vicino alla curva, un bambino con un bastone in mano sorvegliava un gruppo di anitre che nuotavano presso la riva. Tutto era così sereno, e Giulia non era più serena, per una malinconia che le era venuta. Dall'altra parte del fiume dei contadini stavano lavorando. Si sentivano le loro voci di quando in quando, ma non si riusciva a vederli, a causa dell'argine. E l'acqua andava senza rumore verso il mare, e anche la lunga strada bianca andava verso il mare.

« Andando avanti di qui si arriverebbe al mare » disse Daniele.

Giulia guardò a lungo il tratto di strada, e più lontano, in direzione del mare. File interrotte di pioppi segnavano il corso del fiume nella pianura.

« Mi piacerebbe andare al mare » disse Daniele. « Non ci sei mai stata? »

« Una volta. »

« Ed è bello, non è vero? » disse Daniele. « Per me è la cosa più bella che ci sia. »

« Non mi ricordo molto » disse Giulia. « Ero troppo piccola. »

« Ci sei stata con tua mamma? »

« Sì » rispose Giulia.

« Tu non mi parli mai di tua mamma. »

Giulia abbassò la testa e si mise a fissare l'acqua del fiume. « Non mi ricordo quasi niente di lei. »

Daniele sentì la sua tristezza e parve sul punto di dire qualche cosa, e non ne fece nulla. Giulia era come vecchia, adesso, e prima era stata bambina, quando aveva guardato nel giardino e desiderato i fiori. Tullio diceva sempre che Giulia era una bambina vecchia, per il troppo male che aveva patito. Fissava il fiume con una piega amara sulla bocca.

« Forse ti ho fatto dispiacere a ricordare tua mamma » disse Daniele.

La bocca di Giulia si tirò in uno strano sorriso. « Tu prima eri contento, quando parlavi di tua mamma » essa disse. « E io non posso essere contenta se penso alla mia, perché è stata troppo triste la sua vita, e quello che faceva. Ma io le voglio bene, anche se era così. E non è vero che mi ricordo poco di lei. Tutto mi ricordo, com'erano i suoi occhi e i suoi capelli e il suo viso, e come mi accarezzava, e cosa mi diceva quando eravamo insieme io e lei sole. Ma siamo state troppo poco tempo insieme. »

Giulia aveva parlato con una ostinazione quasi rabbiosa, e quando lei tacque Daniele non disse nulla. Il gruppo di anitre se n'era andato oltre la curva, seguendo la corrente, e il bambino col lungo bastone se n'era andato con esse. E i contadini dall'altra parte del fiume si richiamavano di tanto in tanto, ma non si vedevano. Erano loro due soli. Lui e Giulia soli, in una parte della terra. Ma essa stava con la testa abbassata fissando il fiume, e una piega amara era sulla sua bocca, e il sole entrava fra i suoi capelli facendoli brillare in qualche punto. E dentro di sé egli sentiva qualcosa da dire che premeva, la cosa più meravigliosa del mondo, forse, non si capiva bene, che se fosse stata detta avrebbe forse potuto disperdere la sofferenza che era per loro sulla terra. E non riusciva a dirla. Più ci pensava e più si confondeva il suo sentimento, e il cuore gli batteva forte, e non aveva il coraggio di dire nulla, per la paura di sbagliare. Benché stare zitti fosse la peggiore di tutte le cose, non aveva il coraggio di parlare. E infine una di quelle nuvole che andavano per il cielo così lente che parevano ferme, arrivò a coprire il sole, e si fece improvvisamente freddo.

Giulia alzò la testa rabbrividendo. « Andiamo » disse.

Senza parlare ripresero la strada lungo il muro. Daniele camminava guardando basso. La serenità di quel giorno se n'era andata, egli non capiva bene come e perché, ma se n'era andata, e adesso Giulia era triste e lui era triste, e doveva essere colpa sua. Non guardarono più dentro il cancello della villa. Giulia aveva il mazzo dei fiori stretto davanti, e teneva le mani senza più curarsi che egli le vedesse, così arrossate e gonfie com'erano.

Il grande mazzo di calicantus stava in un secchio d'acqua sopra la tavola, ed era bello a vedersi e mandava un buon profumo. Era un profumo come di chiesa, e a Daniele piaceva molto sentirlo. Ma quando il pollo cominciò a friggere sulla cucina economica, il suo odore coprì rapidamente il profumo dei calicantus. Allora Daniele fece un altro tentativo con Giulia.

Per un pranzo così importante, Giulia aveva assunto un'aria indaffarata e un modo di fare da piccola donna. Faceva quasi ridere, così.

« Non si può assaggiare, Giulia? » domandò Daniele.

« Adesso? Ci vorranno almeno tre ore, prima che sia pronto. »

Daniele guardò un po' deluso il tegame dove il pollo cuoceva. Tre ore da aspettare erano lunghe, e poi non era sicuro che Giulia gli avrebbe fatto assaggiare il pollo prima di portarlo in tavola. Anzi, era sicuro che non glielo avrebbe fatto assaggiare.

« E il dolce? Quello è da un pezzo che sta cuocendo » insistette.

Giulia fece come se non avesse sentito, ma quando lo vide

allungare una mano verso lo sportello del forno, essa prontamente gliela allontanò. « Se non mi lasci in pace non combino niente. Va un po' a giocare con Maria. »

Il calzolaio che stava a guardare rise forte. Egli era seduto su di una cassa e fumava nella pipa qualcosa che non era tabacco, ma era contento perché anche lui avrebbe mangiato bene oggi, pastasciutta e pollo e forse un po' di dolce.

Daniele provò a parlare con la piccola Maria, ma non riuscì ad interessarla. Essa era troppo occupata in alcune cose sue, come osservare i movimenti di Giulia e ritrarre di continuo la testa fra le spalle per strofinarsi meglio contro il collo di pelliccia. Nonostante nella stanza facesse caldo, essa non aveva voluto togliersi il cappotto, perché il cappotto aveva il collo nuovo di coniglio.

« Ti piace, non è vero? » domandò Daniele parlando della pelle di coniglio.

« Sì » disse la bambina, e continuò a seguire con gli occhi i movimenti di Giulia e a strofinarsi con le guance. Ogni tanto Giulia si voltava a sorriderle, e allora anche lei sorrideva, e subito dopo riprendeva la sua espressione grave e un po' sciocca. Non si poteva parlare con una bambina così. E neanche col calzolaio si poteva parlare. Egli non sarebbe stato capace di dir niente ad un uomo come il calzolaio che si era fatto pagare per delle cose che non gli costavano nulla, le carte di Tullio e la casa in mezzo alle rovine. E adesso mandava la moglie in giro a far qualche lavoro, e lui restava tutto il giorno senza far niente, solo fumare. Ormai da molti mesi non lavorava più, ed era soddisfatto di non trovare né cuoio né spago, perché così non lavorava più.

Giulia aveva sempre da fare intorno alla cucina.

Daniele aspettò ancora qualche tempo, poi gli parve che fosse tardi. « Dev'essere tardi, Giulia » disse. « Forse si sarà svegliata, a quest'ora. »

« Adesso andiamo. Prendi i fiori, intanto. »

Daniele cominciò a togliere i ramoscelli dal secchio. Li prese uno alla volta e fece un fascio sulla tavola, come meglio poteva. Tra poco Carla sarebbe stata contenta di avere quei fiori che mandavano un buon profumo.

Giulia chiamò la piccola Maria e le mostrò come si girava il pollo nel tegame. « Io adesso vado a casa e tornerò presto » disse. « E intanto che sono via, tu ogni poco tempo devi girare il pollo col cucchiaio, così. »

Sulla bocca della bambina vi era una smorfia che le scopriva tutti i denti, perché essa faceva fatica a capire le cose. « Quante volte devo girare? » domandò.

« Dieci volte » disse Giulia. « Giri dieci volte col cucchiaio, poi aspetti un poco, come andare a casa nostra e tornare subito indietro, e poi giri altre dieci volte, sempre così fino a che non arrivo io. Hai capito? »

« Va bene » disse la bambina.

Giulia le diede il cucchiaio. « Prova un po' come devi fare » disse.

La bambina girò il cucchiaio nel tegame dieci volte, quindi chiuse gli occhi e la smorfia sulla sua bocca si irrigidì. Dopo un poco riaprì gli occhi e girò il cucchiaio nel tegame altre dieci volte, come Giulia le aveva insegnato.

« Va bene » disse Giulia. « Sempre così fino a che non torno io. »

« Le darò io un'occhiata » disse il calzolaio.

« Oh, non importa » disse Giulia.

Quando uscirono, Daniele disse: « Ho paura che si brucerà, il pollo ».

« No. Fa fatica a capire le cose, ma quando le ha capite non le vanno più via dalla testa. »

Fecero molto piano entrando in casa, e Giulia scostò la coperta per guardare dentro la camera di Carla.

« Dorme ancora? » domandò Daniele.

« Pare di sì » disse Giulia. « Adesso le scaldo il caffè, e poi la sveglieremo. »

Giulia mise il pentolino del caffè a scaldarsi sulle braci. Daniele stette in piedi con il mazzo dei calicantus in mano. Si sentiva forte il loro profumo.

« L'anno scorso, quando siamo venuti in questa casa, » disse Giulia « c'era l'albero delle magnolie in fiore. Allora io avevo sempre la casa piena di magnolie. Le mettevo nei barattoli con l'acqua, e mi piaceva vederle in giro. »

« Anche le magnolie hanno un buon profumo » disse Daniele.

« Sì, » disse Giulia « e sono belle. Peccato che non durano molto. »

Quando il caffè fu caldo Giulia lo versò in una tazza, e poi entrarono insieme nella camera di Carla, camminando in punta di piedi.

« La svegli tu? » domandò Giulia sottovoce.

Daniele fece segno di sì con la testa. Erano tutti e due presi da una piacevole agitazione. Carla dormiva voltata su di un fianco, col viso nascosto sotto le coperte.

« Carla » chiamò Daniele, ma essa non si mosse.

« Chiamala più forte, se no non sente » disse Giulia. « Ha sempre avuto il sonno pesante. »

« Carla » chiamò Daniele più forte.

Carla allora si mosse sotto le coperte e scoprì il viso e si tirò pigramente. Aveva ancora gli occhi chiusi. Giulia e Daniele ridevano, stando piegati su di lei. I suoi movimenti facevano pensare a una gatta.

« Svegliati, Carla » disse Daniele.

Carla aprì un occhio finalmente, uno solo, perché l'altro se lo stava sfregando con le dita. Guardò i visi di Giulia e Daniele chini su di sé, e quello di Daniele era mezzo nascosto dal grande fascio di fiori gialli. E poi sorrise con gli occhi e con tutto il viso, per la grande gioia.

Giulia diede qualche occhiata d'intesa a Daniele, ma egli stava incantato a guardare Carla, e non si decideva a dire quello che doveva dire. Così parlò lei. « Oggi è la tua festa, Carla. »

Daniele si scosse di colpo. « Oh, sì, » disse « e ti abbiamo portato questi fiori con l'augurio che tu possa essere sempre felice. »

« Oh » fece Carla. Stendendo le braccia prese i fiori che Daniele le porgeva e se li posò sul viso.

« Stai attenta che pungono » disse Daniele.

« No, che non pungono » disse Giulia.

« Bene, io mi sono punto, ieri » disse Daniele.

Carla aveva chiuso gli occhi e aspirava profondamente il profumo. « Quanto siete buoni » disse.

Daniele si trovava di nuovo in difficoltà, ora. Teneva una mano infilata nella tasca della giubba, in attesa che Carla finisse di aspirare il profumo e riaprisse gli occhi. Poi, quando essa allontanò i fiori dal viso, egli trasse di tasca il portacipria e guardandolo si mise a parlare, con l'aria di dire delle cose importanti. « Ecco un regalo di Tullio » disse. « E ti farà pensare per molto tempo a lui. Ogni volta che lo adopererai, dovrai pensare a Tullio. » Fece una pausa perché il discorso non veniva bene. « Avrebbe dovuto consegnartelo lui » disse. « Ma è uscito presto, e penso che l'abbia fatto apposta. »

Carla prese il portacipria e si mise ad osservarlo da una parte e dall'altra, e infine alzò gli occhi su di loro. Era contenta e commossa.

« C'è scritto anche il nome di Giulia, e anche il mio » disse Daniele. « Ma è stata un'idea di Tullio. Non c'entriamo niente, io e Giulia. E poi non abbiamo soldi. »

« Quanto siete buoni » disse di nuovo Carla. Si era messa a sedere sul letto e aveva aperto il portacipria. Si guardava nel piccolo specchio sorridendo e stringendo gli occhi per essere più bella, e scuoteva ogni tanto la testa per muovere i capelli. Daniele non l'aveva ancora vista così bella, con tutti i fiori in grembo.

« Carla, il caffè si fa freddo » disse Giulia.

Carla lasciò andare il portacipria e prese la tazza di caffè.

« È solo caffè » disse Giulia. « Il latte l'abbiamo finito. »

« Sì, » disse Daniele « l'abbiamo messo tutto nel dolce. »

Giulia gli diede un'occhiata di traverso. « Stupido » disse. E tutti e tre si misero a ridere, proprio contenti.

Fu una giornata buona. Carla non volle uscire e Daniele

stette sempre con lei in cucina, perché non andasse a vedere cosa faceva Giulia nella casa del calzolaio. Ma si stava bene insieme a Carla quando era così allegra e spensierata, e come una bambina. Infinite volte si guardò nel piccolo specchio, e fece molte sciocchezze con la cipria.

Tullio tornò a casa verso sera, anch'egli di buon umore, e con un fiasco di vino bianco. Carla gli saltò al collo e si mise a baciarlo senza stancarsi.

« Attenta che rompiamo il fiasco » disse Tullio ridendo.

« Bene, beviamolo subito, allora » disse Carla. Prese tre tazze e le riempì e ne diede una a Tullio e una a Daniele, e una terza la tenne per sé. Si trovarono in piedi con le tazze in mano, guardandosi l'un l'altro, e sorridenti.

« Qui ci vorrebbe un brindisi, Daniele » disse Tullio.

« Sì, » disse Daniele « ma non so cosa dire. »

« Hai studiato tanto, e non sai dire due parole quando occorre. »

« Non ci hanno mica insegnato i brindisi, dai preti. »

Tullio rise, poi disse: « Bene, lo farò io il brindisi ».

Alzò un poco la tazza verso Carla, e atteggiò il viso a grande serietà, ma non gli venne niente da dire.

Carla scoppiò a ridere.

« Bene, » disse Tullio « che tu possa diventare vecchia di cent'anni, Carla. »

« Oh, che brindisi » fece Carla.

« Che noi possiamo essere sempre così uniti e contenti come oggi » disse Daniele.

Carla vuotò la tazza senza staccare le labbra.

« Se non vai piano ti capiterà come l'altra volta » disse Tullio.

Carla si strinse nelle spalle. « È dolce » disse.

« Dolce e forte » disse Tullio. « Ti tradirà di sicuro. »

Daniele rise scioccamente, perché era contento e vedeva le cose leggere.

Prepararono la tavola con solennità. Stesero una tovaglia che Giulia si era fatta prestare non si sapeva dove, e misero nel centro un barattolo di latta con i calicantus, e vicino ai fiori i due candelieri di Carla.

« Adesso sembra un funerale, coi fiori e le candele » disse Tullio.

E Carla disse: « Non parlare in questo modo, Tullio. Porta sfortuna ».

Era già buio fuori, quando cominciarono a mangiare. Carla si era seduta fra Tullio e Daniele, e si preoccupava di mantenere sempre piene di vino le loro tazze. Tullio però non bevve molto, perché doveva uscire, quella notte. Giulia non beveva vino, e neppure la piccola Maria. Pareva felice, la bambina, per le cose buone che c'erano da mangiare, e perché gli altri parlavano e ridevano forte, e per il collo nuovo di coniglio. Ripeteva di continuo il gesto di strofinare una guancia contro la pelliccia.

Dopo due tazze, Daniele si sentì preso dall'allegria, e rideva più di prima, anche senza che ce ne fosse motivo.

« Non farlo più bere, Carla » disse Giulia. « Non è abituato, e starà male. »

Carla guardò il viso preoccupato che faceva Giulia, e si mise a ridere senza fine. Essa aveva bevuto più di tutti, e rideva nello stesso modo di Daniele.

« Non ci pensare, Giulia » disse Tullio. « Quando sarà ubriaco si metterà a letto, e domani starà meglio di prima. »

« Ma non bisognerebbe che si ubriacasse » disse Giulia.

Tullio le sorrise. « Non ci pensare » disse.

Giulia non disse più nulla, ma non perse la sua aria preoccupata.

Ad un certo punto Tullio si alzò. « Adesso devo andare » disse.

Carla smise improvvisamente di ridere, e fissò gli occhi sul viso serio di Tullio. Pareva che ci fossero loro due soli nella stanza. « Non puoi lasciar perdere per questa sera? »

« No, » rispose Tullio « mi dispiace. »

« Vorrei che tu restassi. »

Tullio tese una mano verso i suoi capelli e glieli scompigliò un poco, come se fosse ancora allegro, ma non era più allegro. « Anch io sarei contento di restare » disse. Poi si rivolse alla bambina. « Vieni, Maria, » disse « ti porto a casa. »

Uscirono, e nella cucina ci fu silenzio per qualche tempo. Tullio faceva sempre pensare alle cose difficili della vita, ed essi ne sentivano il peso, anche essendo così mezzo ubriachi. Tuttavia non durò molto, e Carla si mise di nuovo a ridere. « Beviamo » disse.

Nel fiasco non c'era più vino, ma Tullio aveva lasciato la sua tazza piena. La bevvero insieme, lei e Daniele. Prima beveva un sorso Daniele, e poi uno Carla, e poi ancora Daniele e dovevano mettere le labbra sempre allo stesso punto, perché a Carla piaceva giocare.

Giulia li guardava con tristezza. Poi all'improvviso si alzò e sparecchiò la tavola e si mise a lavare piatti e pentole sul pavimento. Daniele fece un tentativo per andarla ad aiutare, ma Carla si mise a strillare perché non andasse via. Ed egli rimase seduto vicino a Carla; ed era più contento di stare con lei, perché Giulia aveva un viso troppo triste, quella sera, invece di essere allegra.

Tuttavia neanche con Carla era possibile tornare allegri come prima. Carla aveva dei pensieri, adesso, e stava assorta e un po' malinconica. Aveva preso un candeliere, e toccava la candela dov'era molle in cima, e faceva cadere delle gocce di cera sulla tavola. Poi ad un tratto scosse la testa e allontanò il candeliere. « Come siamo stupidi » disse. « Vuoi che ti racconti una storia. Daniele? »

« Non so » disse Daniele.

« Sì che te la racconto » disse Carla. Cominciò a raccontare la storia di una ragazza alla quale erano capitate strane cose in uno strano ambiente. Daniele non capiva bene, perché il racconto di Carla era piuttosto confuso, ed egli non stava neanche attento a tutte le sue parole. Solo rideva, ogni volta che Carla rideva. Carla s'interrompeva spesso per ridere.

« Noi si stava là fuori, » diceva Carla « e tutto d'un colpo la porta si è aperta e lei è venuta fuori senza niente indosso. »

« Chi? »

« Sara. Te l'ho detto anche prima, che quella ragazza si chiamava Sara. E il soldato si chiamava Joe, forse. Si chiamano tutti Joe, questi soldati. »

« Perché? »

« Non so » disse Carla. « Si chiamano tutti Joe, ma non era di quelli che diventano cattivi quando sono ubriachi. Rideva, ma non era cattivo. E intanto Sara urlava e piangeva, ed era scappata fuori senza niente indosso, perché era nuova e aveva paura. E Joe da dentro gridava come un matto, e noi non si capiva niente di quello che diceva, ma si capiva che era perché Sara era scappata fuori. E allora noi l'abbiamo presa per forza e l'abbiamo portata dentro, e Joe quando l'ha vista piangere si è messo a piangere anche lui, e poi l'ha abbracciata in un modo che sono cascati per terra tutti e due, proprio là in mezzo a noi, e allora... »

Giulia venne ad interromperla, ma senza collera. « Basta, Carla. »

« Perché? »

« Perché è tardi » disse Giulia. « Faresti bene ad andare a dormire. »

Carla rise con furbizia. « Non sono mica ubriaca » disse. « E poi, oggi compio quindici anni. Vedrai come sarà bello avere quindici anni. » Continuò a parlare così di sciocchezze, dimenticandosi della storia di prima.

Giulia tornò a lavare i piatti. Daniele aveva posato la testa sulla tavola, e ogni poco tempo chiudeva gli occhi lungamente, e adesso perdeva tutto ciò che Carla diceva. Le cose erano diventate sempre più leggere, e giravano, ma la sua testa era troppo pesante.

Giulia si avvicinò di nuovo, appena ebbe finito di lavare i piatti. « Basta adesso, Carla. Non vedi che sta dormendo? »

« Oh, sì » fece Carla e guardò meravigliata Daniele e lo scosse con una mano. « Svegliati » disse. « Devi aiutarmi a portare le candele. »

Daniele sollevò la testa dal tavolo, passandosi le dita sugli occhi. « Devo aver bevuto troppo vino » disse.

« Oh, sì » fece Carla contenta. « Sei ubriaco. » Non la finiva più di ridere.

« Lascia che vada a letto, Carla » disse Giulia. « Ti aiuterò io a portare le candele. »

« No, voglio lui » disse Carla. « Alzati, Daniele. Faremo una processione, coi fiori e le candele, proprio come due che vanno a sposarsi. Io dovevo sposarmi, quand'ero piccola. »

« Non farlo, Carla » disse Giulia.

Ma Carla prese i fiori e li mise tra le braccia di Daniele e gli diede da tenere anche una candela. L'altra candela la tenne per sé, e con la mano libera si appoggiò a Daniele. « Ecco, proprio due che vanno a sposarsi » disse. « Alza la coperta, Giulia, se no non possiamo passare. »

Giulia tenne alzata la coperta perché passassero. Pareva che avesse voglia di piangere. Poi restò sola e accese il lume a nafta e si sedette aspettando, attenta ad ogni rumore.

Carla per prima cosa si occupò dei fiori e impiegò molto tempo a sistemarli nel catino con un po' d'acqua. Era seria nella sua espressione, ma non muoveva le mani in un modo tanto rapido e sicuro, come faceva sempre. Appoggiato alla parete, Daniele guardava lei, e come ondeggiavano i suoi capelli quando muoveva la testa, e si sentiva contento perché lei era così bella, e intanto rideva scioccamente.

Carla sollevò gli occhi di scatto. « Cos'hai da ridere? » domandò.

Daniele non rise più. Restò a guardarla con la bocca aperta, e vedeva tutto girare intorno a lei, ma lei era ferma nel mezzo, col viso rosso e le narici dilatate e gli occhi torbidi. Oh, adesso sarebbe avvenuto come l'altra volta, ed egli non aveva neanche la forza di non volere. Improvvisamente non fu più ubriaco e capiva tutto. Soltanto non aveva forza per non volere. Ed ecco che Carla tendeva verso di lui le mani, senza fretta tuttavia, e gli accarezzava il collo e il viso con tenerezza, e lui sentiva le mani bagnate di Carla sul collo e sul viso, e sentiva che diceva: « Mi vuoi bene, non è vero che mi vuoi bene? » oppure parole così, che si ripetevano sempre. Non pareva più ubriaca adesso, e tuttavia doveva essere ubriaca per dire quelle cose. « Dimmi che mi vuoi bene » diceva. « Perché non mi dici niente? » E il suo viso si avvicinava sempre più.

E infine Daniele fece uno sforzo per parlare. « Cosa vuoi da me, Carla? »

Carla venne così vicina che egli sentì le parole calde sul viso. « Resta a dormire con me, questa notte. »

Daniele continuava a guardare fisso davanti a sé, anche se non vedeva più Carla. Lei era troppo vicina e i suoi lineamenti si confondevano. E a lui restavano tutti i suoi pensieri, pensieri di Tullio e di Giulia e di cose che non si dovevano fare. Aveva paura. Tremava dalla paura. « Lasciamo stare, Carla, per piacere. »

« Aspetterai che Giulia si addormenti e poi verrai » disse Carla. « Dimmi che verrai. »

Egli strinse forte la bocca perché lei voleva baciarlo. Il suo viso era contratto e doloroso. « Non si può » disse. « Non si può. »

Carla strinse di più le mani attorno al suo collo. « Verrai? »

Egli la allontanò con un gesto violento e si staccò dal muro andando verso la porta per uscire.

« Dimmi, dimmi che verrai » disse Carla.

Dalla soglia egli si voltò per guardarla, ma non rispose. Aveva un grande caldo, e confusione nella testa. Camminò fino alla porta di casa e la aprì. L'aria fredda sul viso gli fece bene. Stette appoggiato ad uno stipite guardando fuori e respirando a lunghi sorsi l'aria fredda. Doveva essere tardi. Già prima Giulia aveva detto che era tardi. Un pezzo di luna era molto inclinato dietro la casa, e la luce faceva apparire intorno ombre di muri diroccati. E tutto ciò non era fermo davanti ai suoi occhi, e lui aveva disperatamente bisogno di qualcosa di fermo. Cercò nel cielo. Vi erano stelle nel cielo, stelle limpide scintillanti, che gli avevano dato sempre serenità, tutte le volte che le aveva guardate, e adesso non davano nulla. Forse vi era qualcosa lassù che bisogna capire. Essere così in alto, e sapere cosa si doveva fare. Ma non c'era forse una via giusta da seguire, dove ci fosse il bene e il solo bene. Perché il viso di Carla era tanto strano, e ripugnante in un certo senso, ma faceva anche sentire compassione, e desiderio di abbandonarsi senza pensare più a nulla. E neanche questo era possibile. Tullio era andato a lavorare nella notte, con un viso così serio, che non si poteva dimenticare. E Giulia. Giulia sarebbe stato meglio che non fosse esistita. E invece stava ad aspettarlo sofferente e triste, e nemmeno lei si capiva, cosa volesse da lui.

Richiuse la porta e camminò piano piano nel corridoio. Dentro la camera di Carla vi era luce, e anche dentro la cucina vi era luce. Non aveva coraggio di entrare. Poi Giulia lo avrebbe guardato, e avrebbe capito cosa lui aveva dentro la testa e in tutto il sangue. E non avrebbe detto niente, solo lo avrebbe guardato e sarebbe stata ancor più triste e sofferente.

« Daniele? » chiamò Giulia.

« Vengo » egli rispose sottovoce. Tuttavia non entrò subito. Si stava meglio appoggiati al muro nel buio, e aver a che fare solo con se stessi.

Ma Carla aveva sentito le loro parole, e venne sulla porta della sua camera con una candela in mano. Là si fermò e lo fissò ostinatamente e pareva che volesse rimproverarlo di qualche cosa. Allora egli abbassò la testa ed entrò in cucina.

Il lume stava sopra la tavola, e Giulia non si vedeva, era dietro il suo riparo di coperte. « Sei stato fuori molto tempo » essa disse.

« Sono stato sulla porta. Volevo prendere aria. »

« Non ti senti male? » domandò Giulia.

« No » disse Daniele. « Solo la testa mi gira un poco. »

« È perché hai bevuto vino. Tu non sei abituato. »

« Sì » disse Daniele.

« Va subito a letto Daniele. Vedrai che ti passerà. »

« Sì » disse Daniele. Giulia non sapeva e questo era bene, almeno questo. Portò il lume vicino al letto e cominciò a spogliarsi.

« Ricordati di spegnere il lume, Daniele » disse ancora Giulia.

Spense subito il lume e finì di svestirsi al buio. Steso sul materasso, sentì Giulia che si spogliava. Non era ancora andata a letto, dunque, e non si era fatta vedere quando lui era entrato. Giulia capiva molte cose, molto di più di quanto non si potesse pensare.

Stette ad aspettare il sonno, e il sonno non veniva, benché egli fosse così stanco. La testa continuava a girare, e gli faceva male il sangue che batteva forte in qualche punto del cervello. Doveva essere a causa del troppo vino. Egli non era abituato a bere vino. Ogni volta che chiudeva gli occhi vedeva i volti che si muovevano e si confondevano. Il volto serio di Tullio, e quello triste di Giulia, e quello di Carla, più grande di tutti, bello e miserabile insieme. E tutti avevano qualche cosa da rimproverargli. Ed era Carla che lo tirava così all'indietro in modo che la nausea gli saliva dallo stomaco, ed egli doveva aprire gli occhi nell'oscurità e stringere i denti per non lasciarsi andare.

Passò il tempo. Molto tempo passò forse, e da principio si era sentito Giulia girarsi nel letto, e tossire, anche, profondamente, e poi più nulla. Doveva essersi addormentata. E neppure Carla si sentiva. Ma egli stava ancora sveglio, e teneva un poco gli occhi chiusi nel tentativo di prender sonno, e poi li doveva riaprire per soffocare la nausea.

Poi Carla venne. Si accorse di lei mentre faceva gli ultimi passi proprio vicino al letto, e cominciò a tremare. Sentì il profumo di Carla e il caldo del suo respiro. Ansava un poco Carla respirando, e anch'egli ansava e tremava, ed era impotente ad evitare quella cosa spaventosa che stava per accadere.

« Non parlare » disse Carla, e gli cercò il viso con una mano e gli premette la bocca. Quindi, appena fu certa che egli non avrebbe parlato, lasciò libera la bocca e cominciò ad accarezzarlo e a baciarlo. « Non tremare » disse. « Non aver paura. » Aveva posato la testa sul cuscino, e la sua bocca era proprio vicino all'orecchio di Daniele. « Fammi un po' di posto » disse. « Vicino a te. Non aver paura. »

Egli raccolse tutte le sue forze per non gridare. « Ti prego, non qui » disse. « Non qui, per favore. »

« Allora vieni da me. »

« Oh, non si può » disse Daniele. « Perché vuoi che facciamo questo? »

Carla cominciò a parlare con una voce più forte. « Se non vieni mi metto a urlare. »

« Non parlare così forte, per piacere. »

« Allora vieni » disse Carla più forte ancora.

« Non così forte, per piacere » disse Daniele. Ormai avrebbe fatto ciò che lei voleva. Essa lo aveva preso per una mano, ed egli si levò dal letto e la seguì. Non fecero rumore andando con i piedi nudi, e tutti e due tremavano per il freddo o qualche altra cosa. E subito Giulia riprese a tossire, ma ormai era inutile. Egli la sentiva, e non poteva pensarci.

Carla aveva preso sonno pesando contro di lui col suo corpo caldo e sudato. Egli non avrebbe potuto addormentarsi, neanche se avesse voluto. Per lui non era una cosa tanto semplice da addormentarsi subito dopo. Provava una specie di rancore per Carla, e disgusto e rimorso per ciò che aveva fatto, e una nausea sempre più grande, che dipendeva dal vino. Aveva bevuto troppo vino, lui che non era abituato. Chi sa quando sarebbe passata quella nausea. Stando con gli occhi aperti nel buio e stringendo i denti con forza, sarebbe passata. Nella camera si sentiva il profumo di Carla e il profumo dei calicantus. A lui piaceva quel profumo che sapeva un poco di chiesa, e anche a Giulia piaceva. Doveva essersi riaddormentata, Giulia. Aveva tossito molte volte, ma adesso da un pezzo non la si sentiva più. Tutto era silenzioso nella casa e intorno, eccetto il respiro di Carla. Il suo respiro regolare e pesante, come se niente fosse stato.

Egli non voleva addormentarsi. Se fosse caduto nel sonno, avrebbe continuato a dormire fino a tardi, forse, e allora Tullio tornando l'avrebbe trovato nel suo letto insieme a Carla. Tullio che era andato a lavorare con un viso così serio. Oppure Giulia sarebbe venuta a svegliarlo, al mattino presto, magari con la tazza del caffè in mano, e sarebbe stata piena di dolore e di rimprovero. Bisognava alzarsi e andar via, e non aveva forza sufficiente. Adesso tutto era rovinato nella sua vita. Con Tullio e con Giulia e con Carla non sarebbe più potuto essere come prima, perché aveva rovinato tutto. Non poteva neanche pensare ad un rimedio. Il suo cervello non riusciva a fare dei pensieri ordinati e impossibili, come sarebbe stato un rimedio. Gli venivano solo immagini. Tullio e Giulia e Carla e se stesso, e tutti avevano un'espressione di rimprovero, anche lui stesso verso se stesso. Almeno Carla non si fosse addormentata. Era stata tanto dolce Carla, prima, e anche adesso avrebbe potuto fare qualche cosa per la sua disperazione, se avesse fatto come prima, quando lo aveva accarezzato e baciato e aveva detto parole senza senso. Invece dormiva. Nemmeno per lei sarebbe dovuta essere una cosa tanto semplice da addormentarsi subito dopo. Doveva andarsene da quel letto.

Si staccò da Carla senza preoccuparsi di far piano, ed essa non si svegliò. Solo emise un profondo sospiro, proprio come la prima volta, quando la luce dell'accendisigari l'aveva disturbata nel sonno. Ma allora c'era Tullio, e Tullio aveva detto che non importava.

Il contatto dei piedi nudi sul pavimento gli diede un brivido in tutto il corpo. E lo sforzo di mettersi a sedere gli aveva fatto battere il sangue più forte dentro il cervello. Ma bisognava andare. Si alzò in piedi e gli pareva di non poter star ritto. Il buio si muoveva davanti ai suoi occhi con grandi spirali di colore rosso. Si fece forza, e raggiunse la parete, e appoggiandosi al muro camminò verso la porta. Inciampò in un bidone vuoto che fece un rumore lungo. Carla non si svegliò. Non si sentiva più neanche il suo respiro. Forse il rumore era stato così forte solo nella sua testa. Le spirali rosse giravano veloci, ed egli le vedeva anche ad occhi chiusi, e doveva essere la nausea.

Riprese a camminare. Vicino alla porta sentì più acuto il profumo dei calicantus, che piaceva tanto a Giulia, e tutti e due erano stati così contenti, ieri, quando era andato a prenderli per lei e glieli aveva portati. Percorse il corridoio sempre sostenendosi al muro e raggiunse la porta della cucina. Si sentiva bagnato di sudore mentre rabbrividiva per il freddo. Ora non poteva raggiungere il letto seguendo il muro perché c'era il tavolo e gli sgabelli sparsi per la cucina, non poteva sapere dove. La fatica di pensare a tante cose lo teneva in una tensione dolorosa. Si staccò dalla porta e fece un solo passo nel buio. Non riusciva a stare in piedi. Allora s'inginocchiò e posando le mani sul pavimento andò avanti come una bestia, un piccolo tratto alla volta. Doveva fare continui sforzi per non perdere la conoscenza e andare diritto nella direzione del letto. Infine sentì sul viso il contatto delle coperte che chiudevano il suo angolo. Ormai era arrivato. Allungò un braccio fino a toccare il materasso. Si tirò su e si stese sopra le coperte e in quel momento la nausea divenne così grande che non poté trattenersi. Fece solo lo sforzo di sporgere la testa in fuori e vomitò sul pavimento.

Allora Giulia venne ad accendere il lume. Non disse nulla. Andò a prendere dell'acqua e gliela fece bere sostenendo la sua testa con una mano, e tenendo posato l'orlo della tazza sul suo labbro. Ma non disse nulla. Andò a prendere della cenere dal braciere e coprì dove Daniele aveva vomitato e spazzò via tutto, fin nel corridoio. Non lo guardò mai direttamente, e aveva un'espressione chiusa.

E Daniele era disperato, con la testa abbandonata sul cuscino, e avrebbe voluto essere solo nel mondo, senza più nessuno, neanche Giulia. Tuttavia aspettava che tornasse, dopo aver spazzato. Tutta la sua fede per la vita era soltanto nel ritorno di lei. Ed essa venne, infatti. Soffiò sul lume e se ne andò.

« Giulia » chiamò Daniele sottovoce. Essa non rispose. Forse non aveva sentito, non doveva aver sentito. Ma non ebbe il coraggio di chiamarla un'altra volta. Aveva all'improvviso capito cos'era stata tutta quella confusione di ieri, in riva al fiume. E ormai tutto era rovinato.

X

Appena finito di mangiare, Giulia si alzò e si mise al lavoro con un'aria sottomessa, senza guardar nessuno. Durante il pasto solo Tullio aveva detto qualche cosa. Poi divenne silenzioso anche lui. Si fece una sigaretta e cominciò a fumare. La piccola Maria si ostinava a tener aperti gli occhi pieni di sonno. Forse sentiva che non era come tutte le altre sere, e voleva vedere ciò che facevano gli altri. Eppure era come tutte le altre sere, solamente non parlavano. E Carla non c'era. Doveva essere partita al mattino presto, quando Daniele ancora dormiva, e non era tornata.

Daniele teneva gli occhi fissi verso il posto dove Giulia stava lavando i piatti. Il silenzio pesava per lui, ed era necessario spiegarsi, in qualche modo, perché quella situazione si era fatta insopportabile. Non mosse gli occhi, ma disse: « Avrei da parlarti, Tullio ». Pronunciò le parole sottovoce, perché Giulia non sentisse.

Tullio continuò a fumare e non mutò espressione. C'erano delle macchie di cera sulla tavola. Ne scrostò una con l'unghia. Poi si mise a scrostarne un'altra. La fiamma corta e gialla del lume mandava fumo.

Daniele inghiottì. « Avrei da parlarti, Tullio » ripeté.

« Bene, parla, allora » disse Tullio. Pareva distratto.

« Non far così, Tullio » disse Daniele. « Devo parlarti sul serio. »

Tullio alzò la testa verso di lui e lo guardò intensamente, e poi guardò dove Daniele teneva fissi gli occhi. Giulia lavava i piatti, inginocchiata sul pavimento. « Vuoi che andiamo di là? »

« È meglio. »

Tullio scostò un poco il berretto per grattarsi la testa, ma non era serio. Vi era perfino un leggero sorriso sulla sua bocca, e Daniele ne soffriva, perché per lui era grave ciò che aveva da dire.

« Bene, andiamo » disse Tullio alzandosi.

Gli occhi assonnati della bambina si ravvivarono. « Non mi porti a casa? » domandò.

« Dopo » disse Tullio.

« Va bene » disse la bambina.

« Intanto dormi con la testa sulla tavola, se hai sonno » disse Tullio.

« Va bene » disse la bambina, e subito posò la testa sulla tavola.

Giulia non si voltò a guardarli quando li sentì uscire.

La camera di Carla era piena dell'odore dei calicantus. « È una cosa lunga? » domandò Tullio.

« Sì » disse Daniele.

Tullio accese una delle due candele. I calicantus erano sempre sul tavolino, ma qualcuno li aveva tolti dal catino e messi in un barattolo di latta.

« Sediamoci, vuoi? » disse Tullio.

Daniele capì che non era serio, e dopo, quando furono seduti sul letto, girò la testa per guardarlo, ma non poté vedere l'espressione della sua faccia, perché la candela era rimasta sul tavolino, un po' dietro a loro. Stavano col corpo piegato in avanti, i gomiti sui ginocchi. Passò qualche minuto. Le loro ombre si disegnavano sulla parete, e ballavano, quando la fiamma della candela ballava. Dalla cucina veniva l'acciottolio dei piatti. Molto tempo impiegava Giulia a lavare i piatti, quella sera.

« E allora? » domandò Tullio.

Daniele cambiò posizione e subito dopo tornò come prima, chino in avanti e coi gomiti appoggiati sui ginocchi. Disse: « Ecco, vorrei andarmene, Tullio ».

Tullio non si mosse né parlò. Non si poteva capire cosa ci fosse nel suo pensiero, se per lui era importante, o almeno interessante, che Daniele andasse via o no.

E dopo un poco Daniele disse: « Quella sera che mi hai trovato e son venuto da voi, tu dicesti che era meglio se non andavo via subito a causa della divisa del collegio. E io son rimasto, ma ormai son tre mesi che mi trovo qui. Non è che mi trovi male con voi, anzi, ma non posso restar qui tutta la vita. E poi, non faccio niente per guadagnarmi quello che mangio. Perché tenere i conti e aiutare Giulia non significa guadagnarsi da mangiare ».

Fece una lunga pausa, durante la quale Tullio non disse nulla. Così egli continuò: « Devo anche pensare alla mia vita, Tullio, per questo sarebbe meglio che me ne andassi fuori. Può darsi che fuori mi sistemi con un buon lavoro. Se resto qui tu non mi dai niente da fare, e poi forse sarebbe un genere di lavoro che io sarei poco capace di fare. Ormai ho capito che non riesco. E così sono soltanto di peso ».

Ancora fece una pausa, aspettando che Tullio dicesse qualche cosa. Ma Tullio non parlò, e diventava sempre più difficile dire quelle cose se Tullio non parlava e non si poteva capire quali pensieri avesse.

« Io mi ricorderò sempre di voi, » disse Daniele « e di come siete stati tutti buoni, fin dal primo giorno che son venuto qui. Ma ormai non posso più restare. E adesso la guerra dovrebbe finire, tutti dicono che finirà presto. E anche la stagione si farà più buona andando avanti, e magari si potrà trovare lavoro nei campi. Io penso che sarei capace di lavorare nei campi. Sono cose che s'imparano presto. »

Di nuovo tacque. L'acciottolio dei piatti era finito, e solo il rumore degli zoccoli di Giulia si sentiva di quando in quando. Adesso stava mettendo ordine in cucina. E spesso si fermava, sopra pensiero, come tante volte le capitava di fare. Daniele si mise a guardare la propria ombra, e quella di Tullio, che ballavano sulla parete. « Perché non dici niente, Tullio? » domandò.

« Bene, » disse Tullio « bene » come se cercasse qualcosa da dire, e non trovasse. Ma poi domandò: « Quanto c'entra Carla in questa faccenda? ».

Daniele abbassò la testa. « Lo sai? » domandò.

« Sì. »

« Come lo sai? »

« Me l'ha detto. »

Daniele cominciò a giocare nervosamente con le dita. « Dov'è adesso Carla? »

« Fuori » disse Tullio.

« L'hai mandata via per sempre? »

« È fuori per lavorare » disse Tullio. « Domani o dopodomani tornerà, quando avrà finito. »

Egli parlava tranquillamente, come se non fosse stato grave quello che era accaduto, e Daniele non capiva.

« Perché non m'hai detto subito che si trattava di Carla? »

« Non avrei voluto che tu lo sapessi » disse Daniele. « Credevo che ti avrebbe fatto dispiacere saperlo. Io pensavo di andarmene, e così tutto sarebbe finito lo stesso. »

Tullio lasciò passare del tempo, quindi domandò: « È solo per la faccenda di Carla che vuoi andartene? ».

Daniele continuò a giocare con le dita, e non rispose.

Così dopo un poco Tullio disse ancora: « Senti, io non posso entrare nella tua testa per vedere quello che c'è dentro. Può darsi anche tu sia stanco di stare con noi. Non è di sicuro il genere di vita che pensavi di fare. In fin dei conti non sei abituato a stare con gente come noi ».

« Non dire questo, Tullio » disse Daniele. « Lo sai che non è vero. »

« Allora perché non butti fuori quello che hai in testa? » disse Tullio. « Tu hai detto che vuoi andartene. Puoi farlo anche senza dir niente a nessuno. Pigli la tua roba e te ne vai. Ma se vuoi anche spiegare il motivo perché te ne vai, allora devi buttar fuori quello che hai in testa e non cercare delle scuse. »

« È per quello che è successo con Carla » disse Daniele.

« Non lo sai che mestiere fa Carla? »

« Sì. »

« Ogni volta che sta fuori di notte va a letto con qualcuno » disse Tullio. « È il suo mestiere. Molte volte sono io che la mando, perché mi serve. Così non fa differenza se una volta tanto viene a letto con te. Meglio con te che con qualsiasi altro. »

« Non scherzare, Tullio » disse Daniele. « Io lo so di aver fatto una cosa che non dovevo fare. Perché io sono qui in casa tua, e tu avevi fiducia in me, e non immaginavi neanche che avrei potuto fare una cosa simile. »

Tullio non disse nulla, ma rise in un modo triste.

« Vedi che mi dai ragione » disse Daniele. « Io ho sentito subito che era una cosa sbagliata. Di fronte a te provo un'impressione come se fossi poco pulito, e devo andar via. »

Tullio rise ancora nello stesso modo.

« Avrei dovuto pensarlo prima che io e Carla saremmo finiti come siamo finiti » disse Daniele. « E avrei dovuto andarmene, prima che succedesse. Invece ho rovinato tutto. Adesso non saprei più come fare con te e Carla e Giulia. »

Tullio alzò la testa con interesse. « Perché Giulia? »

« Anche lei pensa che è una cosa che non avrei dovuto fare » disse Daniele. « Lei capisce che sono poco pulito, e non abbiamo più parlato, da ieri sera, non mi ha detto neanche una parola. Questa notte ho vomitato per terra, e lei è venuta a pulire senza dire una parola. E adesso fa tutte le cose così, come se fosse una serva, e io non posso sopportarlo. »

« Ah » fece Tullio, semplicemente. Poi sollevò il braccio sinistro in modo da vedere l'orologio alla luce della candela. « Vuoi che andiamo? » domandò.

« Devo prendere la mia roba? »

« No » disse Tullio. « Andiamo qui vicino e ritorneremo. La roba la prenderai dopo, caso mai. »

Camminarono sempre in silenzio, Tullio aveva preso un sentiero attraverso le rovine della zona dei morti. Vi era un pezzo di luna alto nel cielo, e Daniele riconobbe in molti punti la strada che faceva con Giulia, quando andavano a prendere l'acqua al fiume. Poi Tullio cambiò direzione, ed egli perdette subito l'orientamento. Le rovine parevano tutte eguali, chiare e scure sotto la luna.

Ad un certo punto Tullio gli fece segno di fermarsi e andò avanti da solo e dopo pochi minuti tornò a prenderlo. Lo condusse dietro dei grossi mucchi di macerie, davanti ad una porta già aperta. Sopra la casa era del tutto crollata. Tullio entrò per primo e Daniele lo seguì. Bisognava chinarsi per passare. Appena entrato Daniele, Tullio chiuse la porta e si trovarono nell'oscurità.

« Dammi la mano e stai attento, adesso » disse Tullio. « Ci sono cinque scalini. »

Scesero un passo alla volta i cinque scalini, tenendosi per mano. Quindi girarono un angolo e allora Tullio accese la lampadina. Aveva tolto lo schermo e la lampadina faceva molta luce. Si trovavano in una stanza sotterranea, lunga e stretta, col soffitto basso. In giro vi erano rastrelliere di legno piene di armi, e sul pavimento stavano casse di munizioni e due grosse mitragliatrici coperte con le cuffie. L'aria era fredda e sapeva di muffa.

« Tieni, fammi luce » disse Tullio, mettendo la lampadina nelle mani di Daniele. Poi cominciò a prendere qualche arma come a caso, portandola vicino alla luce per esaminarla bene. Erano quasi tutte dei moschetti mitragliatori.

« Ogni tanto bisogna darci un'occhiata » disse Tullio. « Se la ruggine comincia a mangiarle si rovinano subito. Qualche giorno verremo noi due a ingrassarle e pulirle tutte di nuovo. »

« Perché dici così? » domandò Daniele. « Lo sai che devo andar via. »

« Guarda » disse Tullio. « Questo è americano. Si chiama Thompson. » Poi appoggiò l'arma alla rastrelliera, e ne prese un'altra più pesante. « E questo è tedesco » disse. « Spara non so più quanti colpi al minuto. Bisognava sentire come cantavano questi affari quando han fatto la battaglia nel sobborgo. »

Daniele cercava di fargli luce il meglio possibile, seguendolo man mano che si spostava lungo le rastrelliere.

« Abbiamo cinque magazzini come questo » disse. « Sono in posti diversi, così se ne fregano uno non ci portano via tutto. Non facciamo altro che tenerli in ordine. Qualche giorno potrebbe far comodo avere in mano qualcosa che canta bene. »

Aveva preso un'arma avvolta negli stracci con particolare cura. « E questo è mio » disse. « Proprio mio. »

Dagli stracci venne fuori un fucile da caccia e Tullio lo piegò e guardò attentamente dentro le canne contro luce. « Ti piace andare a caccia? »

« Non so, non ci sono mai andato. »

« È la cosa che più mi piace, andare a caccia. Ci sono andato qualche volta col padrone dell'officina dove lavoravo. Si andava nella palude dove nasce il fiume. Ti piacerebbe andare a caccia di anitre? »

« Non so » disse Daniele. « Penso che mi dispiacerebbe ammazzare un'anitra. »

« Oh, » fece Tullio « non ci si pensa, quando si è lì. Si spara e si pensa solo a colpire. » Andò in cerca di un barattolo di grasso e unse abbondantemente il fucile, e poi si mise a fasciarlo di nuovo. « Il primo giorno di bel tempo prenderemo le biciclette e andremo in palude. Porteremo anche Carla e Giulia, e molta roba da mangiare, e passeremo una bella giornata insieme. »

« Perché fai apposta a parlare come se restassi con voi? » disse Daniele. « Lo sai che non posso restare. »

Tullio gli diede una rapida occhiata, e si volse per rimettere a posto il fucile. Poi spostò due cassette che erano l'una sopra l'altra, e guardò l'orologio, prima di sedersi. « Siediti anche tu, » disse « qui possiamo parlare con comodo. »

Daniele si sedette sull'altra cassetta.

« Spegni, adesso, » disse Tullio « bisogna far economia di pile. »

Daniele spense, e furono nell'oscurità completa. La luce della luna non penetrava in nessun modo in quel sotterraneo.

« Era la prima volta che andavi insieme con una ragazza? » domandò Tullio.

Daniele era restio a rispondere.

« Dimmi, era la prima volta? »

« Come, insieme? »

« Così a letto, voglio dire. »

« Sì. »

« Scombussola un poco, la prima volta » disse Tullio. « Non si capisce neanche se faccia piacere o no, non è vero? »

« Non so » disse Daniele.

« Penso che avrai provato paura, più che altro » disse Tullio. « È così che succede la prima volta. Ma anche questo serve per diventare uomini, e in un certo senso è bene che ti sia capitato con Carla. Vuoi bene a Carla? »

Daniele esitò prima di rispondere. « Non so, » disse infine « prima le volevo bene, come a una sorella, te l'ho già detto. Adesso non so più. Avrei paura a ritrovarmi con lei. »

« Questa è una cosa che passerà. E a Giulia vuoi bene? »

« Sì. »

« Come a Carla? »

Ancora Daniele esitò, poi disse: « Di più, credo ».

« Ti piacerebbe fare con Giulia quello che hai fatto con Carla? »

Daniele non rispose.

« Non ti piacerebbe? »

« Perché mi domandi queste cose? »

« Non ci hai mai pensato? » domandò Tullio insistendo.

« No, » disse Daniele « non si pensa a quelle cose con Giulia. È troppo buona, lei. Ci eravamo capiti così bene fino ad ora, e adesso tutto è rovinato. »

« Giulia sta diventando donna » disse Tullio.

« Più di tutto mi rincresce di aver fatto dispiacere a lei » disse Daniele. « Anche per te mi rincresce, ma tu non te la prendi come lei. Io non posso vederla lavorare in quel modo, peggio che se fosse una serva. »

« Sta diventando donna » disse Tullio.

Daniele non parlò. Capiva che Tullio aveva preso a parlare seriamente, ora, e di questo era in un certo senso contento. Almeno aveva comprensione di quello che significava per lui una cosa simile.

« Passami la lampadina » disse Tullio.

Daniele gli cercò le mani nel buio e gli passò la lampadina. Tullio accese, e diede un'occhiata all'orologio, e poi guardò più a lungo Daniele, e spense. « Molte volte ho pensato se non sarebbe meglio che tu te ne andassi via » disse. « Noi non siamo adatti per te, perché siamo diventati troppo duri a forza di tribolazioni. Anche Carla è diventata troppo dura, benché sia ancora una bambina. Facciamo delle cose che ti danno fastidio, e non puoi trovarti bene con noi. Ma penso che se te ne andassi via, finiresti in mezzo a gente come noi, o anche peggio, e allora ti conviene restare. Almeno noi ti vogliamo tutti bene, ciascuno a modo suo, si capisce. Ti sei accorto che Giulia ti vuol bene? »

« Non so più, adesso » rispose Daniele.

« Ti vuol bene » disse Tullio. « E anche Carla ti vuol bene. Quello che ha fatto l'ha fatto perché ti vuol bene, e lei forse non sa trovare altri modi per mostrarlo. E anch'io ti voglio bene. Ti avrei picchiato, il primo giorno che sei venuto da noi, perché non capivi niente. Poi ho finito col volerti bene lo stesso. »

« Adesso ho rovinato tutto. »

« Si metterà di nuovo a posto » disse Tullio. « Vedrai che tra qualche giorno Giulia non si ricorderà più di nulla. Basta che tu le stia vicino, e non ci penserà più. È cambiata, Giulia, da quando sei arrivato tu. Prima era sempre triste, proprio come l'hai vista oggi. Era sempre così, prima. E invece con te è cambiata, ed è meglio anche per la sua salute. Non è molto forte di salute. Una volta l'abbiamo portata dal medico, prima che venisse l'inverno, e il medico disse che non c'era niente di grave, solo bisognava che mangiasse bene, e stesse allegra, e prendesse aria e sole. Ma non abbiamo potuto far niente per lei. Potevamo farla mangiar meglio di noi, ma lei non ha voluto. Ci siamo messi a prendere il latte tutte le mattine, per farlo prendere anche a lei. Ma quanto al resto, io e Carla non abbiamo molto tempo. E poi Giulia non si trova bene con noi. Somiglia più a te che a noi, come carattere, e si vede subito che è contenta di stare con te. E tu puoi farle fare quello che bisogna, solo devi essere affettuoso con lei, anche perché ormai non è più una bambina. Se saprai fare, si dimenticherà presto. E anche Carla si dimenticherà, vedrai. Troverà qualche modo per farsela passare. Quanto a me, non credere di avermi fatto dispiacere. »

« Non te ne importa niente di Carla? »

Tullio rise, in un modo che non si capiva. « Ormai è tardi » disse. « Bisogna andare. »

Uscirono nella luce della luna e si avviarono verso casa.

Il lume aveva già riempito di fumo e cattivo odore tutta la cucina. La piccola Maria dormiva con la testa sulla tavola. E seduta vicino a lei, Giulia rammendava le calze. Tullio la guardò attentamente: « Non dovresti lavorare di sera ».

« Oh, non è lavoro, questo » disse Giulia.

« Come sei, tu » disse Tullio e le andò vicino e le mise una mano sotto il mento e le sollevò la testa, con dolcezza. E Giulia lasciò fare, ma chiuse gli occhi.

« Lascia che ti guardi dentro » disse Tullio.

Allora essa aprì gli occhi e li tenne fissi in quelli di lui, e sembrava come in adorazione, con la bocca un poco aperta.

« Non essere così triste, Giulia » disse Tullio. « Va tutto bene. Vedrai che andrà tutto bene. »

« Sì » disse Giulia.

E Tullio le sorrise, in un meraviglioso modo. Poi si avvicinò alla piccola Maria e piano piano la prese in braccio e se ne andò con lei addormentata.

E il cuore di Daniele si mise a tremare, quando restarono soli. Giulia aveva ripreso a lavorare, e teneva la testa china, e i capelli le coprivano quasi tutto il viso.

« Giulia? »

« Sì » essa rispose, senza alzare la testa.

« Mi dispiace per ieri sera. Avevo bevuto troppo vino e non sapevo bene quello che facevo. » Stentava a parlare.

Giulia abbassò ancor più la testa sul lavoro. « Non importa. Non è necessario parlarne. »

« Tu sei buona, Giulia » disse Daniele.

Essa stette ferma per qualche tempo. Poi disse: « Dev'essere tardi, Daniele. Andiamo a dormire ». E alzandosi fece in modo che lui non potesse vederla nel viso.

E il giorno dopo tornò Carla. Si mosse per la casa rapida e sicura come sempre, solo non parlava. Ma appena si trovarono soli, lei e Daniele, essa gli andò vicino, e disse in fretta, sottovoce: « È colpa mia quello che è successo l'altra notte. Ma vedrai che non capiterà più ».

Daniele non seppe che dire, e abbassò gli occhi sul pavimento.

« Non dici niente? »

« È stata anche colpa mia. »

« Bene, facciamo come se non fosse capitato niente. »

Allora egli alzò la testa per guardarla, ma essa aveva solo una smorfia incomprensibile sulla bocca, e teneva gli occhi fissi altrove.

Carla e Giulia stavano sedute sull'orlo del vecchio ponte di mattoni, con le gambe che penzolavano sopra l'acqua. Carla aveva i piedi nudi, perché si era tolta le scarpe. Le piaceva sentire sulle gambe e sui piedi nudi il calore del sole. Sotto di loro l'acqua andava silenziosamente, ed esse erano silenziose.

Si sentiva solo il rumore di qualche foglia secca. Era rimasta attaccata alle canne fin dall'autunno precedente, ed ora faceva rumore per un po' di vento. Poi si udì un colpo di fucile lontano, ed esse alzarono la testa insieme.

« Li vedi, Carla? »

« No » rispose Carla.

Tutta la palude era immersa in una malinconica pace luminosa, e l'acqua silenziosamente fluiva dalle polle e si avviava verso il mare. Il vento leggero veniva dalle montagne. Aveva portato via la nebbia dall'aria, così si arrivava a veder lontano, fino agli alberi che crescevano sulla terra dei campi. E oltre gli alberi i colli parevano più vicini.

« Son tre ore che stan girando per la palude » disse Carla.

« Hanno aspettato tanto questo giorno » disse Giulia.

« Ma io ho fame » disse Carla. « Mi viene una fame maledetta appena mi metto in giro. Mi ricordo quando si andava per i campi invece di andare a scuola. »

Poi stettero ancora senza parlare. Giulia girò la testa all'indietro e si mise a guardare i colli. Invece Carla stava con la testa china, e dopo un poco sputò nell'acqua. Due o tre piccoli pesci affiorarono e lottarono per impadronirsi dello sputo, mentre la corrente se lo portava via.

« Guarda, Giulia » disse Carla, e sputò di nuovo nell'acqua, e altri piccoli pesci vennero a galla.

« Hai visto come luccicano? »

« Sì. »

« Sono le squame » disse Carla. « È come se avessero un bel vestito, tutto d'argento. »

« Oh » disse Giulia.

Il fondo del canale era pieno di alghe lunghe che la corrente piegava. Ma verso le rive le alghe salivano alla superficie dell'acqua, e la coprivano interamente di verde.

« Quasi quasi mi butterei dentro » disse Carla. « Sarebbe bello fare un bagno qui dove non c'è nessuno. »

« Non è ancora la stagione. E poi l'acqua dev'essere fredda, così vicino alla sorgente. »

« Sì, dev'essere fredda. »

Di nuovo si udì un colpo di fucile lontano, e non li videro. Un uccello dalle piume grigie sbucò dalle canne e passò stridendo sopra le loro teste. Lo guardarono allontanarsi.

« È già il terzo che passa di qui » disse Carla. « Scommetto che loro non ne hanno visti tanti, andando con la barca. »

Giulia stava guardando vagamente verso il punto dove l'uccello era sparito.

« Dovrebbero tornare, ormai » disse Carla.

Giulia non le rispose, perché si stava osservando le mani, ora, con un curioso interesse. I geloni erano spariti, ma delle chiazze scure erano rimaste al loro posto, e anche dei segni al posto delle screpolature. Ad un tratto essa tese le mani in avanti. « Come sono le mie mani, Carla? »

« Perché? »

Giulia parve pentita di aver fatto quella domanda, ma disse: « Mi piacerebbe avere delle belle mani ».

« Bene, non sono proprio belle. »

Giulia ritirò le mani e le strinse a pugno. « Non c'è niente da fare perché diventino belle? »

Carla rise. « Come sei curiosa, oggi. »

Poi si udì un altro colpo di fucile, proprio vicino, ed esse alzarono vivamente la testa. Due o tre uccelli uscirono dalle canne e volarono via, andando bassi sulla palude.

« Li vedi, Carla? »

« No. »

Tuttavia continuarono a guardare, perché il colpo era stato proprio vicino. Il sole faceva luccicare l'acqua in qualche punto lontano, oltre il luogo dov'esse guardavano. Poi la barca venne fuori dalle canne su di uno spiazzo libero. Era una piccola barca, tozza e nera di catrame, col fondo piatto, che andava bene per la palude. Tullio stava in piedi a poppa e con un lungo bastone spingeva sul fondo del canale per far andare la barca. Daniele invece era seduto davanti e guardava l'acqua, dove teneva immersa una mano.

Il viso di Giulia s'illuminò nel vederli, e portando le mani alla bocca essa chiamò forte Daniele. Egli trasse la mano dall'acqua e la mosse per salutarle. Poi si levò in piedi e dal fondo della barca prese qualcosa e lo sollevò per mostrarlo.

« Oh » fece Giulia con gioia. « Devono aver preso qualche cosa. »

« Sono stati tre ore in giro per la palude » disse Carla.

La barca si veniva avvicinando al ponte, lenta, perché andava contro corrente. L'acqua le luccicava intorno per il sole.

« Noi andiamo a riva » gridò Tullio ad un certo punto, e forzando sul palo fece girare la barca per un canale che esse non vedevano. Sparì subito tra le canne e le erbe.

Giulia si alzò e aspettò che Carla si mettesse le scarpe.

« Avrei potuto fare un bagno qui dove non c'è nessuno » disse Carla prima di partire.

Da una parte e dall'altra vi era la palude silenziosa, e la strada andava quasi dritta sul terrapieno. Esse ora avevano davanti agli occhi i colli, con le piccole case tra il verde nuovo della primavera.

La strada sul terrapieno era lunga quasi un chilometro, prima di arrivare fuori dalla palude, e Giulia e Carla camminavano adagio per stare a pari con la barca che seguiva i canali senza che esse potessero vederla. Due o tre volte Giulia si fermò a chiamare Daniele, e Daniele le rispondeva dalla palude.

« Sei innamorata di Daniele? » domandò all'improvviso Carla.

Giulia divenne di colpo rossa in viso. « Perché me lo domandi? »

« Così » disse Carla guardandola curiosamente. « Se non vuoi, puoi anche fare a meno di dirmelo. »

Giulia andò avanti pensierosa per qualche passo. Poi disse: « Lo sai che sono innamorata di lui ».

« Innamorata proprio del tutto? »

« Sì. Ho paura di sì. »

Essa aveva un mezzo sorriso sulla bocca, ma Carla rise forte, invece, in un modo imbarazzante.

« Perché ridi così, Carla? »

« Niente » disse Carla. « Solo pensavo che dovresti dirglielo tu. Se aspetti che lo capisca da solo avrai da aspettare un bel pezzo. »

Giulia camminava guardando per terra. « Non avrei il coraggio di parlargli di queste cose » disse.

« Se vuoi posso parlargli io » disse Carla.

Giulia sollevò vivamente gli occhi. « Oh, no » disse. « Non dirglielo, Carla, per piacere. Se siamo destinati lo capirà. E non importa, anche se lui non sa niente. Io sono contenta lo stesso, così, tanto contenta. E potrebbe darsi che lui non mi volesse, e allora sarebbe peggio, se venisse a sapere. »

« Bene » disse Carla alzando le spalle. E più avanti disse ancora: « Si vede da lontano un chilometro che sei innamorata, Giulia. Ogni volta che c'è lui sembri una gatta smorta. Non capisco come faccia quello stupido a non accorgersene ».

« Ma tu non dirglielo, Carla, per piacere » disse Giulia. Ora camminava di nuovo guardando per terra, e pareva triste.

Carla le fece una carezza sui capelli. « Ti darò un po' di crema per le mani » disse. « Bisogna mettersela alla sera, prima di andare a letto. È per lui che vuoi avere le mani belle, non è vero? »

« Sì » disse Giulia.

Quando arrivarono al posto dove c'era l'approdo, Daniele stava già legando la barca al palo, e Tullio era seduto sulla pedana di legno e si lavava le gambe che erano sporche di fango fin sopra il ginocchio.

Daniele le aveva viste arrivare, e appena ebbe finito di legare la barca venne verso di loro sulla strada. Tendeva con una mano la selvaggina uccisa, e il suo viso era illuminato dalla gioia. « Guardate cosa abbiamo preso » disse.

Carla lo guardò con un'espressione divertita, perché egli era proprio un bambino. « Cosa sono? » domandò.

« Questa è un'anitra » disse Daniele. « E questi sono due beccaccini. Le anitre di questo tipo si chiamano marzaiole, perché passano in marzo. »

« Adesso siamo in aprile » disse Carla.

« Eh, non so » disse Daniele. « L'ha detto Tullio che si chiamano così. Vuol dire che loro non sanno distinguere molto tra un mese e l'altro. »

Giulia stava un po' in disparte, timida adesso, perché Carla sapeva.

Carla toccò le penne dell'anitra e le spostò per vedere dov'era stata colpita. « L'hai presa tu? » domandò.

« Tullio » disse Daniele. « Anche i beccaccini li ha presi Tullio. Io ho sparato tre colpi e non ho preso niente. Ma mi sono divertito lo stesso. »

Venne Tullio portando il fucile su di una spalla, con i pantaloni ancora rimboccati sopra il ginocchio e le scarpe in mano. « Non si può fare niente senza il cane » disse. « Abbiamo perso almeno due anitre in mezzo alle canne. »

« È stata una buona caccia lo stesso » disse Carla.

« Sì, ma sarebbero state almeno due anitre in più col cane » disse Tullio.

Daniele guardava la barca nera, ferma sull'acqua stagnante della riva. « Chi sa quando potremo tornare un'altra volta » disse.

« Forse presto » disse Tullio. « Adesso le giornate saranno sempre buone. »

Lasciata indietro la palude, la strada continuava attraverso i campi, e aveva ai lati due file di gelsi giovani, con delle piccole foglie. Ma vi erano pochi alberi, in quella prima striscia di terra, e si vedeva in fondo la casa dei contadini dove avevano lasciato le biciclette. I campi di grano erano di un verde tenero, che si muoveva sotto il poco vento. Era terra buona, bonificata di recente.

Daniele parlò per tutta la strada di come era andata la caccia. Si animava nel raccontare, e gli altri ascoltavano ridendo, eccetto Giulia, che ascoltava seriamente. Tullio si era tirati giù i pantaloni, ma non si era messo le scarpe, e camminava coi piedi nudi nella polvere bianca della strada. Giulia gli portava le scarpe.

Entrarono nell'aia della casa colonica. Un grosso cane che stava vicino al pagliaio si alzò sulle zampe e cominciò ad abbaiare, senza muoversi dal suo posto. Poi un piccolo bambino uscì sul portico della casa, un piccolo bambino vestito male, con una faccia tonda e bianca e rossa. Guardò, e tornò dentro dondolando. Allora venne fuori un vecchio, e dietro a lui una donna giovane. Il piccolo bambino si teneva attaccato alle sottane della donna, e sporgeva la faccia tonda per vedere.

« Buon giorno » disse Daniele tendendo anche verso di loro la selvaggina.

Il vecchio venne avanti sulle gambe curve. Aveva i capelli bianchi, e il viso scuro e rugoso, e il vestito molto consumato. « Com'è andata? » domandò.

« Bene » disse Tullio. « La barca l'abbiamo legata dove era prima. »

« Va bene » disse il vecchio, e prese la selvaggina dalle mani di Daniele per esaminarla meglio. Anche le sue sopracciglia erano tutte bianche.

La donna rientrò nella casa trascinandosi dietro il bambino. Il grosso cane s'era di nuovo accucciato al sole, presso il pagliaio, e non abbaiava più. Il vecchio restituì la selvaggina a Daniele senza dire nulla, solo fece un movimento con la testa.

« Ci fermiamo qui a mangiare » disse Tullio verso il vecchio.

Il vecchio assentì con la testa. « Non vi dico neanche di venir a mangiare con noi » disse. « I tempi sono magri, e le bocche in più si sentono. »

« Piangete sempre, voi contadini, » disse Tullio « ma siete quelli che stan meglio di tutti. Va sempre bene, quando c'è la terra. »

« Fosse nostra, la terra. »

« Sarà vostra. Ancora poco tempo e sarà vostra. »

Il vecchio lo guardò fissamente nel viso. « Sei rosso? » domandò.

« Sì. »

Il vecchio scosse la testa. « Quanto tempo è che si sente

dire che daranno la terra ai contadini? » disse. « Da quando sono nato l'ho sentito dire. E ho sempre avuto un padrone. » Poi alzò le spalle e si diresse verso la casa, andando sulle gambe curve.

Tullio cambiò improvvisamente tono. « Avremo bisogno di un po' di acqua da bere, nonno » gridò dietro al vecchio.

« Acqua quanta ne volete » disse il vecchio, volgendosi a metà.

« E dopo verremo a trovarvi per combinare qualche affare con la verdura » disse Tullio.

« Vedremo, vedremo » disse il vecchio.

« E anche con le uova » disse Tullio.

« Dovrai parlare alle donne, per le uova » disse il vecchio, e riprese ad andare verso la casa.

Tullio lo guardò fino a che lo vide sparire dentro la porta, poi silenziosamente si diresse al posto dove avevano lasciato le biciclette, e Daniele lo seguì. Giulia e Carla erano poco lontane, sotto un ciliegio al limitare dell'aia, dove avevano preparato il posto per mangiare. Avevano steso una coperta sull'erba, e tirato fuori la roba del cesto. Adesso aspettavano. Il ciliegio aveva piccole foglie che non fermavano il sole. Tutto intorno sull'erba vi era il segno bianco dei fiori caduti.

Il rimorchio della bicicletta aveva un doppio fondo, e Tullio vi nascose il fucile e le cartucce, e chiuse con cura, in modo che non si vedesse niente. « E pensare che ci vorrebbe così poco per vivere contenti » disse. « Basterebbe avere una casa, e un lavoro giusto, e ogni tanto una giornata come questa. »

Il sole declinava sull'orizzonte, ed essi correvano con le biciclette verso la città. La strada aveva i platani ai lati, ed era asfaltata, e rovinata in molti punti. Ma i piccoli paesi attraverso i quali passavano erano quasi intatti, perché la guerra non aveva fatto molti danni lungo quella strada.

Tullio andava avanti di qualche metro e spingeva forte sui pedali perché aveva fretta di arrivare a casa. Sul rimorchio della sua bicicletta stava seduta Carla, sopra il sacco della verdura, e teneva con una mano il cesto che era pieno di uova. Tullio aveva fatto buoni affari con il contadino.

Daniele veniva dietro, e ansava leggermente per la corsa, così che parlava poco con Giulia. O forse non era facile dirle cose che andassero bene in quel momento. Perché si sentivano un po' malinconici per quella giornata passata, e pure contenti di essa, delle cose buone che aveva portato. E Giulia stava seduta sul ferro della bicicletta, non evitava di lasciarsi andare un poco all'indietro, fino a premere la testa sul petto di lui. E qualche suo capello mosso dal vento della corsa andava a finire sul viso di Daniele, ed egli lo lasciava stare sperando che lei non se ne accorgesse. Avevano un odore buono.

Poi la strada si unì ad un'altra, in vicinanza della città. Questa nuova strada era più grande e aveva molte case ai lati, ed essi non potevano vedere il sole tramontare. Tullio cominciò a correre più adagio.

Le vie della città parevano silenziose, senza il frastuono degli autocarri. Vi era molta gente in giro, perché l'aria era dolce e serena. I giardini fra le case cominciavano a riempirsi di verde e gli alberi avevano foglie nuove e qualche pianta di glicini aveva dei grappoli fioriti, che mandavano profumo.

Passarono per casa, e Giulia e Carla scesero, e Tullio portò la sua bicicletta dentro la cucina del calzolaio per togliere il fucile dal rimorchio.

Il calzolaio e sua moglie stavano mangiando, e la piccola Maria era seduta in disparte. Fu contenta, un poco, quando vide arrivare Giulia.

« È venuto uno a cercarti, Tullio » disse il calzolaio. « Verso le quattro. »

« Chi era? »

« Non so » disse il calzolaio. « Era uno dei vostri, ma non so il suo nome. »

Tullio levò il fucile dal fondo del rimorchio e lo consegnò a Carla perché lo portasse a casa. « E non ha lasciato niente da dirmi? » domandò verso il calzolaio.

« No » disse il calzolaio. « Gli ho detto che tu eri andato in palude, e lui ha detto che lo sapeva, ma che era passato di qui perché sperava che tu fossi tornato. Solo questo ha detto. »

Tullio stava finendo di mettere a posto il fondo del rimorchio.

« Intanto che voi andate a riportare le biciclette io preparo qualcosa da mangiare » disse Giulia.

« Come, vuoi mangiare un'altra volta? » domandò Tullio sorridendo.

« Oh, solo per oggi » disse Giulia.

« Bene, prepara molta roba, allora » disse Tullio. « Questa corsa mi ha messo indosso una gran fame. » Poi uscì con la bicicletta. Daniele lo aspettava fuori e partirono subito.

A poco a poco si faceva buio, e nei punti più stretti le strade erano più piene d'ombra. Dovevano andare a portar le biciclette in casa di Emilio. Emilio era il più solitario tra i ragazzi e viveva da solo in una tettoia sfondata in riva al fiume. Venne fuori da una specie di tana, quando li sentì arrivare. E disse a Tullio: « Antonio e Andrea sono stati qui ad aspettarti per due ore. Hanno detto di avvertirti appena arrivavi. È per un affare che tu sai ».

Il viso di Tullio divenne molto serio. « È molto che sono andati via? »

« Sarà mezz'ora. »

Tullio aveva ora una grande fretta. Partirono dalla tettoia, lui e Daniele, percorsero delle strade diverse da quelle che avevano fatto venendo. Daniele non domandava niente, benché ne avesse voglia. Quella parte del quartiere non era molto abitata, perché un gran numero di case erano state rovinate dal bombardamento.

Tullio camminava veloce e silenzioso, e un pensiero nella sua mente doveva dargli preoccupazione. Ma quando furono più avanti parlò. « Questa sera devo andar fuori » disse. « Glielo spiegherai tu a Carla. Dille che proprio non posso farne a meno. »

« Va bene. »

Tullio fece ancora qualche passo tacendo. Daniele non era

mai passato per quelle strade, e non sapeva dove andassero.

Poi Tullio tirò fuori la busta di tela che gli serviva da portafogli e la diede a Daniele. « Quando sarai a casa, » disse « mettilo dentro la cassetta che sta sotto il mio letto. »

« Va bene » disse Daniele. E quindi domandò: « C'è qualche cosa che ti preoccupa, Tullio? ».

« Perché? Per il portafogli? »

« Sì. »

« No, » disse Tullio « non c'è niente. Il portafogli lo lascio sempre a casa, ogni volta che vado fuori per queste cose. Sarebbe stupido farsi pescare col portafogli in tasca. Oltre a tutto, ci sono delle carte dentro che non dovrebbero vedere. Non ne capirebbero molto, ma è meglio che non le vedano. »

« Sì » disse Daniele.

« Quello che ti raccomando è di dire a Carla che mi dispiace » disse Tullio. « Ogni volta che sarebbe più bello stare insieme, capita che devo andare. Coi ragazzi non si era d'accordo di andare questa sera. »

« Devi andare lontano? »

« No. Può darsi anche che non li trovi più, e allora tra un'ora sarò a casa. E anche se li trovo, tornerò domani mattina di sicuro. Arriverò presto, prima che si alzi dal letto. Diglielo, a Carla. »

« Va bene » disse Daniele.

Camminarono ancora per un poco senza parlare, ciascuno con i propri pensieri. Poi Daniele si accorse che erano arrivati nella piazza di Sant'Agnese. Si vedeva sulla destra la grande massa scura della chiesa.

« Sai andare a casa da solo, adesso? » domandò Tullio.

« Sì » rispose Daniele.

« Bene, arrivederci allora » disse Tullio, e partì verso le mura, e aveva un viso serio e preoccupato. Il rumore del suo passo si perdette subito, e anche la sua figura si perdette presto nella penombra della sera.

Allora Daniele si avviò nella direzione opposta, e teneva una mano nella tasca della giubba, stringendo la busta di tela che Tullio gli aveva consegnata. Cercò di disperdere la tristezza per la partenza di Tullio. Andava verso casa, e a casa c'era Giulia, e Carla. Camminava attraverso la piazza che aveva mucchi di macerie intorno. Ma egli teneva la testa verso l'alto perché gli piaceva guardare la luna. L'azzurro del cielo era diventato cupo, ed erano apparse delle stelle, e tuttavia più bella gli pareva la luna. Si era fatta luminosa e più bianca, e anche un poco azzurra, pareva.

XI

Come la sera prima, vi era in cielo un pezzo di luna d'argento, corroso dalla parte dove finiva a metà. Carla e Daniele stavano seduti sulla porta di casa, con le braccia posate sulle ginocchia, e in silenzio. Per qualche tempo avevano parlato di cose da nulla, ma poi non avevano avuto più voglia di parlare neanche di cose da nulla, e stavano in silenzio. Guardavano la sera venire. Il sole era tramontato dietro la casa, e l'ombra della notte usciva dalle case crollate e copriva la terra e saliva verso l'alto per raggiungere il cielo. L'aria era dolce e dava anche tra quelle rovine il senso della primavera, che era un senso di vita.

A poco a poco la notte confuse nella sua ombra tutto quello che essi potevano vedere, i resti dei muri, i mucchi di macerie, il sentiero che veniva dalla casa del calzolaio, e più lontano l'albero della magnolia. L'albero della magnolia cresceva già fuori dalla zona dei morti, nel cortile dietro la casa del calzolaio. E anche nel cielo il giorno moriva, e la figura della luna si faceva sempre più distinta.

Essi guardavano tutte le cose, anche nel cielo, ma sempre i loro occhi tornavano a fissarsi nell'ombra, sul sentiero che veniva dalla casa del calzolaio.

Giulia arrivò dalla cucina facendo rumore con gli zoccoli, e poi, ferma sulla porta, guardò anch'essa verso il sentiero che non si vedeva. « È pronto, se volete mangiare » disse.

E Carla disse, senza voltarsi: « Aspettiamo un altro poco, Giulia ».

Giulia stette a guardare ancora il sentiero, quindi si voltò e tornò in cucina.

Passò del tempo, e Carla disse: « Mi pare di avere nelle orecchie il canto di un grillo ».

Daniele stava distratto. « Cosa? » domandò.

« Niente » disse Carla. Forse un grillo cantava in qualche posto tra le rovine.

« È stupido essere così » disse Carla. « Tante volte non è venuto. Verrà più tardi, e noi faremmo meglio se andassimo a mangiare. »

« Aveva detto che sarebbe venuto » disse Daniele. « Questa mattina presto, aveva detto. »

Il cielo si era fatto scuro, pieno di stelle, e la luna era diventata più luminosa e più bianca. Adesso si vedeva meglio nella notte, pareva.

Passò del tempo, e Daniele disse: « Comincia a far freddo, Carla. Forse è meglio se andiamo dentro ».

« No » disse Carla.

Stettero ancora seduti sullo scalino, e in silenzio per qualche tempo, fino a che Carla disse: « Non ti sembra di sentir cantare un grillo? ».

Daniele ascoltò, quindi disse: « No ». Tuttavia continuò ad ascoltare.

Infine qualcuno venne sul sentiero. E appena sentirono il passo, cominciarono a tremare per la speranza o la paura, o solo perché ormai faceva già freddo, e più freddo si sentiva lungo la schiena a sentire quel passo.

« Forse è lui » disse Daniele.

« No » disse Carla.

Lentamente la figura di colui che camminava emerse dalla notte e venne dritta verso la porta fermandosi davanti a loro. Carla afferrò con una mano il polso di Daniele, e strinse.

« Salve, Carla » disse colui che era venuto.

Ed essa disse: « Salve, Marco ».

« Son venuto per parlarti, Carla » egli disse. Parlava a voce bassa.

« Sì, » disse Carla « ma aspetta che andiamo dentro. »

Egli aspettò in silenzio. E Carla senza fretta si alzò e si diresse verso la cucina, e non lasciava il polso di Daniele.

Giulia aveva acceso il lume in cucina. Quando li vide entrare, guardò le loro facce ad una ad una, e divenne più pallida. Si sentiva forte l'odore del cibo cotto. Il cibo che Tullio aveva preso andando a caccia, appena ieri.

Adesso Giulia teneva gli occhi fermi sulla faccia del ragazzo che si chiamava Marco. « L'hanno preso? » domandò.

« L'hanno ammazzato » disse Marco.

Allora ognuno stette in silenzio per conto suo, con lo sguardo fisso in qualche posto. Solo la piccola Maria continuava ad osservare gli altri, con la sua espressione grave e un po' sciocca. E Carla non lasciava il polso di Daniele, ma lo stringeva più forte, e così egli la guardò e vide il suo viso immobile, con solo un labbro che tremava. Tremava nel viso immobile, e dopo un poco essa fece una smorfia con la bocca per tenerlo fermo. Poi disse: « Siediti, Marco ».

Essa si sedette per prima, con a fianco Daniele e di fronte Marco. Giulia rimase in piedi.

« Giulia, porta un po' da mangiare per Marco » disse Carla. « Forse non ha mangiato ancora. »

Giulia non si mosse, e nessuno parlò più di mangiare.

« Più tardi verrà Antonio » disse Marco. « È lui il capo, adesso. »

« Sì » disse Carla. Essa aveva lasciato il polso di Daniele, e dalla tasca del vestito tirò fuori le sigarette. Ne offrì una a Marco e una a Daniele, ma Daniele fece di no con la testa.

« Prendine una » disse Carla.

Daniele prese una sigaretta e diede qualche boccata e poi la lasciò stare. Gli altri fumavano in silenzio. Giulia era andata a sedersi in disparte, fuori dalla luce del lume.

« Marco? » disse poi Carla, e alzò gli occhi su di lui e vide che stava guardando Daniele. Allora disse: « Questo è Daniele. Sono ormai cinque mesi che sta con noi ».

« Sì » disse Marco. « Tullio me ne aveva parlato. »

« Bene » disse Carla. « Raccontaci come è andata. »

« Non c'ero, io » disse Marco. « Antonio è tornato prima che facesse chiaro, ed è rimasto nascosto tutto il giorno. Verrà qui stasera, ha detto. Prima è andato a casa di Andrea, perché Andrea aveva la madre e una sorella, e allora è andato prima da loro. Dopo verrà qui. »

« Hanno ammazzato anche Andrea? » domandò Carla.

« Sì » disse Marco. « Erano andati in tre, e solo Antonio è tornato. Ha avuto fortuna. »

« Dove li hanno ammazzati? »

« Sulla strada, » disse Marco « a sette chilometri da qui. Ma li hanno già portati nella cella del cimitero, e li terranno esposti per il riconoscimento. Dice Antonio che nessuno di noi deve andare a vederli. Bisogna fare come le altre volte. »

« Sì » disse Carla.

« La polizia non se la lascerà passare tanto presto, questa volta » disse Marco. « È un colpo troppo grosso, con quindici morti. Ci sono due dei nostri, e nove dell'altra banda, e quattro soldati. E meno male che noi non c'entriamo proprio direttamente, perché è stata l'altra banda a organizzare tutto. Avevano bisogno di qualcuno che conoscesse bene le strade qua intorno, e allora andarono anche tre dei nostri, ma solo per far da guida. »

« Sì » disse Carla.

« Era la seconda volta che i nostri lavoravano con quella banda » disse Marco. « È una banda grossa, quella. Hanno i camion e tutto quello che occorre. E ci sono in mezzo dei disertori americani che parlano italiano come noi, e hanno coraggio da vendere. Ma stavolta è andata male. Antonio se l'è cavata proprio per miracolo. Ha avuto fortuna. »

Nessuno parlò nella pausa che Marco fece. Carla aveva raccolto il suo sguardo sulle mani sopra la tavola, e aspettava in silenzio che egli continuasse.

« Non era molto tempo che questa banda era venuta dalle nostre parti » disse Marco. « Prima era in altri posti, non so dove, e avevano fatto molti colpi, ed erano sempre andati bene. Poi son capitati qui, perché ogni tanto devono cambiare posto quelli che fanno i colpi sulle colonne. Se non cambiano posto la sorveglianza diventa troppo forte, e li fregano. Ma qui intorno era appena il secondo colpo che facevano, e non si spiega come ci fosse la scorta sulla colonna. Non c'era mai stata scorta sui camion, prima. Antonio dice che ci dev'essere qualcosa di sporco in tutta questa faccenda, e allora è proprio un peccato rimetterci la pelle. Non c'è gusto a lasciarci la pelle quando uno fa la spia. »

« Chi ha fatto la spia? » domandò Carla.

« Non so » disse Marco. « Uno dell'altra banda. Dice Antonio che dev'essere stato uno di quegli americani che faceva finta di essere disertore e invece era della polizia. E poi, quando la scorta ha cominciato a sparare, qualcuno ha sparato anche dalle spalle. Dice Antonio che qualcuno deve aver sparato per forza dalle spalle, se no non ci sarebbero stati tanti morti dalla nostra parte. I nostri erano tutti al riparo dentro il fosso, quando cominciarono a sparare. Solo i due del camion erano sulla strada. »

Ancora Marco fece una pausa, e guardò i loro visi in giro, con qualche importanza.

« Racconta tutto quello che sai, Marco » disse Carla.

« Io non c'ero » disse Marco. « Ma i colpi li fanno sempre allo stesso modo. Vanno in un posto dove c'è un incrocio, lungo la strada per dove deve passare la colonna, e stanno nascosti fino a quando non viene il momento buono. Quasi sempre è verso la fine della colonna, con le macchine che restano indietro. Allora mettono sulla strada un camion con due di quegli americani vestiti da soldati. Loro devono far finta di avere un guasto, e la macchina che viene si ferma e la mettono da parte sull'altra strada. Così possono prendere tutti i camion che vogliono. E anche questa volta era andata bene, in principio. Avevano ormai preso due camion e Antonio ne aspettava un altro per partire, perché lui doveva far da guida ai primi tre, e Andrea ai secondi tre, e Tullio agli ultimi tre. Volevano prenderne nove. Ma quando fermarono il terzo camion, da sopra si misero a sparare, perché c'era la scorta. Pure quelli della banda si misero a sparare, e anche qualcuno che era con loro si mise a sparare contro di loro, dice Antonio. Ma i due camion che erano pronti partirono subito, e non li hanno presi. Così Antonio è tornato a casa. Ha avuto fortuna. »

Carla aveva alzato la testa. « Allora non li ha visti, lui, dopo che sono morti? »

« No » disse Marco. « Stamattina subito, Antonio ha mandato uno dei nostri sul posto, e tutti i morti stavano ancora per terra, da una parte della strada. Ma c'era la polizia che faceva la guardia e non lasciava avvicinarsi nessuno. Così non ha potuto veder niente. Poi li hanno portati al cimitero con un camion, e allora Antonio ha mandato una donna dalla polizia. È una donna che ha un figlio sparito da tre mesi, e ha detto alla polizia che voleva vedere i morti, se per caso c'era anche suo figlio. Così è andata nella cella e li ha visti. Lei non aveva mai visto Tullio e Andrea, prima, ma ci ha detto com'erano, e anche come erano vestiti, e adesso siamo sicuri che sono loro. Quella donna ha detto che Tullio era pieno di buchi nella pancia. Fan presto a fare i buchi con quei mitra. »

Marco stava ancora parlando quando arrivò Antonio. Nessuno l'aveva sentito venire ed egli si fermò sulla porta, e venne avanti solo quando Marco ebbe finito di parlare. Era un ragazzo alto, con un viso forte.

« Siediti, Antonio » disse Carla. « Hai mangiato? »

Antonio si sedette vicino a Marco. « Mi dispiace, Carla » disse. « Sarebbe stato meglio che fosse toccata a me, invece che a Tullio. »

Carla sorrise mestamente. « Ormai è andata così » disse. « Del resto, è così che pensava di morire. Solo è stato troppo presto. »

« Sì, » disse Antonio « troppo presto. » Anch'egli adesso guardava Daniele.

« Questo è Daniele » disse Carla.

« Tante volte Tullio parlava di te » disse Antonio. « Penso che ti volesse bene. »

Daniele non trovò niente da dire.

« Non vuoi mangiare qualcosa, Antonio? » disse Carla.

Antonio parve riflettere per alcuni istanti, ma non pensava a mangiare. Disse: « Tullio e Andrea erano i più in gamba fra di noi. È un peccato che siano andati tutti e due in questo modo. Ho paura che ci fosse qualcosa di sporco nella faccenda, Carla ».

« Sì, » disse Carla « Marco me l'ha detto. »

« E pensare che non era neanche per questa notte » disse Antonio. « Si doveva fare il colpo lunedì o martedì. Invece ieri hanno mandato uno ad avvertirci in fretta e furia. Ci dev'essere qualcosa di sporco sotto. »

« Non vuoi un po' di caffè, Antonio? » disse Carla.

« Sì, va bene il caffè » disse Antonio.

Giulia si alzò dal suo posto nell'ombra e si diede da fare per il caffè. Nessuno badò a lei, neanche quando il fornello cominciò a soffiare sul pavimento.

Antonio si era messo di nuovo a guardare Daniele. « Eri tu che tenevi i conti, non è vero? »

« Sì. »

« Vuoi mostrarmi il libro? Devo sapere quello che c'è adesso. »

Daniele si alzò per andare a prendere il quaderno dei conti, che era nella camera di Carla. Tornando portò anche il portafogli di Tullio e lo depose sulla tavola, di fronte a Carla. « Mi ha lasciato questo, prima di partire » disse.

Senza dir nulla, Carla spinse il portafogli verso Antonio.

« Questo lo guarderemo dopo » disse Antonio. Avvicinò il

lume e cominciò a sfogliare il quaderno dei conti dalle prime pagine, che erano tutte piene di numeri, ancora quelli segnati da Tullio. Si mise a studiarli, ma presto si stancò e saltò alle ultime pagine. « Qui c'è tutto quello che abbiamo adesso, non è vero? » domandò verso Daniele.

« Se vuoi ti spiego tutto » disse Daniele.

« Non importa, si capisce benissimo » disse Antonio.

Continuò a studiare le ultime pagine con un'aria attenta, fino a che Giulia venne a posare sulla tavola le tazze del caffè. Allora chiuse il quaderno e se lo mise in tasca. « Devo tenerlo io, adesso » disse.

Ciascuno prese la sua tazza di caffè. Antonio bevve in fretta, poi prese il portafogli di Tullio e lo vuotò completamente. Sulla tavola divise le carte dal denaro e contò il denaro. Erano quasi cinquantamila lire. « Non aveva altri soldi in casa? » domandò.

« No, » disse Carla « aveva tutto in tasca. »

« C'è scritto sul quaderno tutto quello che doveva avere » disse Daniele.

« Sicuro » disse Antonio, ma non guardò il quaderno. Cominciò ad esaminare le carte, attentamente una per una. Si vedeva che era molto stanco. Tutti gli altri stavano in silenzio. La piccola Maria si era addormentata con la testa sulla tavola.

Poi, quando ebbe finito, Antonio rimise ogni cosa nel portafogli, eccetto un biglietto che passò a Carla. Carla guardò il biglietto, ed ebbe un sorriso sfumato. Tenne il biglietto davanti a sé, piegato sulla tavola.

« Continuerai a lavorare con noi, Carla? » domandò Antonio.

Carla scosse la testa. « Lo facevo per Tullio. »

« Bene » disse Antonio semplicemente.

« Capisci... » cominciò a dire Carla.

Antonio la interruppe subito: « Non importa, Carla ».

« Voglio essere libera » disse Carla. « A voi il vostro mestiere, e a me il mio. Non mi piace vivere sempre con la paura di andare a finir dentro. »

« Sicuro » disse Antonio, e si alzò, e insieme a lui si alzò Marco.

« Aspetta, bevi ancora un po' di caffè. »

Antonio aspettò, ma non si sedette. « È una cosa seria questa volta, Carla » disse. « Finora non c'è niente, ma se la polizia dovesse cominciare a prendere qualcuno di noi, è meglio che cambiate subito posto. »

« Va bene. »

« Io cercherò di fartelo sapere prima, se c'è qualche cosa » disse Antonio. « Intanto non bisogna parlarne in giro, e non bisogna neanche farsi veder molto in giro. Ho parlato al calzolaio ed è d'accordo per tacere. Anche lui ha il suo interesse. »

Venne Giulia a distribuire il caffè, e Antonio lo bevette in piedi. Poi prese in mano il portafogli di Tullio, che era rimasto sulla tavola. « Quanto ai soldi, ce ne sono degli altri in giro » disse. « Ognuno di noi ne ha una parte in consegna. E poi c'è il materiale, che conta più di tutto. Tu avrai la tua parte, adesso che non vuoi stare più con noi. E la madre di Andrea avrà la parte di Andrea. La parte di Tullio resterà invece nel fondo comune, così avevamo deciso nei patti. Solo ci vorrà un po' di tempo prima di fare i conti. »

« È scritto tutto nel quaderno » disse Daniele.

« Sì, » disse Antonio « però ci vorrà lo stesso un po' di tempo. »

« Si capisce » disse Carla.

« Penso che ce l'avrete qualcosa per vivere, intanto » disse Antonio.

« Sì, » disse Carla « tireremo avanti. »

Antonio si mise il portafogli nella tasca dove aveva messo il quaderno. « Naturalmente, Carla, » disse « se avrai bisogno, anche in seguito, noi saremo pronti ad aiutarti, per quel che potremo. E anche se vorrai lavorare con noi, saremo sempre contenti di prenderti. »

« Grazie, » disse Carla « ma non credo che sia il caso. »

Antonio fece qualche passo in direzione della porta, poi si fermò, e stette come se pensasse di dire qualcosa d'importante.

Era molto stanco. Disse solamente: « Buona notte, allora » e se ne andò.

Anche Marco prima di andarsene con lui disse solamente: « Buona notte ».

Gli altri rimasero soli e in silenzio, la bambina addormentata sulla tavola, Carla e Daniele seduti vicini, Giulia seduta nell'ombra, com'era stata tutta la sera, ed era come se non ci fosse in quella stanza. E ciascuno forse nella sua mente ricordava Tullio, com'era stato nella sua vita, e lo pensava come doveva essere adesso, nella cella mortuaria, pieno di buchi nella pancia. Facevano presto a far buchi con quei mitra e ora bisognava fare i conti per la sua morte, i conti dei soldi e della roba.

« Carla? » domandò Daniele. « Ho fatto male a portare il portafogli? »

« No, » disse Carla « non hai fatto male. »

« Credo che Tullio l'avrebbe fatto, al mio posto » disse Daniele.

« Sì » disse Carla. Prese il biglietto dalla tavola, lo spiegò e lo lesse, e sorrise mestamente. Era un piccolo biglietto, strappato da un foglio di quaderno. Poi lo ripiegò e se lo mise in tasca, e il sorriso mesto durò per molto tempo sulla sua bocca.

« Carla? » disse Daniele.

« Cosa? »

Ma Daniele non trovò niente che si potesse dire. E allora Carla gli prese una mano e l'attirò davanti a sé, e cominciò a passarvi sopra le dita, e mentre faceva ciò la sua mente non era in quel che faceva, ma in qualche altro pensiero che non si poteva indovinare. E infine essa lasciò la mano di Daniele. « Forse è tardi, » disse « ci conviene andare a dormire. »

E Daniele domandò: « Come pensi che sarà Antonio, Carla? ».

« Una volta era un bravo ragazzo » disse Carla. « Lo è ancora, di sicuro. »

« Non sarà mai come Tullio » disse Daniele.

Carla piegò la testa. « Nessuno sarà mai come Tullio » disse. E dopo un poco di silenzio si levò in piedi e disse ancora: « Ci conviene andare a dormire ».

Ma non si mosse, perché parve accorgersi solo allora della bambina che dormiva con la testa sulla tavola.

« Giulia? » chiamò sottovoce.

« Sì » rispose Giulia dall'ombra.

« Pensi che sia bene farle mangiare qualcosa prima di metterla a letto? » domandò Carla.

« Non importa » disse Giulia. « Ormai è addormentata. »

« Sì » disse Carla, e si avvicinò alla bambina e piano piano la sollevò, e poi andò via con lei sulle braccia, per portarla alla sua casa. Come tante volte aveva fatto Tullio.

E Giulia disse: « Bisognerà andare a prender l'acqua questa sera ».

« Sì » disse Daniele. « Adesso andiamo. »

Stando sull'ingresso, Daniele vide l'uomo venire sul sentiero attraverso le rovine. Era un uomo con un vecchio vestito e un vecchio cappello. Veniva avanti guardando per terra, ma ogni due o tre passi alzava gli occhi verso la casa.

L'uomo era già vicino quando Daniele improvvisamente pensò che non poteva venire che da loro. Allora corse da Carla per dirle che c'era un uomo che veniva.

Carla stava distesa sul suo letto, senza far niente. « Che uomo? » domandò.

« Non so, è uno che non ho mai visto prima. »

Carla si alzò dal letto e corse fino alla porta della stanza e subito si ritrasse. « Siediti sul letto, Daniele » disse in fretta. « E non andar via di qui. E non parlare. »

Quando l'uomo apparve sulla soglia, Carla era seduta sulla sedia di fronte al suo tavolino, e si limava le unghie. Aveva un'apparenza calma.

L'uomo entrò senza togliersi il cappello, e si fermò vicino a Carla, brontolando un saluto. Carla alzò per un attimo la testa. « Salve » disse, e subito riprese a limarsi le unghie.

L'uomo guardò verso Daniele. « È uno dei ragazzi? » domandò.

« No, » disse Carla « è un mio amico. »

« Ah » fece l'uomo con ironia, e venne dritto verso Daniele e si sedette sul letto accanto a lui. Con due dita spinse un po' indietro il cappello. « Buon giorno » disse.

Daniele fece per alzarsi, ma poi rimase seduto, benché l'uomo si fosse messo troppo vicino. « Buon giorno » disse a sua volta.

L'uomo aveva gli occhi arrossati e la barba lunga e i suoi vestiti puzzavano di sudiciume. Adesso che aveva spinto all'indietro il cappello, si vedeva che era calvo, almeno sulla fronte. Portava un paio di scarpe militari chiodate, quasi nuove. « Niente da bere? » domandò.

Non si capiva bene a chi avesse fatto la domanda, se a Carla o a Daniele. Ad ogni modo nessuno gli rispose. Carla stava voltata verso il tavolino, e si poteva vedere solo la sua schiena, e i capelli della testa abbassata.

« Ehi, Carla » disse l'uomo. « C'è niente da bere? »

« No » disse Carla. « Cosa sei venuto a fare? »

« Dammi una sigaretta, almeno » disse l'uomo.

Carla prese delle sigarette da una borsetta che stava sopra il tavolino e le buttò verso l'uomo. Il pacchetto cadde vicino al letto e l'uomo si chinò per raccoglierlo. Nonostante tutto, pareva soddisfatto. Carla era rimasta girata sulla sedia, dopo aver buttato il pacchetto, ma non guardava.

L'uomo strofinò un fiammifero sul pavimento per accendere. Subito fece una bocca disgustata. « Non dovresti tenere le sigarette nella borsetta. Prendono odore di profumo. È un peccato, sigarette così buone. »

« Cosa sei venuto a fare? » domandò Carla.

« Cristo, » disse l'uomo « non è questo il modo di ricevere la gente. Non sono ancora arrivato, e già vorresti mandarmi via. »

« Cosa sei venuto a fare? » domandò Carla, sempre con lo stesso tono di voce.

« Oh, un saluto » disse l'uomo. « Solo un saluto. Non c'è Giulia? »

« È fuori. »

« Bene » disse l'uomo. « Da una parte son contento che sia fuori. Perché vuol dire che sta bene, se è fuori, e allora son contento. Ti ricordi quante preoccupazioni abbiamo avuto per la sua salute? E invece adesso sta bene. »

Carla non si limava più le unghie, solo si guardava le mani che stavano oziose nel grembo. E Daniele non sapeva cosa fare, seduto accanto all'uomo che puzzava.

« Scommetto che si è anche sviluppata » disse l'uomo. « L'ultima volta che l'ho vista era sempre pelle e ossa, ma ormai è parecchio tempo che non la vedo. Stentava a venir fuori, povera piccola. È una disgrazia quando una ragazza stenta a venir fuori. Vuoi mettere quanto vive meglio una ragazza che è sviluppata? Proprio un'altra vita. Una ragazza come Giulia potrebbe benissimo far la signora, adesso che è sviluppata. »

L'uomo fece una pausa per fumare, e Carla domandò di nuovo: « Cosa sei venuto a fare? ».

L'uomo continuò a fumare in silenzio fino a che non ebbe finita la sigaretta. Poi tentò di buttare il mozzicone fuori dalla finestra, ma non ci riuscì, e il mozzicone cadde sul pavimento. Carla si era messa a guardare l'uomo, aspettando.

« Perché non mandi fuori questo giovanotto, Carla? » disse l'uomo. « È un peccato tenerlo qua dentro, con una bella giornata così. »

« È un mio amico » disse Carla. « Puoi parlare come vuoi. »

Invece di parlare, l'uomo si mise a fissare il mozzicone sul pavimento. Un filo azzurro saliva quasi diritto lungo il muro, fino all'altezza della finestra, poi si disperdeva per un po' d'aria che entrava dalla finestra aperta.

Daniele stava con la testa bassa, immobile. Prima aveva osato dare qualche occhiata verso Carla, ma ora non alzava più gli occhi.

« Parla, fa presto » disse Carla.

Allora l'uomo disse: « Ho saputo di Tullio, povero ragazzo. È stato proprio un peccato ».

« Come l'hai saputo? »

« Oh, » fece l'uomo « prima o dopo si viene a sapere tutto. Di Tullio l'ho saputo quasi subito, povero ragazzo. Ma ho aspettato qualche giorno a venire, per trovarti più calma. Adesso sei abbastanza calma, mi pare. È meglio essere calmi, quando si deve parlar d'affari. »

« Cosa vuoi, allora? »

« Ecco » disse l'uomo. « Ho pensato a te, durante tutti questi giorni. In fin dei conti è mio dovere pensare a te, non è vero? Bene, ho pensato e mi sono detto: Carla si è fatta grande, ormai, ed è rimasta sola, e allora è giusto che mi preoccupi per la sua sistemazione. Vedi, quando uno è giovane, non pensa mai a sistemarsi. Gli pare che dovrà essere sempre giovane, chi sa per quanto tempo ancora. Invece gli anni passano, e alla fine uno si trova vecchio senza aver combinato niente, e allora è troppo tardi per rimediare. Bisogna pensarci adesso, fin che si è in tempo. Così io avrei pensato qualche cosa per il tuo bene. Alla mia età si ha una maggiore esperienza della vita, e si vede meglio quello che è conveniente fare. »

L'uomo si fermò un momento aspettando qualche segno da Carla. Ed essa disse: « È inutile che tu vada avanti, tanto farò di testa mia lo stesso ».

« Aspetta » disse l'uomo. « Lascia che ti spieghi, prima. È un buon affare, capirai anche tu che è un buon affare. »

« So già di che si tratta. Inutile parlare. »

Lo sguardo dell'uomo si fece cattivo. « Ma non vorrai mica passare la tua vita con questi ragazzini? » disse.

« Farò quello che voglio » disse Carla. « Lo sai bene che farò quello che voglio. »

L'uomo accese un'altra sigaretta e si mise a fumare. « Bene, » disse « allora sistemeremo la questione da un altro punto di vista. Io avevo degli affari con Tullio, e adesso tutto è andato a monte. Te l'aveva detto, non è vero, che avevamo degli affari insieme? »

« No » disse Carla.

« Che tipo di ragazzo » disse l'uomo ironicamente. « Bene, avevamo degli affari insieme. Era uno che capiva le cose, e ci siamo messi d'accordo subito. "In fin dei conti" gli ho detto "qualche diritto ce l'ho anch'io", e lui ha capito subito. Così mi passava qualche cosa per l'affitto e per il resto. Era conveniente per tutti e due. »

« Quanto vuoi? » domandò Carla.

« Oh, non molto » disse l'uomo. « Si trattava sempre di piccole cose. Sigarette, roba da mangiare, qualche bottiglia americana. Magari anche vestiti o biancheria. È roba che si scambia facilmente, di questi tempi. Ma niente soldi. Non so cosa farmene io, dei soldi. »

Carla tacque per molto tempo, senza mai guardare l'uomo. L'uomo finì la sigaretta e buttò il mozzicone verso la finestra, senza neanche tentare di mandarlo fuori. « E allora? » domandò.

« Non ho niente, adesso » disse Carla.

« Come, niente. Non vorrai dirmi che Tullio non ha lasciato niente. Era pieno di roba. »

« Non tocca a me quella roba » disse Carla. « Eran d'accordo che sarebbe rimasta a loro. Tullio me l'aveva detto che sarebbe rimasta a loro. »

L'uomo si agitò. « È una carognata » disse. « Non gliel'hai detto che è una carognata? Tu sei quella che ha più diritto di tutti. »

Carla alzò le spalle, invece di rispondere.

« Bisognerebbe protestare » disse l'uomo. « M'incaricherò io di protestare. Bisogna pur che sputino qualche cosa. »

« Lasciali in pace » disse Carla.

« Perché dovrei lasciarli in pace? Non è giusto quello che fanno. Credi che non sappia come fargli sputare la parte che ti spetta? »

« Non ti conviene immischiarti nelle loro faccende » disse Carla. « E poi, io son d'accordo con loro. Cosa credi di poter fare allora? »

« Sputeranno » disse l'uomo con ira.

Ci fu silenzio, per qualche tempo. L'uomo accese un'altra sigaretta. Fumava a rapide boccate, nervosamente.

« Senti, » disse ad un tratto Carla « lascia che finisca questo mese, e poi mi metterò a lavorare di nuovo. Allora ti passerò io qualche cosa. Forse non potrò darti quanto ti dava Tullio, ma ti darò quanto basta. Verrò a trovarti uno di questi giorni, e ci metteremo d'accordo. »

« Sei una stupida a rinunciare a quello che ti spetta » disse l'uomo. « Son tutte carogne quei ragazzi. »

« Tu non pensare a loro » disse Carla. « E non interessarti neanche dei fatti miei. Ti darò quanto basta, ma lasciami in pace. »

L'uomo fece un suono che non si capiva cosa volesse significare. Tuttavia la sua ira stava passando.

« E non devi venire più in questa casa » disse Carla. « La polizia sta ancora cercando sul conto di Tullio. Non devi venire qui. »

« Oh, la polizia » disse l'uomo, e avendo finita la sigaretta gettò il mozzicone sul pavimento, verso la finestra.

« Puoi andartene, adesso » disse Carla.

L'uomo aspettò ancora del tempo senza parlare, poi si alzò e disse verso Carla: « Bene, ci rivedremo presto, allora ».

Carla fece solo un segno con la testa, e l'uomo arrivò fino alla porta, quindi si voltò indietro, guardando Daniele con un sorriso cattivo. « Buon giorno, giovanotto » disse. E se ne andò, e si udì il suo passo nel corridoio, fino all'uscita.

E Daniele stette seduto sul letto, e guardò sempre i mozziconi che l'uomo aveva gettato sul pavimento. L'ultimo era ancora acceso, e il filo di fumo saliva fino alla finestra e si disperdeva. Poi si spense e finì di fumare. Così del tempo era passato, e vi era da fare qualche cosa per Carla. Allora Daniele si alzò e le andò vicino, ed essa rimase con la testa bassa.

Ed egli, non sapendo che altro fare, si sedette sul pavimento davanti a lei, e le prese le mani che stavano nel grembo. Carla abbassò ancor più la testa, per non farsi vedere.

« Carla? »

Carla fece di no con la testa.

« Era tuo padre, Carla? »

Carla fece ancora di no con la testa. « Perché dovrebbe essere mio padre? » disse con una sorta di rabbia. « È uno che stava vicino a noi nella vecchia casa. Mi conosce fin da piccola ».

Daniele non poté dir nulla. Le mani di Carla stavano inerti fra le sue, ed egli avrebbe fatto qualsiasi cosa per lei, e non sapeva cosa fare.

« Non devi dire a Giulia che è venuto quell'uomo » disse Carla.

Daniele disse di no con la testa.

E Carla dopo un poco disse ancora: « Va fuori, adesso, Daniele. Ho voglia di star sola ».

Ma Daniele non si mosse. Posò la testa sui ginocchi di lei e cominciò a piangere per primo.

La stanza aveva una sola finestra, alta dal pavimento, con dei piccoli vetri resi quasi opachi dallo sporco. Sui vetri erano incollate delle strisce di carta senza più colore, incrociate diagonalmente. Avrebbero potuto anche togliere quelle strisce di carta, adesso che la guerra era finita. Al di là dai vetri vi era un'inferriata, e poco oltre l'inferriata si scorgeva qualcosa di grigio, che doveva essere un muro. Attraverso la finestra veniva una luce scarsa, a causa della sporcizia sui vetri, delle strisce di carta, e del muro di fronte.

Nella stanza, di fronte alla finestra, vi era una panca lungo la parete. Sulla panca stavano sedute delle donne, strette le une alle altre. Una delle donne era giovane, e aveva un piccolo bambino che le dormiva in braccio. Tutto intorno contro le pareti vi era dell'altra gente, alcuni seduti sul pavimento con la schiena al muro.

La stanza aveva due porte, e una serviva per entrare dalle scale, e l'altra per passare nell'ufficio del funzionario, che era l'ufficio sussidi. Così era scritto sulla porta. La gente aspettava appunto per parlare al funzionario dell'ufficio sussidi. Si trattava di gente miserabile, che andava a chiedere un sussidio come elemosina, o come un diritto per qualcuno lontano, morto, o anche solo sparito nella confusione della guerra.

La stanza era piena di un cattivo odore, di sudiciume. Ogni giorno, per molte ore, in quella stanza aspettava della gente vestita di cenci sudici, che avevano quel cattivo odore che si sentiva. Quando la gente se ne andava, un poco del loro odore rimaneva nella stanza. Così a poco a poco il cattivo odore della gente miserabile era passato nella panca, nelle pareti, nel pavimento, e non andava più via.

Quando furono le tre del pomeriggio nella stanza cominciò a far buio. La gente parlava poco, e sottovoce, ciascuno appena col suo vicino.

Alle tre e mezzo, dalla porta dell'ufficio sussidi uscì un uomo che era entrato molto tempo prima. Tutti alzarono la testa verso di lui. Benché sembrassero così stanchi e assorti, stavano bene attenti a quello che accadeva.

L'uomo si diresse alla porta delle scale, un poco rigidamente, senza guardar nessuno. Solo quando egli fu vicino alla porta, uno di quelli che stavano seduti in giro domandò: « Com'è andata? ».

L'uomo rispose bestemmiando e sbatté forte la porta nell'uscire. Poi tutto tornò tranquillo come prima.

Verso le quattro l'usciere si fece sulla porta dell'ufficio e disse: « Avanti un altro ».

Una donna magra emerse da un angolo e si avviò alla porta. Anche Daniele venne avanti, perché voleva parlare all'usciere, ma l'usciere gli fece un cenno con la mano e si affrettò a richiudere la porta dietro alla donna magra. Daniele tornò a sedersi al suo posto, vergognosamente. Per un certo tempo, nella stanza tutti s'interessarono a lui.

Dalla finestra entrava sempre meno luce perché il sole girava, fuori, e si abbassava verso il tramonto. Tuttavia la gente ci vedeva ancora bene, essendo abituata alla penombra della stanza. Un vecchio che stava seduto per terra abbracciandosi i ginocchi ebbe un lungo accesso di tosse, alla fine allargò i ginocchi e sputò sul pavimento.

Per qualche tempo ancora non accadde niente. Poi il piccolo bambino che dormiva in braccio alla donna giovane si svegliò e cominciò a piangere. La donna provò a cullarlo nelle braccia, ma il piccolo bambino non smetteva di piangere.

« Bisognerebbe che non piangesse » disse qualcuno.

Allora la donna scoperse il seno e il bambino si attaccò avidamente ad una mammella, appoggiandosi con le piccole mani. Per qualche istante ci fu silenzio, poi il bambino si staccò, ma prima che si rimettesse a piangere forte la donna gli diede l'altra mammella da sùcchiare. Ancora ci fu silenzio per qualche istante. Poi il bambino si staccò definitivamente dal seno e riprese a piangere. La giovane donna si guardava intorno inquieta. Il pianto del bambino dava a tutti un senso di fastidio.

« Ma che cos'ha? » domandò qualcuno.

« Non ho molto latte » disse la donna giovane. Per quanti sforzi essa facesse, il bambino piangeva sempre.

Allora la porta dell'ufficio si riaprì bruscamente, e l'usciere riapparve. Si vide anche la donna magra che era entrata mezz'ora prima. Appoggiata allo spigolo interno della porta, aspettava per parlare al funzionario.

« Portatelo fuori » gridò l'usciere. « Credete di essere in casa vostra? »

La giovane donna si alzò e andò a sedersi sulla scala.

Uno disse: « Si son divertite con tutti i militari di passaggio, e adesso vengono a chiedere sussidi ».

« Ah, è una di quelle? » domandò una vecchia.

« Una delle tante » disse l'uomo che aveva parlato prima. « Portano via i sussidi a chi se li merita. »

Dalla scala il pianto del bambino arrivava solo fino alla gente che aspettava, e non passava la porta dell'ufficio. Tuttavia anche la gente si sentì meno a disagio perché il piccolo era fuori, e non li riguardava più direttamente.

Verso le cinque l'usciere si fece di nuovo sulla porta dell'ufficio, e alla gente che lo guardava disse: « Per oggi basta. Tornate domattina alle nove ».

Daniele questa volta raggiunse l'usciere prima che potesse chiudere la porta. « Glielo avete detto? » domandò.

« Sì. »

« E lui cos'ha detto? »

« Niente » disse l'usciere.

« Non è possibile, niente. »

L'usciere sbuffò forte. « Senti, ragazzo, » disse « levati dai piedi. Se vuoi torna domattina alle nove. »

Daniele passò mortificato in mezzo alla gente. Nessuno se n'era andato ancora dalla stanza, forse per la curiosità di quello che sarebbe accaduto, forse perché non avevano grande necessità di andare altrove.

Nella strada il sole arrivava obliquamente dalla spaccatura dei tetti, e l'aria era tepida. Daniele fece qualche passo sotto il peso di non saper che fare. Era difficile vivere, troppo difficile e triste, se a niente serviva la buona volontà. Non poteva tornare a casa anche oggi così, senza aver tentato nulla. Allora si diresse verso la piazza, dove l'edificio aveva l'ingresso principale, quello che serviva per i funzionari. Gli avrebbe parlato ad ogni costo. Appoggiato ad un pilastro del portico aspettò fino a che non lo vide apparire. E gli andò incontro.

Era un signore anziano, abbastanza ben vestito. Fece un gesto di fastidio professionale, appena vide il ragazzo. « Domani » disse. « Domani in ufficio. »

« Ma ho aspettato tutt'oggi per parlarvi » disse Daniele.

Il signore allargò le braccia. « Troppo lavoro. Bisognerebbe farsi in quattro per ascoltare tutti. »

Egli si mosse per andare, e Daniele gli tenne dietro. « Voi dovete ascoltarmi » disse. « Non vi ricordate di me? Siete stato tante volte a casa nostra. »

Il signore guardò Daniele con aumentato interesse. « Cer-

va più alzato gli occhi dalla tavola. Anche Carla non disse più nulla.

Giulia finì di lavare i piatti.

« Giulia, » disse Carla « porta a casa tu la piccola, questa sera. »

« Vuoi che accenda il lume, prima? »

« No, non importa. Meglio stare con le finestre aperte. »

Giulia prese per mano la bambina e uscì.

Nella cucina la luce era più scarsa. Si sentivano dei grilli cantare fuori, in mezzo alle rovine. Attraverso la finestra Carla guardava il crepuscolo, e il suo viso appariva pallido per il riflesso di quella luce. « Dove sei stato oggi? » domandò.

Daniele era ostinato, e non rispose.

« Non possiamo andare avanti insieme, se fai così » disse Carla.

« E come posso fare? »

« Non devi essere ostinato. Cos'hai fatto, oggi? »

Daniele rispose dopo qualche tempo. « Sono stato da un amico di mio padre » disse. « È l'unico che ha ancora il suo posto. Credevo che mi avrebbe aiutato, perché veniva sempre a casa nostra. Avrebbe potuto aiutarmi. »

« Cosa ti ha detto? » domandò Carla.

« Vuole che vada dai miei parenti a Roma. Dice che la gente come me non deve stare in giro per la città. Aumenta la confusione. Dice che ce n'è troppa di confusione. »

Ci fu qualche istante di silenzio, poi Carla domandò: « Andrai a Roma? ».

« No. »

Ancora ci fu silenzio. Qualcosa doveva essere nella mente di Carla, che la faceva pensare. Quindi essa disse: « Forse è meglio se tu vai a Roma, Daniele. Questo mondo non è fatto per te. Tu sei troppo ostinato nelle tue idee, e allora è inutile, non c'è niente da fare. È come battere la testa contro il muro ».

« Tu saresti contenta se andassi via? »

« Non è questo » disse Carla. « Dovresti capirmi. Ci sono delle persone che non possono trovar posto in un mondo come il nostro. Non è neanche colpa loro, anzi sono meglio di noi. Ma qui si tratta solo di forti e di deboli. Tu non sei proprio debole, Daniele. Hai le tue idee, e sei ostinato nelle tue idee. Ma non è il genere di forza che ci vuole per arrangiarsi in un mondo come il nostro. »

Daniele non disse nulla.

« Cosa farà adesso quell'uomo? » domandò Carla.

« Non so » disse Daniele. « Ha detto che scriverà a Roma. Da principio voleva consegnarmi subito alla polizia perché mi mandassero a Roma, ma poi l'ho convinto a scrivere. »

« Allora verranno a prenderti? »

« No » disse Daniele. « Gli ho dato un indirizzo falso. »

« Avresti dovuto capirlo prima che era inutile andare da lui » disse Carla. « E hai fatto male ad andarci. Adesso si metterà in testa di cercarti, e se ti trova ci cacciano via tutti da questo posto. E c'è ancora in giro la faccenda di Tullio. »

« Non mi cercherà. Per tutto il tempo che sono stato con lui non vedeva l'ora che me ne andassi. Non ha nessuna voglia di pensare a me. Forse si è già dimenticato. »

« Sarà meglio che tu resti nascosto per qualche tempo » disse Carla.

Nella cucina era buio ormai. Il colore del cielo si era fatto scuro anche verso ponente. Daniele era ancor più avvilito, adesso che aveva compreso di aver sbagliato. Ma era anche più ostinato. Gli era venuto un pensiero fisso nella testa. Bisognava dirlo, prima che tornasse Giulia, e fosse poi più difficile dirlo. « Se non troverò lavoro me ne andrò via. »

« A Roma? »

« No, non a Roma » disse Daniele. « In giro, non so dove. »

Carla tese un braccio sulla tavola, fino a prendergli una mano. « Non devi metterti in testa queste idee. Non c'è niente da fare, in giro. Tutti i posti sono come questo, dovunque tu vada. Resta qui con noi. Intanto i tempi diventeranno migliori, non potrà essere sempre come adesso. E allora troverai un lavoro adatto a te. Ma per il momento non occorre. Quello che guadagno io basta per tutti. Per me è meno difficile guadagnare. »

« Se non troverò lavoro andrò via » disse di nuovo Daniele.

Allora Carla ritirò la sua mano, e la sua voce si fece aspra e amara. « È per il mestiere che faccio, non è vero? » domandò, e aspettò alquanto la risposta. Poi disse ancora: « Perché non rispondi? ».

« Non so » disse Daniele. « Qualche volta ci ho pensato, ma non saprei dire, non è proprio per quello. Prima c'era Tullio, e lui pensava a voi. E adesso ci sono io e dovrei lavorare e procurarvi io quello che serve per vivere. Invece non son capace di nulla, e allora è meglio se me ne vado via. Così almeno non sarò di peso. »

« Non sei di peso » disse Carla. « Quello che c'è basta. E anche se non bastasse non avrebbe importanza. Qualche volta potrà mancare, e allora mancherà per tutti, ma almeno staremo insieme. Io voglio che resti con noi, e anche Giulia lo vuole. Noi si farebbe qualsiasi cosa per te, perché ti vogliamo bene. E non devi andar via. Promettimi che non andrai via. »

« Andrò via se non troverò lavoro » disse Daniele.

Allora Carla si alzò, e non si poteva vedere il suo viso, ma la sua voce fu amara. « Bene » disse. « È per il mio mestiere, lo so. Del resto, è solo in questa maniera che tu puoi pensare. Ma non me ne importa molto, sai. Puoi fare quello che ti pare meglio. » E subito uscì dalla cucina.

XII

In alto, sopra la porta, vi era una targa di legno con scritto IV B, e il soldato, di nome Bill, stava seduto sul gradino superiore della porta, che aveva tre gradini di pietra. Di là egli guardava verso la piazza. Era una piccola piazza solitaria, di forma irregolare, limitata intorno da case e portici e da un alto muro di mattoni. Dal suo posto, il soldato Bill poteva vedere solo la parte della piazza chiusa dal muro di mattoni.

Il soldato era malinconico. Stava seduto sull'ingresso dell'aula IV B, a molte migliaia di miglia dal luogo dove avrebbe voluto essere. Al suo paese era finita la stagione dei venti, ora, e la prateria si era fatta verde, e anche gli alberi intorno alle fattorie si erano fatti verdi. Nella piazza non vi era niente che potesse ricordare ciò. E neppure nel cortile della scuola. Qua e là era cresciuta dell'erba, specialmente vicino al muro, ma non somigliava all'erba del suo paese. Fino all'infinito la prateria appariva coperta di erba verde, alta come le gambe di un cavallo.

Un basso muretto con due pilastri divideva il cortile della

scuola dalla piazza. Un tempo vi era stata un'inferriata sul muretto, e un cancello fra i due pilastri, ma poi li avevano portati via. Adesso, fra i due pilastri, vi era il soldato Joe che faceva il suo turno di guardia rivolto verso la piazza, con un moschetto mitragliatore in mano. E poco lontano da lui stava un gruppo di gente. Erano circa trenta persone in tutto, ma continuamente ne arrivavano delle altre, e si mettevano sedute vicino all'alto muro di mattoni. Doveva esserci una specie di ordine fra quelle persone, perché quando un nuovo arrivato tentava di prendere un posto che non era il suo, gli altri protestavano e lo costringevano a mettersi all'estremità più lontana del gruppo. Il caldo sole di maggio batteva sulle persone sedute. Il soldato Bill invece si trovava all'ombra, perché il sole era già inclinato verso il tramonto, dietro l'edificio della scuola.

Il soldato Bill s'interessava anche a quel gruppo di persone. Aveva anzi voglia di parlarne con qualcuno, benché ormai sapesse bene cosa voleva quella gente. Ma non c'era nessuno con cui parlarne. Il soldato Luke, seduto sul posto più basso dei gradini di pietra, non aveva voglia di parlare. Era già troppo seccato per le domande che Bill gli aveva fatto prima, o per qualche altro motivo, e non voleva parlare. Stava seduto con il corpo piegato in avanti, in compagnia dei suoi pensieri.

Arrivò l'autobotte che portava l'acqua. L'autista negro si sporse dal finestrino, e Joe si tirò da una parte e fece segno di passare. La macchina andò in fondo al cortile, nell'angolo dove avevano sistemato la cucina. Tutto il cortile era cintato da un alto muro di mattoni, simile a quello che Bill poteva vedere nella piazza. Vi erano anche dei piccoli alberi piantati in fila a poca distanza dal muro, con delle foglie verde chiaro. Le foglie di quelli più vicini alla cucina erano appassite per il calore e per il fumo.

L'autobotte aveva cominciato a scaricare acqua dentro dei fusti da benzina. Alcuni soldati vennero dall'altra parte del cortile a prendere acqua con i bidoni. Gli altri uomini del reparto stavano riposando dentro l'edificio della scuola. Non si sentiva molto rumore. Neanche la gente che aspettava fuori nella piazza faceva molto rumore, eccetto quando qualcuno nuovo arrivato si ostinava a prendere un posto che non era il suo.

Ad un certo punto il soldato Luke si alzò e senza parlare passò accanto a Bill, per entrare nell'aula IV B. Doveva armarsi, perché era arrivato il suo turno di guardia. Il caporale che dormiva su di uno strato di paglia si mosse al rumore che egli fece, ma non si svegliò del tutto.

Luke andò a dare il cambio a Joe, e parve più piccolo fra i due pilastri, con l'elmetto troppo grande, che gli copriva anche il collo. Il gruppo di gente era adesso di una cinquantina di persone.

Bill aspettò che Joe venisse vicino, poi domandò: « Cos'è quella gente, Joe? ».

« Figli di puttane » rispose Joe, ed entrò nell'aula IV B per depositare l'arma e l'elmetto. Anch'egli fece un po' di rumore, e il caporale si svegliò completamente e venne sulla porta intontito, col viso segnato dal sonno. Vide l'autobotte ferma presso la cucina. Allora prese un bidone e andò a riempirlo, poi si lavò la faccia nel cortile, servendosi dell'elmetto come catino.

Joe era venuto fuori a sedersi su di un gradino. Appariva annoiato, coi capelli appiccicati per il sudore e un segno rosso sulla fronte, dove gli arrivava l'elmetto. Quando il caporale ebbe finito di lavarsi, anch'egli si lavò la faccia nell'elmetto, quindi di nuovo entrò nell'aula. L'autobotte se ne andò lasciando per terra una larga chiazza di bagnato. L'autista negro agitò una mano nel passare, e Bill gli rispose. L'ombra dell'edificio scolastico si allungava sul terreno, avvicinandosi alla gente che aspettava presso il muro di mattoni. Luke era ormai tutto nell'ombra.

Il caporale si sedette sul gradino di mezzo e guardò verso la gente che aspettava. Erano più di cinquanta, ormai. Ciascuno aveva in mano un barattolo con cui prendere il cibo.

Bill studiò la faccia del caporale. Era una faccia indifferente, ma egli aveva voglia di parlare. « I primi sono là da tre ore » disse. « Ero ancora di guardia io, quando arrivarono i primi. »

Il caporale e Bill guardavano il gruppo di persone nella piazza. Potevano essere settanta o ottanta, adesso, e l'ombra dell'edificio scolastico sempre più si allungava verso di loro.

« Ma quando ci manderanno a casa? » disse Bill.

« Non pensarci. È peggio, se ci si pensa. »

« Si dovrebbe andare, adesso che è finita » disse Bill. « Perché non ci fanno andare? »

« Non serve a niente pensarci » disse il caporale.

L'ombra dell'edificio scolastico si allungava verso la gente.

Poi si produsse un certo movimento dalle parti della cucina. Il sergente si mise il fischietto tra le labbra e andò girando a fischiare nell'altra parte del cortile, fin dentro l'edificio scolastico. I cucinieri tolsero le marmitte dal fuoco e le allinearono nel cortile.

Si produsse un certo movimento tra la gente nella piazza. Molti si alzarono in piedi per vedere meglio quello che accadeva dentro il cortile, e tutti divennero un po' irrequieti. Saranno state più di cento persone, ormai.

« Vatti a prendere da mangiare, Bill » disse il caporale. « È tempo di dare il cambio a Luke. »

Bill andò a prendere il cibo con la gamella e la tazza. Si mise a mangiare seduto sullo scalino, e non guardò più la gente. Da quella gente molti occhi si fissarono su di lui che mangiava. Calcolavano ogni boccone che si metteva in bocca.

« Vado anch'io a prendere da mangiare » disse il caporale alzandosi. Si alzò pure Joe, con la sua faccia annoiata, e andò assieme al caporale.

Soldati cominciarono a venire dall'altra parte del cortile, e passarono davanti alle marmitte tendendo le gamelle. Tra la gente che aspettava altri si alzarono da terra, e tutti insieme presero a muoversi verso il muretto, quasi impercettibilmente. Allora Luke si piantò sulle gambe larghe e gridò: « Ehi, fatevi indietro! ».

La gente non capì ciò che il soldato aveva detto. Essi parlavano in altro modo. Si fermarono, tuttavia, perché era chiaro quello che il soldato voleva. Ma non tornarono indietro. Un uomo disse: « Non facciamo niente. Vogliamo soltanto vedere ».

Il soldato non capì ciò che l'uomo aveva detto. Strinse il calcio del moschetto sotto l'ascella e puntò la canna contro la gente. « Via, indietro » gridò.

Gli occhi di ciascuna di quelle persone erano pieni di spavento, ma tutti insieme avevano coraggio. Retrocessero di due passi, e rimasero in piedi per vedere i soldati che passavano davanti alle marmitte prendendo cibo.

Il caporale e Bill e Joe masticavano lenti, e non perdevano d'occhio la gente, poiché avevano sentito Luke gridare. Erano andati a prendere le armi e le tenevano a portata di mano.

Il caporale guardava, ma non disse nulla.

In mezzo alle marmitte, il sergente di cucina sorvegliava la distribuzione del cibo. Si chiamava Appiano, ed era di Jamaica, N. Y. Accanto a lui venne ad un certo momento l'ufficiale che comandava il reparto alloggiato nella scuola. I soldati avevano quasi finito di prendere il cibo, e arrivava solo qualcuno che era in ritardo. E altri che avevano già mangiato venivano a versare nella marmitta dei rifiuti ciò che non avevano avuto voglia di mangiare.

« Quella gente aspetta qualche cosa » disse il sergente.

L'ufficiale aveva visto quella gente. Saranno state forse duecento persone, ora, raggruppate lungo il muro e Luke le teneva a distanza col moschetto puntato. « Che aspettino » disse.

« Ma dopo, possiamo dare loro quello che avanza? » domandò il sergente.

L'ufficiale pareva indeciso. « Se lo facciamo oggi, » disse « domani avremo qui davanti tutti i maledetti pezzenti di questa maledetta città. »

Il sergente tacque fino a quando l'ufficiale fu sul punto di andarsene. Allora domandò: « Possiamo dare loro quello che avanza? ».

L'ufficiale sostò, ancora indeciso. Poi disse: « Non voglio confusione. E soprattutto dite a quella gente che non torni, domani. Non voglio avere davanti agli alloggi questi maledetti pezzenti ».

« Va bene » disse il sergente.

Quand'ebbe finito di mangiare, Bill si armò e andò a dare il cambio a Luke. « Sta attento » disse Luke. « In mezzo ci dev'essere qualche sporco bastardo. »

« Va bene » disse Bill. Si piantò sulle gambe allargate, col moschetto mitragliatore sotto l'ascella e puntato verso la folla. L'ombra dell'edificio scolastico aveva raggiunto la gente. Il sole batteva ancora sul muro, dando colore ai vecchi mattoni. La gente in piedi teneva gli occhi fissi sulla cucina, per il desiderio di vedere cosa succedesse laggiù. Tuttavia non succedeva nulla che potesse far sperare un po' di cibo per loro. Bill faceva il suo turno di guardia, ed era tranquillo.

L'edificio scolastico aveva l'ingresso principale sulla piazza. Di lì cominciarono ad uscire i soldati, a piccoli gruppi. Avevano mangiato e andavano verso il centro della città, in cerca di qualche divertimento.

Dal gruppo della gente che aspettava si staccò un ragazzo e andò verso i soldati che uscivano dalla porta principale. Qualcuno lo seguì con lo sguardo, mentre egli andava.

Il ragazzo si avvicinò a un soldato, e il soldato continuò a camminare, come ignorando la sua presenza. Ma il ragazzo continuò a camminare a fianco del soldato, con la mano tesa, e intanto tentava di dire in inglese che lui conosceva una ragazza con la quale il soldato avrebbe potuto divertirsi. Il soldato percorse metà della piazza, poi si staccò e gettò al ragazzo la sigaretta che teneva in bocca. Il ragazzo raccolse la mezza sigaretta e andò incontro a un altro soldato, con la mano tesa e tentando di dire qualche parola in inglese.

Due o tre altre persone si staccarono dal gruppo e andarono verso i soldati per mendicare. Alcuni soldati non diedero nulla. Alcuni diedero denari o sigarette. Allora molta altra gente si staccò dal gruppo per andare sulla porta a mendicare. Quelli che avevano più fede nel cibo che sarebbe venuto, stettero ad aspettare lungo il muro. Oppure qualcosa li tratteneva, perché mendicare denaro o sigarette non era come aspettare il cibo.

L'ombra aveva sorpassato il muro, e solo le case più alte della piazza restavano illuminate dal sole.

Il sergente Appiano fece versare nella marmitta dei rifiuti tutte le diverse qualità di cibo che non erano state distribuite. Alla fine la marmitta risultò piena a metà. Allora con due soldati cucinieri egli portò la marmitta verso i pilastri. La gente, vedendo arrivare la marmitta, non ebbe più paura del moschetto di Bill, e riprese ad avanzare appena percettibilmente.

La marmitta fu deposta a terra, dentro il cortile, e il sergente Appiano salì sul muretto per parlare alla gente. La gente si dispose ad ascoltare.

« Il cibo che io vi distribuirò » disse il sergente « è cibo che vi viene dato dal governo americano. Non basterà per tutti, perché voi siete in troppi. E domani è inutile che voi veniate ad aspettare. Domani non ci sarà niente per nessuno. Adesso io distribuirò il cibo un po' per ciascuno, fin che ce ne sarà. Ma bisogna prima che voi vi mettiate in ordine, perché la distribuzione deve avvenire senza confusione. Fino a che voi non vi sarete messi in ordine, non comincerò a distribuire. »

Ci fu un confuso tentativo della gente per mettersi in ordine. Quelli che si erano allontanati per mendicare tornarono di corsa e si misero a litigare per prendere i loro vecchi posti. Tutti gridavano e spingevano per prendere un posto, perché il cibo non sarebbe bastato per tutti.

Infine venne fuori dal gruppo un uomo che portava un vecchio paio di pantaloni grigioverdi dell'esercito. Urlando e spingendo, egli riuscì a mettere un certo ordine nelle prime file della gente.

Allora il sergente Appiano fece portare la marmitta fuori

dai pilastri, e ci si mise dietro, con un mestolo in mano. Ai suoi lati stavano i due soldati cucinieri. Dietro vi era il soldato Bill, col moschetto puntato e un indefinibile sorriso sul volto. Tutto si svolgeva con sufficiente solennità, e colpiva la gente affamata facendola stare al suo posto.

Le prime persone vennero avanti regolarmente una alla volta. Il sergente versava un mestolo di cibo nel loro barattolo, ed esse se ne andavano. Circa venti persone vennero a prendere il cibo ordinatamente.

Poi l'uomo dai pantaloni grigioverdi ebbe paura di restar senza, e venne lui stesso a prendere il cibo col suo barattolo. Dietro a lui la gente si accalcò in disordine, e presto cominciò a urlare e a spingere. Il sergente continuò a versare mestoli di cibo a caso, nei molti barattoli che venivano tesi sopra la marmitta. Alla fine, quando restava ancora un po' di cibo nella marmitta, egli non poté più muoversi, tutto intorno pressato dalla gente che urlava. Allora si fermò, con il mestolo alzato. La gente si mise a pescar cibo coi barattoli dentro la marmitta, ma non concludevano molto, perché poi quelli dietro cercavano di strappare i barattoli dalle loro mani, e il cibo si versava.

Il sergente gridava qualcosa con tutta la sua voce, e nessuno poteva capirlo, perché nell'agitazione gridava in inglese. Però si trovarono d'accordo, lui e i due soldati. Spingendo indietro ruppero la resistenza alle loro spalle, e uscirono dal cerchio della gente che premeva. La marmitta si rovesciò a terra, e alcune persone caddero su di essa.

Il sergente e i suoi soldati si ritirarono nel cortile imprecando, e sull'ingresso accorsero il caporale e Luke e Joe, con le armi e gli elmetti. Tutti gridavano verso la gente che non li poteva capire, né udire. Bill aveva ancora il suo sorriso indefinibile sul volto. Ma Joe guardava la gente forsennata con disprezzo e odio. « Sparo? » domandò al caporale.

« Lascia fare a me » disse il caporale. Strinse il calcio del moschetto sotto l'ascella e puntò la canna verso l'alto e lasciò partire i colpi a lunghe raffiche. La gente si disperse urlando e fuggì dalla piccola piazza. Davanti al caporale rimase la marmitta rovesciata con un po' di cibo sparso a terra, e molti barattoli calpestati, e una donna che gridava e cercava di fuggire strisciando per terra. Le avevano fatto male a una gamba, e non poteva camminare. Il caporale rise.

« Figli di puttane » disse Joe.

Il sergente coi due cucinieri venne avanti per ricuperare la marmitta. Erano ancora sudati e imprecavano contro la gente perché aveva fatto confusione. I due soldati raccolsero la marmitta e la riportarono alla cucina. Ma il sergente andò verso la donna. Essa era piena di un grande terrore e gridava e strisciava per terra. Era ridicola, ma il sergente non rise. « Razza di bestie maledette » disse.

La donna annaspava con le mani per terra, cercando di allontanarsi. Aveva paura che il sergente la uccidesse.

« Non ti faccio niente » disse il sergente. « E smettila di gridare. »

La donna smise di gridare, ma la sua faccia rimase contratta per il terrore.

« Dove ti sei fatta male? »

La donna indicò la gamba destra.

Il sergente si chinò sulla gamba e appena la toccò sulla caviglia, la donna riprese a gridare. « Razza di bestie maledette. Vedi cosa capita a far confusione? »

La donna cominciava a sentirsi più sicura. « Non sono stata io » disse piagnucolando.

Il sergente si rizzò, e la sua collera ormai se n'era andata. « Non ci dev'essere niente di rotto » disse alla donna. « Prova ad alzarti. »

Dovette aiutarla e poi essa rimase appoggiata a lui, in piedi su di una gamba sola.

« Prova a camminare. »

La donna posò con precauzione l'altro piede a terra, ma subito lo ritrasse gemendo. « Non posso camminare » disse.

Allora il sergente disse verso quelli di guardia. « Ehi, venga uno di voi ad aiutarmi. » Nel dir questo alzò gli occhi verso di loro, e rimase alquanto sconcertato, perché con loro vi erano alcuni altri soldati, e vi era anche l'ufficiale.

Bill venne avanti e prese la donna dall'altra parte e insieme la portarono a sedere sul muretto. Poi il sergente lasciò la donna e andò a presentarsi all'ufficiale, salutando. « Hanno fatto un po' di confusione » disse.

L'ufficiale aveva la faccia dura. « Sentito » disse. Quindi accennò con la testa verso il muro. « E quelli cosa vogliono? » domandò.

Il sergente guardò e s'accorse allora che due persone erano rimaste sedute contro il muro. Uno era un vecchio che teneva tra i ginocchi un barattolo per il cibo. L'altro era un ragazzo e non aveva barattoli. « Vado a domandare. »

Il vecchio e il ragazzo non erano insieme. Stavano seduti a qualche passo di distanza l'uno dall'altro, ciascuno per conto proprio. Il sergente si diresse prima verso il vecchio, e l'ufficiale andò con lui. Il vecchio aveva la pelle scurita dal sole, e una camicia strappata, e un paio di pantaloni strappati. Portava delle vecchie scarpe militari da cui uscivano le dita dei piedi nudi, perché la punta delle scarpe era stata tagliata. Forse le scarpe erano troppo corte per lui, ed egli le aveva tagliate.

« Cosa fai qui? » domandò il sergente al vecchio.

Il vecchio alzò una faccia che pareva molto lontana. Non rispose, ma con una mano tese in avanti il barattolo, e la mano gli tremava.

« Ditegli che se non se ne va gli faccio sparare addosso » disse l'ufficiale.

« Vattene, vecchio » disse il sergente. « Se non vai via ti sparano addosso. »

« Perché? Non potete. »

« Vattene, vecchio » disse il sergente.

Il vecchio si rimise il barattolo fra i ginocchi e abbassò la testa. Si capiva che non se ne sarebbe andato.

« Deve avere molta fame, signore » disse il sergente verso l'ufficiale.

L'ufficiale non disse nulla. Quel vecchio doveva essere pazzo, oppure non gli mancava molto a morire, e non si prendeva cura di ciò che gli sarebbe potuto capitare.

« Volete parlare anche al ragazzo? » domandò il sergente.

« Domandategli cosa vuole » disse l'ufficiale.

Mentre essi si avvicinavano, il ragazzo si alzò in piedi. La sua faccia era stanca, e il suo vestito era in disordine, ma non strappato.

« Cosa vuoi, tu? » domandò il sergente.

« Niente. »

« Perché sei qui allora? »

« Non so. »

« Tu fai le cose senza sapere? »

« Ho visto gente, e allora son venuto anch'io » disse il ragazzo. « Non sapevo cosa fare. »

Il sergente guardò il ragazzo direttamente nel viso. « Hai fame? » domandò.

« Sì. »

« E perché non dici che vuoi mangiare? »

« Voglio lavorare. »

« Questo vuol lavorare » disse il sergente in inglese.

« Perché lavorare? » disse l'ufficiale.

« Così ha detto lui » disse il sergente.

L'ufficiale studiava il ragazzo pensierosamente. Poi disse: « Noi non possiamo fare niente per lui ».

Ma il sergente domandò al ragazzo: « Sai lavare le marmitte? ».

« Posso farlo. »

Allora il sergente disse all'ufficiale: « Potremmo metterlo in cucina, signore. Già altre volte abbiamo avuto dei ragazzi ad aiutarci in cucina ».

L'ufficiale continuò ad essere pensieroso per qualche istante. Tornò a guardare il ragazzo, poi il vecchio. E disse: « Date qualcosa da mangiare al vecchio. E anche alla donna. Poi bisognerà farla portare all'ospedale. Ci sarà pure un ospedale in questa maledetta città ».

Il sergente quasi sorrideva « E il ragazzo? » domandò.

« Provatelo se va bene in cucina » disse l'ufficiale. « Se ha voglia di lavorare, possiamo tenerlo con noi, finché restiamo qui. »

« Sì, signore » disse il sergente.

L'ufficiale se ne andò, e il sergente si rivolse al ragazzo e insieme al vecchio che era rimasto seduto. « Venite, » disse « vi darò qualcosa da mangiare. »

Andarono insieme verso la cucina. Il vecchio camminava a fatica, molto curvo, e scuoteva di continuo la testa mentre camminava.

« Come ti chiami, ragazzo? » dimandò il sergente.

« Daniele. »

« Proveremo a tenerti con noi. Se avrai voglia di lavorare, potrai restare fino a che noi resteremo in questa città. Forse non ci fermeremo per molto tempo, ma fino a che ci fermeremo potrai lavorare e mangiare con noi. »

« Grazie. »

« Solo che tu abbia voglia di lavorare. »

Arrivati alla cucina, il sergente disse ai soldati: « Questo ragazzo lavorerà con noi. Potrà aiutare per le marmitte, o qualche altra cosa. Intanto dategli da mangiare ».

« Meglio farlo lavorare prima, sergente » disse un soldato. « Questa gente non ha più voglia di lavorare, quando ha mangiato. »

« Fallo mangiare » disse il sergente.

Diedero al ragazzo una gamella piena di cibo e una grossa fetta di pane bianco. Egli mangiò, seduto su di una cassa. Accanto a lui si era seduto il vecchio, e il sergente li guardava mangiare. In fondo al cortile due o tre soldati cantavano. Uno aveva anche una chitarra, ma solo a tratti se ne sentiva il suono. Il vecchio non disse mai una parola, intento solo a mangiare. Frugò rumorosamente col cucchiaio dentro il barattolo, per prendere fin l'ultimo residuo di cibo.

A poco a poco si faceva buio. Una piccola macchina si mosse dentro il cortile, e poi partì verso la piazza e portò via la donna che non poteva camminare.

Il vecchio strinse il barattolo vuoto fra i ginocchi e si mise il cucchiaio sporco in una tasca dei pantaloni. « Hai un po' di tabacco? » domandò al sergente.

Il sergente tirò fuori un pacchetto di sigarette, ne prese una e la gettò al vecchio. « Vattene via, adesso » disse.

Il vecchio si alzò e andò ad accendere la sigaretta con un pezzo di legno che prese dal fuoco. Sempre le sue mani avevano un leggero tremito. « Grazie » egli disse al sergente.

E il sergente disse: « Non tornare domani, vecchio. E di' anche agli altri che non vengano. Fate troppa confusione ».

Senza dire più nulla, il vecchio si allontanò in direzione dei pilastri. Camminava a fatica, come prima, e anche la sua faccia aveva la stessa espressione di prima, indifferente e lontana.

I soldati in fondo al cortile smisero per un poco di cantare. Poi cominciarono una nuova canzone, e anche questa era triste.

Il ragazzo si era alzato dalla cassa. « Ditemi cosa devo fare » disse.

« Perché non hai mangiato il pane? » chiese il sergente.

Il ragazzo distolse gli occhi con imbarazzo. Avrebbe voluto che il sergente non si fosse accorto che egli aveva messo il pane in tasca, invece di mangiarlo. « È pane bianco » disse. « Vorrei portarlo a casa. »

« Chi hai a casa? »

« Due sorelle. Sono più piccole di me. Saranno contente se porto a casa del pane bianco. »

« E non hai padre? »

« È morto col bombardamento » disse il ragazzo. « Anche mia madre è morta col bombardamento. »

Il sergente si avvicinò al ragazzo e gli mise una mano sulla testa, poi si sedette sopra la cassa, dov'era seduto il vecchio. « Siediti » disse.

Il ragazzo tornò a sedersi. Il sergente non parlava, ed egli si sentiva un po' imbarazzato. « Cantano » disse.

« Sì » disse il sergente.

Arrivava fino a loro il canto triste dei soldati, con qualche accordo di chitarra.

« È perché hanno voglia di tornare a casa » disse il sergente.

« È bello » disse il ragazzo.

In silenzio ascoltarono la canzone, fino a quando fu finita. Poi il ragazzo domandò di nuovo: « Ditemi cosa devo fare ».

« Niente » disse il sergente. « Niente, per questa sera. Domani verrai qui alle sette. »

« Va bene » disse il ragazzo. Egli aveva ancora in mano la gamella sporca, e domandò: « Devo lavare la gamella? ».

« Sì, lavala » disse il sergente.

Il ragazzo andò dov'erano i fusti dell'acqua e lavò la gamella sfregandola con la terra. Un soldato che lo vide gli diede un pezzo di sapone, ed egli lavò di nuovo la gamella col sapone. Quindi tornò dal sergente. « Vorrei asciugarla » disse. « Ma non ho niente per asciugarla. »

« Non importa asciugarla » disse il sergente. Pareva distratto, come pensando ad altre cose. I soldati in fondo al cortile cantavano ancora.

Il ragazzo aspettò in piedi, poi disse: « Grazie per il mangiare ».

Il sergente parve tornare dalla sua meditazione. « Verrai domattina? »

« Sì. »

« Bene » disse il sergente, e parve nuovamente distratto.

« Posso andare a casa adesso? »

« Sì. »

Il ragazzo si mosse per andare, ma il sergente lo fermò dopo pochi passi. « Aspetta » disse, e si allontanò e dopo poco tornò con un'altra fetta di pane e due scatole rotonde. « Nascondile sotto la giubba » disse. « È meglio che la guardia non le veda. »

« Grazie » disse il ragazzo. Camminò verso i pilastri con una preoccupazione crescente. Dentro l'aula IV B un lume era acceso, e si vedevano le figure di due soldati seduti sullo scalino più alto. Non dissero nulla quando il ragazzo passò. Ma il soldato di guardia fra i due pilastri accennò al rigonfiamento sotto la giubba, e disse qualcosa che il ragazzo non capì. E il ragazzo stette un poco fermo, con la testa bassa, ma poi ebbe il coraggio di alzare gli occhi e siccome il soldato aveva la faccia rivolta verso il crepuscolo, egli poté vederne l'espressione. Sorrideva, il soldato, in un modo indefinibile, e non avrebbe fatto niente per quella roba nascosta sotto la camicia. Allora anche il ragazzo sorrise, e disse qualcosa che il soldato non poteva capire. Quindi si allontanò attraverso la piazza, e il soldato tra i due pilastri lo seguì con lo sguardo fin che poté, e continuò a sorridere indefinibilmente. E anche il ragazzo continuò a sorridere, mentre camminava, e toccava con le mani il rigonfiamento sotto la giubba.

Un giorno fiorirono le prime magnolie, e Giulia salì sull'albero e le colse per portarle a casa. Erano tre magnolie, e due non erano ancora aperte del tutto. Ma si sarebbero aperte poi, stando nell'acqua. Le mise sulla tavola, in cucina. In camera di Carla era inutile mettere magnolie, perché Carla stava quasi sempre fuori, qualche volta anche due o tre giorni di seguito. Ora le magnolie odoravano dolcemente nella cucina ed erano belle, fiori bianchi e foglie verdi lucide. Era stata bene attenta a non toccare i petali bianchi, perché si sciupavano subito, se uno li toccava. Daniele sarebbe stato contento, tornando. Un giorno mentre andavano lungo il fiume, aveva detto che gli piacevano le magnolie. « Hanno un buon profumo » aveva detto. Giulia si ricordava di tutte le parole che egli aveva detto.

Poi Daniele arrivò, e Giulia non lo aspettava ancora, perché mai egli era tornato così presto, da quando aveva cominciato a lavorare coi soldati. Ancora il sole entrava dalla finestra verso il tramonto.

Daniele si fermò, sulla soglia della cucina, e girò su tutte le cose intorno uno sguardo inquieto, e non parve accorgersi delle magnolie. Ed anche evitò di guardare Giulia in viso. La guardò nella veste, nelle gambe, nei piedi che erano nudi, ma non in viso.

Poi venne avanti, cercando di essere disinvolto. Sempre il suo sguardo sfuggiva da una cosa all'altra. « Non c'è Carla? »

« No. »

Qualcosa si era di nuovo rotto, in lui, e Giulia si sentì stringere il cuore per la pena. Adesso egli le aveva voltato le spalle, e tirava fuori ciò che aveva portato e lo deponeva sulla tavola. E vi erano anche le magnolie sulla tavola, forse ne avrebbe parlato. Bastava che dicesse: « Ecco le magnolie » magari col tono di voce con cui diceva cose da nulla, e subito un po' di pena si sarebbe sciolta nel suo cuore. Invece non disse niente e si ritirò dietro le coperte del suo angolo. Sulla tavola rimase la roba da mangiare ch'egli aveva portato, pane bianco e scatole, più roba delle altre volte. E Giulia capì che per qualche ragione egli aveva perduto il suo lavoro coi soldati. Ora di nuovo sarebbe andato a girare per la città in cerca di un altro lavoro, e sarebbe stato sempre tormentato dai suoi pensieri, e molte sere non sarebbe tornato a casa.

Daniele si era seduto sul suo materasso, e non faceva nulla. Poi si accorse che dei grilli stavano cantando, fuori dalla finestra, e si perdette nell'ascoltarli

Giulia si mosse per fare qualche cosa nella cucina, senza far rumore coi suoi piedi nudi. Ma il suo pensiero era altrove, non nelle cose che faceva. Allora andò alla finestra, e si fermò a guardare le rovine contro il sole basso. Un po' lontano, una vite selvatica andava formando un grande ammasso di verde sopra un mucchio di rovine. Ascoltò i grilli cantare, e mosse gli occhi verso i posti dove li sentiva cantare. Il sole si fece rosso e scese dietro le macerie. Allora si voltò verso l'interno della cucina e chiamò piano Daniele.

« Sì » rispose Daniele.

E dopo che Daniele ebbe risposto, essa parve non saper che dire. Forse non si aspettava neanche che egli avrebbe risposto. Ma poi domandò: « C'è qualche cosa che non va, Daniele? ».

« Niente » disse Daniele. « Niente. » Aspettò qualche istante per sentire se Giulia non dicesse qualche altra cosa ancora. Essa rimase silenziosa. Tutto era silenzio, eccetto il canto dei grilli fuori dalla finestra. Allora egli prese la valigia e la depose sul letto e l'aprì piano piano, badando di non far rumore colle cerniere. Cercò dapprima i libri. Ad uno ad uno li prendeva in mano e li guardava sopra pensiero, poi senza aprirli li metteva da parte. I libri non servivano più.

Gli venne tra le mani un album dove aveva scritto dei pensieri, nel tempo in cui era stato in collegio. Si mise a leggere sfogliando le pagine. Erano pensieri sciocchi. Pochi mesi erano passati, eppure erano già dei pensieri sciocchi. Fuori faceva notte, e non arrivava più abbastanza luce nel posto dove egli stava seduto. Si mise l'album in tasca. Più tardi l'avrebbe bruciato.

I libri erano messi da parte, in ordine sopra il materasso. Adesso bisognava tirar fuori la roba che sarebbe servita. Prese tra le mani una camicia. Si era strappata, una volta, vicino al collo, e Giulia l'aveva rammendata. Giulia era così gentile, quando cuciva, coi capelli che le coprivano quasi tutto il viso, e l'espressione attenta. Ogni cosa sarebbe stata più semplice adesso, senza Giulia. Tutte le difficoltà erano per causa sua, egli lo sentiva ogni minuto di più. Non aveva fatto altro che pensare a lei, tornando a casa, e poi facendo tutte quelle cose come ascoltare i grilli e togliere i libri dalla valigia e cercare un rammendo sulla camicia. Perfino quando aveva letto l'album, Giulia era stata in qualche parte del suo pensiero.

« Daniele? » chiamò ancora la voce di Giulia.

« Sì » egli rispose.

Ci fu una pausa, quindi Giulia domandò: « Cos'hai? ».

Egli fissò il viso verso Giulia, come se avesse potuto vederla, e disse piano: « Devo andar via ».

Essa sentì improvvisamente freddo per tutto il corpo, come se morisse, e non poteva parlare. Neanche Daniele parlava. I grilli sembravano pazzi dal cantare e coprivano il loro silenzio, e il più grande silenzio che avevano intorno.

Poi Giulia sentì il freddo passare, e le venne caldo, e sudava sulle tempie e sulle palme delle mani. Tuttavia ora poteva parlare, e la voce non tremava, anche se era debole. « Quando parti? » domandò.

« Domattina » disse Daniele. « Vado via coi soldati. »

« Vai lontano? »

« Non so » disse Daniele. « Non mi hanno detto dove vanno. Partono coi camion. »

Ci fu un poco di silenzio.

« Vai via per sempre? » domandò Giulia con la voce che non cambiava.

« Non so. »

« Forse i soldati torneranno in America, adesso che la guerra è finita » disse Giulia. « Tu non andrai in America, non è vero? »

« No » disse Daniele. « Forse neanche i soldati vanno in America. »

« Ma andrai lontano lo stesso, non è vero? » domandò Giulia.

« Non so » disse Daniele.

Ancora ci fu un poco di silenzio e poi Giulia domandò, sempre con la stessa voce che era debole e lenta e senza tono: « Stai preparando la roba per andar via? ».

« Sì. »

Moriva la luce del crepuscolo all'orizzonte, e sempre più scura si faceva l'aria nella cucina. Ormai si vedevano bene solo gli oggetti chiari, e meglio di tutto si vedevano le magnolie sulla tavola. Erano una macchia chiara sospesa a mezz'aria, e forse uno non avrebbe capito che erano magnolie, se non le avesse viste prima.

Passò del tempo, ed essi stavano immobili e senza parlare. Poi Giulia si mosse, non facendo rumore coi suoi piedi nudi. Andò nel corridoio a prendere dei fazzoletti stesi ad asciugare, ed entrò nel riparo di Daniele. Là dentro non ci si vedeva più.

« Dove sei? »

« Qui. »

« Ti ho portato questi fazzoletti. Li ho lavati oggi. »

Daniele cercò le sue mani per prendere i fazzoletti. Le toccò appena, e subito le lasciò. Erano troppo calde, le mani di Giulia, e in ogni caso non poteva fermarsi a toccarle.

« Ti aiuterò a preparare la roba » disse Giulia.

« No, non farlo » disse Daniele in fretta, e certo aveva paura di star con lei.

« Ti aiuterò » disse Giulia. Fece scorrere le coperte sulla corda che le sosteneva, ma appena un po' di luce arrivò fino al letto.

« Non devi » disse ancora Daniele, senza convinzione.

« Porti via tutta la roba? »

« No. »

Giulia s'inginocchiò sul pavimento, davanti alla valigia. « Cosa vuoi portar via? » domandò.

« La roba per lavarmi » disse Daniele. « E un po' di biancheria, solo un cambio. »

« Sì » disse Giulia.

« Il sergente non potrebbe portarmi via, ma mi porta via lo stesso » disse Daniele. « È stato lui a domandarmelo, e io ho detto di sì. Ma devo nascondermi dentro il camion, e così non posso portare molta roba. Penso che mi daranno qualcosa da vestirmi, se resterò con loro. »

Giulia cominciò a tirar fuori la roba dalla valigia. Ormai faceva così buio che anche gli oggetti chiari si vedevano a stento. Anche le sue mani, e la sua faccia, che era così pallida. Tuttavia essa riconosceva gli oggetti solo a toccarli. « Io avrò cura di quello che lasci qui, Daniele » disse. « E se ti capiterà di tornare, troverai tutto in ordine. Può darsi che tu abbia voglia di tornare da noi, col tempo. »

Daniele non rispose. Avrebbe voluto che Giulia non dicesse niente, almeno. Aveva una voce così lenta e monotona, e si capiva che era solo uno sforzo per lei dire quelle parole che erano inutili, e facevano soffrire.

« Ecco la maglia grossa » disse Giulia. « È meglio che la porti. Dopo verrà l'inverno. »

« È lontano, l'inverno. »

« Devi portarla. Potresti andare sulle montagne. Fa freddo anche d'estate, sulle montagne. »

« Sì » disse Daniele.

La valigia era vuota, ormai, e Giulia rimase immobile nel buio, inginocchiata davanti alla valigia vuota. Passò del tempo senza che essi parlassero. I grilli cantavano fuori dalla finestra. Daniele li sentiva come se fossero stati dentro la sua testa, a fargli del male cantando.

Poi cominciò ad aver paura del buio, e di Giulia che stava così silenziosa nel buio, e non si muoveva. « Vuoi che accenda il lume, Giulia? » domandò.

« Aspetta ancora un poco. »

Ecco che la sua voce non era più monotona, ma calda e tremante e piena di paura. Ma non gli fece bene. Fu preso da un senso di angoscia. « Giulia? » chiamò.

« Perché vai via? » disse Giulia.

Oh, non doveva star così immobile nel buio. « Giulia, accendiamo il lume » egli disse pregando.

« Aspetta » disse Giulia. « Dimmi prima se vai via perché sei stufo di star con noi. »

« Non dire così, Giulia » disse Daniele. « Accendiamo il lume. Non posso più stare al buio. »

« Devi dirmi se sei stufo di star con noi. »

« No, non è questo. »

« Noi ti abbiamo trattato sempre bene, » disse Giulia « e se qualche volta non l'abbiamo fatto, non è stato apposta, ma solo perché abbiamo sbagliato. Io ho sempre cercato di fare quello che tu volevi. Io ero sempre contenta di fare quello che tu volevi. »

Daniele non disse nulla.

« È solo per il lavoro che vuoi andar via, non è vero? » disse Giulia. « Solo perché qui resteresti senza lavoro, adesso che vanno via i soldati. »

« Sì. »

« Giurami che è solo per il lavoro. »

« Giuro. »

Allora essa si girò verso di lui restando inginocchiata sul pavimento, e gli cercò le mani nel buio e si mise a baciargliele. E Daniele non poteva tollerare che lei stesse così inginocchiata davanti a lui, e gli baciasse le mani, e gliele bagnasse con le sue lacrime. Era una cosa senza senso, perché lei tremava e piangeva, e non si poteva sopportare. « Non fare così, Giulia » disse. « Ho poca forza per andare, non portarmela via. »

« Devi avere pietà di me » essa disse.

Allora egli le prese la testa con le mani, e gliela sollevò, ed essa aveva il viso troppo caldo e bagnato di lacrime. Si lasciò sollevare la testa, e pareva che non avesse più alcuna forza. Ma disse ancora, appena percettibilmente: « Abbi pietà di me ». Poi rimase come morta fra le sue mani, solo tremava.

Ed egli le accarezzava i capelli piano piano un poco sopra le tempie, e gli pareva di non aver desiderato mai altro, in tutta la sua vita, nient'altro che accarezzarle i capelli. Ma, siccome essa continuava a stare come morta, ebbe paura, e la scosse e la chiamò.

Ed essa sentiva, ma non poteva dire neanche una parola.

« Alzati, Giulia. Alzati, per piacere » diceva Daniele.

E Giulia fece uno sforzo per alzarsi, e non ci riuscì, perché non aveva proprio più forza. Si appoggiò a lui con un grande abbandono. Allora egli la sollevò e la tenne stretta. Sentiva sotto le mani il suo corpo gracile che tremava. Era completamente una cosa sua. « Non tremare più » disse.

Tuttavia essa tremava. Ed egli allora la prese nelle braccia, e pesava tanto poco, e la portò nel suo letto. Anche così distesa essa continuava a tremare, ed egli non sapeva far altro che accarezzarla sui capelli e sul viso, che era troppo caldo e bagnato di lacrime. Dopo qualche tempo la chiamò di nuovo. E Giulia gli prese una mano e se la strinse al viso con le sue poche forze. « Non puoi andar via » disse.

« No, non andrò più via. »

« E staremo sempre insieme; per tutta la vita. »

« Sì » disse Daniele.

Essa tremava e piangeva ed era troppo calda.

« Accendiamo il lume » disse Daniele.

« No, » disse Giulia « mi vergognerei, perché ti amo così tanto. »

« Anch'io ti amo tanto. »

XIII

Quando fu pronto, Giulia diede da mangiare alla piccola Maria, e poi rimase ad aspettare Daniele. Egli arrivò tardi, ma le giornate erano tanto lunghe, adesso, e ci sarebbe stata ancora molta luce, prima di notte. Mangiarono in fretta, senza parlare. Egli aveva portato a casa la stanchezza di un altro giorno inutile, e non faceva niente per nasconderla.

Subito dopo mangiato, Giulia si alzò e lavò i piatti e venne ad asciugarli sulla tavola. « Non essere così, Daniele » disse. « Fai star male anche me, quando sei così. »

Egli alzò per un attimo la testa, e subito la riabbassò. « Come potrei essere diverso? » disse. « Ogni giorno è la stessa cosa, tentare e cercare e non riuscire mai a nulla. Non mi domandano neanche cosa son capace di fare. Dicono solo che non c'è lavoro. »

« Non c'è lavoro » disse Giulia.

« Qualcuno riesce pure a trovare » disse Daniele. « Dev'essere colpa mia, che non sono buono a nulla. »

« Non devi pensare così » disse Giulia. « Tu sei migliore

degli altri, per questo non riesci. C'è ancora tanta miseria in giro e allora tutti cercano di farsi avanti con la prepotenza, e quelli che son più buoni non riescono ad arrivare. »

Daniele non rispose subito. Più tardi disse: « Ho deciso che andrò da Antonio, Giulia. Lui mi darà di sicuro qualche cosa da fare ».

« Cosa? » domandò Giulia.

« Non so. Qualsiasi cosa. Ormai non m'importa più di niente. »

« Neanche di me t'importa niente? »

« Ma io devo trovare un lavoro. »

« Lo sai che sono cambiati, adesso » disse Giulia. « Non sono più come prima, quando c'era Tullio. »

« Quando uno non riesce ad andare avanti per la strada buona, deve prendere qualsiasi strada » disse Daniele.

Giulia si era fermata nel suo lavoro di asciugare i piatti. Ora riprese e finì in fretta e mise ogni cosa al suo posto. Poi venne a sedersi vicino a Daniele. « Non puoi andare con loro » disse. « Ti darebbero di sicuro un lavoro poco adatto. Forse ti manderebbero dove c'è più pericolo, e io non potrei stare pensando che tu sei in pericolo. »

Daniele non disse nulla.

« Tu non puoi andare con loro » disse Giulia. « Promettimi che non andrai. »

Neanche ora Daniele rispose, e Giulia si scoraggiava quand'egli era così ostinato. Non aveva molta forza, essa da sola. Tuttavia disse: « Aspetta almeno un mese, prima di andare da loro. Tullio diceva sempre che sarebbero venuti dei tempi nuovi, finita la guerra. Diceva che allora ogni uomo di buona volontà avrebbe potuto vivere col suo lavoro. Un lavoro giusto, egli voleva dire. Si tratta solo di aspettare ancora un poco, e avere fiducia. Promettimi che aspetterai almeno un mese ».

« Va bene, un mese. »

Giulia gli passò un braccio sul collo e si strinse a lui, viso contro viso. « E adesso non pensiamo più a queste cose. Almeno fino a domani non pensiamoci più. Se no non ci resta mai tempo per essere un poco contenti. » Si stringeva a lui con tenerezza, e poi s'accorse che la piccola Maria li stava guardando, e allora si staccò. « Sei troppo curiosa » le disse scherzando. Faceva di tutto per disperdere la tristezza.

Ma Daniele continuava ad essere troppo triste.

« Ci guarda così perché è gelosa » disse Giulia. « Prima volevo bene solo a lei, e ora voglio bene solo a te. Ti voglio tanto bene che non ne resta neanche un poco per gli altri. »

Daniele ebbe un sorriso stentato. « Davvero? »

« No, » disse Giulia « voglio bene anche a lei, ma con te non è la stessa cosa. Tu non sai come ti voglio bene. »

« Come? »

« Così » essa disse, e lo baciò stretto, senza badare alla bambina che guardava. Poi disse: « Carla non è gelosa ».

« Lo sa, di noi due? » domandò Daniele.

Giulia fece di sì con la testa.

« E ha detto qualche cosa? »

Giulia si morse un labbro, con un'espressione vivace e timida insieme. Fece ancora di sì con la testa, e aveva un'aria di mistero. « Non ti posso dire quello che ha detto. »

« È una cosa tanto brutta? »

Giulia stette un attimo incerta, poi fece di no con la testa.

« Dimmela, allora. »

Giulia indicò con gli occhi la bambina che stava troppo attenta. « Non si può adesso. Te la dirò un'altra volta. »

« Più tardi? »

« Forse, più tardi. »

« Portiamo a casa la piccola » disse Daniele.

Lasciarono la bambina nella casa del calzolaio e tornarono indietro soli sul sentiero.

« Dimmi cos'ha detto Carla » domandò Daniele.

« Anche tu sei troppo curioso. »

« Dimmelo, Giulia. »

« Più tardi te lo dirò » disse Giulia. « Adesso non andiamo ancora dentro, vuoi? Fa troppo caldo, dentro. »

Andarono a sedersi dietro la casa, verso il crepuscolo, ed

egli si fece di nuovo triste e silenzioso. Ed anche Giulia divenne come lui, con un peso dentro e una grande malinconia, perché a niente serviva volersi bene, se la vita era sempre così triste. Si vedeva ancora una striscia chiara all'orizzonte, come se quel giorno estivo non volesse mai finire. Ma diverse stelle erano già apparse nel cielo, ed una era la più bella di tutte. E se lei avesse domandato come si chiamava quella stella, lui avrebbe risposto che si chiamava Giulia, perché era la più bella di tutte. E poi lei avrebbe domandato: e quella come si chiama? E lui avrebbe risposto: Saturno. E ancora lei avrebbe domandato: e quella come si chiama? e quella? E lui avrebbe risposto: Giove, o Marte, o un nome così, perché sapeva il nome di molte stelle, oppure avrebbe risposto: non so, e poi l'avrebbe baciata, e poi avrebbero guardato tutte le cose meravigliose del mondo, felici e come riconoscenti l'uno verso l'altro perché erano così meravigliose, e niente di tutto ciò si poteva, perché erano troppo tristi.

Ormai era venuta la notte, e non si vedeva più segno di crepuscolo nel cielo. Essi stettero alquanto senza parlare, pensando alle cose che erano state dette. Poi si alzarono e girarono intorno alla casa, e sulla porta lei gli diede un bacio.

« Non mi vuoi dire quello che ha detto Carla di noi? » domandò Daniele.

« Aspetta, » disse Giulia « aspetta ancora un poco. »

Non accesero il lume, ma cominciarono a baciarsi, ed era meraviglioso baciarsi così completamente, senza spavento e senza vergogna, anche se il sangue si mescolava dentro, e pareva che qualcosa di misterioso e immenso dovesse accadere. E mai Giulia era stata così dolce e calda e abbandonata come quella sera, e le sue mani non si fermavano nell'accarezzarlo.

« Dimmi cos'ha detto Carla » disse Daniele.

Giulia aveva il respiro affannoso. « Ha detto... »

« Cosa? »

Giulia gli si strinse contro tremando. « Oh, Daniele, » disse « forse tu non hai il coraggio di domandarmelo, ma se tu vuoi, possiamo stare insieme sempre, anche la notte. »

Daniele non poté parlare subito, per come il cuore gli batteva dentro. Poi domandò: « Tu lo vuoi, Giulia? ».

« Sì » essa disse. « Con tutte le mie forze. »

Nella grande piazza del mercato l'animazione ebbe inizio all'alba. Nella frescura del mattino, uomini cominciarono a tirar fuori i banchi e ad esporvi le merci. Erano svogliati, ancora pieni di sonno. Arrivò la gente che andava in cerca di roba da mangiare.

Un tempo si sarebbe trovato qualsiasi genere di cibo, al mercato della città. Venivano anche le contadine della campagna a vendere polli e uova e formaggi, e si mettevano tutte insieme, in un angolo della piazza. E si sarebbe potuto trovare qualsiasi altro genere di roba, oltre i cibi, stoffe e mercerie e scarpe e attrezzi. Ora c'era soltanto poca frutta e verdura, e molti oggetti vecchi, cose che la gente tirava fuori dalle case in un tentativo di non morir di fame.

I commercianti erano in grande numero, ma quasi timidi, e incerti di quel mestiere, ciascuno con poca roba da vendere. Erano quasi tutti nuovi commercianti. Quelli di prima si erano fatti ricchi ormai, e facevano commerci in grande, e in ogni caso preferivano vendere la loro roba fuori dal mercato.

Quando il sole arrivò sulla piazza, cominciò a far caldo. A poco a poco il mercato raggiunse il suo culmine. Per qualche ora la piazza fu piena di voci, movimento, banchi di merci e gente che si affannava per trovare roba da mangiare. Poi l'animazione lentamente diminuì. Venditori rimasti senza merce se ne andarono. Più tardi anche la gente che perdeva la speranza di trovare cibo cominciò ad andarsene. Dopo mezzogiorno il mercato apparve quasi deserto, con i soli banchi di quelli che vendevano roba difficile da vendersi. La grande piazza non era lastricata né selciata, ed era bianca sotto il sole caldo.

Daniele si cercò un posto all'ombra delle case, dove la piazza andava man mano chiudendosi fino a diventare una via stretta e contorta, con bassi portici ai lati, come le altre. Era poca, l'ombra, essendo il sole alto. Vi era una osteria di fronte, sotto i portici, e oltre la porta si vedeva solo buio. Dall'osteria veniva suono di voci, e a tratti suono di fisarmonica, e anche odore di cipolla fritta.

Daniele si sedette per terra, con le spalle appoggiate a un pilastro del portico. Poco avanti a lui, nel sole, vi era un uomo seduto su di una cassa, con in testa un grande cappello di paglia. Quell'uomo non aveva più niente da vendere, ma stava egualmente seduto dietro il suo banco, che era fatto con delle assi appoggiate su due cavalletti. Più in là vi era un altro uomo che vendeva libri vecchi e quadri con cornici dorate. Due bimbi scalzi guardavano i quadri, incuranti del grande sole. L'uomo si era fatto un riparo con dei sacchi.

Dopo qualche tempo, l'uomo che non aveva più niente da vendere si alzò, prese la cassa su cui stava seduto e venne verso l'ombra. Studiò la posizione del sole in cielo e scelse un posto vicino a Daniele. « Oh » disse, come per dire un saluto.

« Buon giorno » disse Daniele.

L'uomo posò la cassa contro il pilastro vicino e poi guardò Daniele. « Se non hai niente da fare, » disse « vieni a darmi una mano per portare il banco. »

Daniele si alzò per aiutare l'uomo a portare le assi e i cavalletti. Ricostruirono il banco all'ombra, come era prima al sole.

« Perché non andate a casa? » domandò Daniele. « Non avete più niente da vendere. »

« Aspetto merce » disse l'uomo. Si sedette sulla cassa, appoggiando la schiena al pilastro. « Sai che ore sono? » domandò.

« Non so » disse Daniele. « Forse le due. »

« No, non devono essere le due » disse l'uomo.

« Non so » disse Daniele.

L'uomo guardava verso il fondo della piazza, dove si vedeva un breve tratto di mura, e la porta di San Tommaso. Forse la merce doveva arrivargli da quella parte, e guardando egli stringeva gli occhi a causa della luce troppo forte. Il fondo della piazza tremava per il calore che saliva dalla terra. Poi l'uomo si stancò di guardare. Si tirò il cappello sugli occhi e si appoggiò al pilastro anche con la nuca. Forse si addormentò, subito dopo.

Daniele osservò con interesse l'uomo che forse dormiva. Era come tutti gli altri uomini che vendevano verdura o qualche altra cosa nel mercato. Mal vestito, e con la barba lunga, e la pelle cotta dal sole. Pure vi era qualcosa in lui che dava fiducia, il modo come aveva parlato prima, o l'aspetto, non si capiva bene cosa. Così almeno Daniele si sforzava di credere, perché gli avrebbe domandato lavoro, non appena si fosse svegliato. Poteva darsi che la fortuna venisse da quell'uomo.

Daniele fece un gesto per mandar via le mosche. Era a piedi nudi e aveva un paio di pantaloni corti che erano stati di Tullio, prima, e poi Giulia li aveva tagliati per lui, perché erano troppo consumati sui ginocchi. Andavano bene così, per l'estate. Ma le mosche davano fastidio sulle gambe nude. Vi era una grande quantità di mosche nella piazza, a causa dello sporco. I rifiuti del giorno prima stavano ammucchiati in due o tre posti, e vi erano rifiuti nuovi e sterco di cavallo sparsi per terra.

L'odore delle cipolle fritte si perse nell'aria, e non ne venne più dall'osteria. Anche il suono della fisarmonica era finito. Già da un pezzo, un uomo con lo strumento su una spalla era uscito e se n'era andato verso il centro della città, tenendosi all'ombra dei portici. L'aria era calda e piena di sonnolenza, e le brevi ombre che facevano le case sembravano sempre allo stesso posto.

Poi due guardie vennero fuori dall'osteria. Stando ferme sotto i portici, guardarono la piazza con i banchi di roba che la gente non comprava. Una delle due s'accorse dell'uomo che dormiva appoggiato al pilastro, e ne parlò all'altra, e vennero tutte e due verso l'uomo. Daniele ebbe paura, perché non si capiva se le guardie venivano verso di lui o verso l'uomo. Tuttavia esse andarono dall'uomo, ed una lo scosse per una spalla. Egli rimase seduto, ma si tolse il cappello e alzò una faccia assonnata.

« Cosa fate qui? » domandò una delle guardie.

« Aspetto merce. »

« Che merce? »

L'uomo si passò le mani sul viso. « Il mio compagno è andato a prenderla » disse. « È in ritardo. Doveva essere qui ancora prima di mezzogiorno. »

« Cosa vendete? »

« Frutta e verdura » disse l'uomo. « Lo sapete bene. »

« Fate vedere la licenza » disse la guardia.

L'uomo tenne gli occhi fissi sulla guardia per un istante, poi li abbassò. Dovette alzarsi per tirar fuori il portafogli dalla tasca posteriore dei pantaloni, e rimase in piedi. Dal portafogli prese la licenza e la porse alla guardia che aveva parlato.

La guardia esaminò la licenza e disse: « Dovete pagare la tassa per il posteggio ».

« L'ho pagata » disse l'uomo. « L'ho pagata proprio a voi questa mattina. Possibile che non vi ricordiate? Una volta pagata, basta per tutto il giorno. Volete vedere la ricevuta? »

Cercò la ricevuta nel portafogli e pareva che non riuscisse a trovarla. La guardia che non aveva ancora parlato stava attenta a lui, con un'espressione stupida e soddisfatta.

Poi l'uomo trovò la ricevuta e la mostrò alla guardia che aveva parlato, ma la guardia fece un gesto per indicare il posto dove l'uomo era stato prima nel sole. « Avete pagato per quel posto, » disse « non per questo. »

« Ma non è lo stesso qui o lì? » disse l'uomo. « Mi sono messo qui perché c'è ombra, e quando arriva la merce posso venderla stando all'ombra. »

« Avete preso un posto che non vi spettava. »

L'uomo alzò gli occhi, e aveva un'espressione irata. « Voi volete sfottere la gente » disse. « Ogni volta trovate qualche cosa che non va bene. E ogni volta volete vedere la licenza e sapete bene che ce l'ho. Ogni giorno sono qui e mi vedete. »

« Eh, basta con le chiacchiere » disse la guardia che non aveva ancora parlato.

« Potrebbe andare a finir male per voi » disse l'altra guardia. « Avete preso un posto nuovo senza autorizzazione, e fate resistenza. »

Parve che l'uomo dovesse ribellarsi, invece fece un gesto di sconforto, abbassando la testa. « Non faccio resistenza » disse. « Riporterò il banco dov'era prima. »

Prese la cassa e la riportò al sole e tornando guardò Daniele. Allora Daniele si alzò, nonostante il timore che aveva delle guardie. Insieme trasportarono il banco, e le guardie che erano rimaste per vedere se ne andarono. L'uomo le guardò allontanarsi, e sul suo viso vi era rabbia e disperazione, e così Daniele non osò domandargli lavoro, neanche dopo che si furono seduti per terra, tutti e due contro lo stesso pilastro. Ma egli si sentiva unito a quell'uomo, nella stessa umiliazione contro il mondo ingiusto. Improvvisamente era accaduto come se lo amasse. « Non dovrebbero fare così » disse.

« Non posso farci niente » disse l'uomo. « Ho moglie e figli a casa, e devono mangiare. Sarebbero capaci di ritirarmi la licenza, se non stessi sotto. Magari anche di portarmi dentro, sarebbero capaci. »

« Ma non è giusto quello che fanno. »

L'uomo lo guardò con un'ombra di sospetto: « Chi può sapere quello che è giusto o non giusto? ».

Daniele avrebbe voluto vincere la sua diffidenza. « Si capisce, quando le cose sono giuste » disse.

« Bene, » disse l'uomo « cosa m'importa, anche se si capisce? Non posso farci niente. Quelli che sono a casa devono mangiare, questo è tutto. »

Così disse l'uomo, e tacque, e Daniele non ebbe il coraggio di parlargli, per qualche tempo. Ma poi domandò: « Come si fa ad avere la licenza per vendere? ».

« Ci vuole la domanda, e molti documenti, » disse l'uomo « e poi si aspetta. Si girano gli uffici del comune e della prefettura, e si aspetta. Dipende anche da quello che si può pagare. Io hò aspettato tre mesi, prima di avere la licenza. »

« E dopo tre mesi la danno? »

Ancora l'uomo guardò Daniele, prima di rispondere. « Non è sicuro » disse. « Mio cognato son sei mesi che aspetta, e non gliela danno. Prima era professore in una scuola, mio cognato, e poi l'han cacciato via per ragioni di politica, così non gli danno la licenza. Dicono che è perché ce ne sono già troppi che vendono roba in giro. Ma qui ogni giorno arriva qualcuno nuovo con la licenza. »

« Ma se non sono ragioni di politica, la danno la licenza? » domandò Daniele.

« Forse » disse l'uomo.

Daniele lasciò passare qualche tempo pensando, quindi si rivolse vivamente all'uomo. « Credete che a me la darebbero, una licenza? »

« Sei troppo ragazzo » disse l'uomo. « Ci vogliono diciotto anni per avere una licenza, oppure ventuno, non son sicuro. »

Di nuovo Daniele tacque per qualche tempo. Poi domandò: « E vostro cognato non lavora? ».

« Va in giro a comprar la verdura dai contadini » disse l'uomo. « Abbiamo una bicicletta, e così può andare in giro. »

« Anch'io potrei andare a comprar verdura » disse Daniele. « Voi vendereste la mia verdura, se ve ne portassi? »

« Hai la bicicletta? »

« No » rispose Daniele.

« E allora, vuoi che te la dia io la bicicletta? » disse l'uomo. « Ne abbiamo una, e ogni giorno si rompe. Anche oggi si dev'essere rotta, per questo è così in ritardo. »

Daniele tacque per molto tempo, confuso. Poi disse: « Potrei andare io al posto di vostro cognato, se lui è professore ».

« Già, » fece l'uomo « e lui si metterebbe qui a fare quello che fai tu adesso, non è vero? Non ci son più differenze tra professori e non professori. »

Dopo un poco Daniele domandò: « E se trovassi una bicicletta e andassi in giro a comprar verdura, voi la vendereste? ».

« Si vende tutto » disse l'uomo. « Basta che sia roba da mangiare. »

Daniele si alzò. « Allora tornerò » disse. « Tornerò appena trovata la bicicletta. » Si avviò verso casa, e dapprima camminò forte, quasi correndo, poi man mano sempre più adagio, perché pensandoci sopra, la notizia che aveva da portare a Giulia gli sembrava sempre meno bella. Tuttavia, quando entrò in cucina, Giulia si accorse subito che non era come le altre volte. « Hai qualche buona notizia? »

« Non so » disse Daniele. « Ho trovato un uomo, al mercato. Uno che vende verdura. Ha detto che potrebbe darmi lavoro. Se io gli portassi verdura lui la venderebbe, e si farebbe metà del guadagno. Non sarebbe una bella cosa? »

« Sì. Sarebbe una bella cosa. »

« Ma ci vuole una bicicletta per andare a comprar la verdura » disse Daniele. « Pensavo che potrei domandarla ad Antonio, solo in prestito. Tullio aveva tante biciclette, e adesso le hanno loro, e potrebbero prestarmene una. Ci metterei una cassa davanti, e una di dietro, e potrei portare abbastanza verdura. Oh Giulia, credi che me la presterebbero una bicicletta, se gliela domandassi? »

« Forse è meglio se gliela domanda Carla » disse Giulia.

« Pensi che a Carla gliela daranno? »

« Forse sì » disse Giulia. « Carla deve avere ancora della roba da loro. »

« Ci vorrebbero anche un po' di soldi » disse Daniele. « Basterebbero pochi, tanto per cominciare. Poi li restituirei, appena comincio a guadagnare. »

« È più facile per i soldi » disse Giulia. « Forse Carla ne ha abbastanza per aiutarti. »

« Pensa come sarebbe bello » disse Daniele.

Daniele portò la bicicletta nel cortile dietro la casa del calzolaio e la appoggiò al muro. Vi erano due portapacchi applicati alla bicicletta, uno davanti e uno di dietro, con due casse legate sopra. Dalla cassa davanti egli prese il cesto dove aveva messo le uova, la verdura e le pesche.

C'era il calzolaio nel cortile, seduto su di una cassa all'ombra. Egli non disse nulla a Daniele, e così Daniele arrivò a casa credendo di trovarvi Giulia. Invece trovò soltanto la piccola Maria in cucina. Essa sapeva che Giulia era andata a lavare al fiume. « Mi ha detto di dirti che è andata a lavare al fiume » disse.

« Non c'è neanche Carla? »

« No. »

Daniele tirò fuori dal cesto la roba e la depose sulla tavola e mise le pesche in modo che Giulia potesse vederle subito entrando. Erano grosse pesche color rosa, le prime grosse pesche della stagione. Ne porse una alla bambina, ma essa era sciocca, e non si decideva a prenderla dalle sue mani.

« Non la vuoi? »

« Va bene » disse la bambina, ancora esitante. Poi prese la pesca e subito cominciò a mangiarla.

Daniele sedette e tentò di leggere un libro e non poté. D'un tratto ogni cosa era diversa, se mancava Giulia. Non gli restava più voglia di far niente. E Giulia non sarebbe dovuta andare a lavare. Al mattino non pensava neanche di lavare, se no glielo avrebbe detto, prima che egli partisse per il lavoro. Intanto faceva caldo, in cucina. Il sole entrava dalla finestra a ponente e scottava, anche se era ormai basso.

Daniele guardò la bambina. Aveva mangiato la pesca con avidità, e la sua faccia era sporca intorno alla bocca. Ora essa se ne stava assorta per conto suo. Non erano mai riusciti ad essere confidenti, lei e Daniele.

« Vuoi che andiamo a sederci fuori? » domandò.

« No » disse la bambina.

« Fa troppo caldo, qua dentro » egli disse.

La bambina teneva gli occhi alzati, scioccamente, e non disse nulla.

Allora Daniele andò a sedersi da solo sul gradino dell'ingresso. Non c'era per niente vento, fuori, ma lì sulla porta faceva meno caldo, perché tutta quella parte della casa si trovava all'ombra. Giulia non avrebbe dovuto tardare adesso. Egli si aspettava di vederla apparire ad ogni momento, nel sole lungo il sentiero che veniva dal fiume. Ma essa non arrivava.

Si alzò e fece qualche passo verso la casa del calzolaio e poi tornò a sedersi. Sarebbe stato stupido andare da quell'uomo e domandargli perché Giulia fosse andata a lavare. Non lo sapeva di sicuro. E anche se avesse saputo avrebbe risposto male, o non avrebbe risposto. Non era più come un tempo, quando Tullio era vivo.

L'ombra della casa si fece lunga sul terreno e raggiunse delle rovine più lontane. Poi anche il sentiero fu nell'ombra, e anche l'albero di magnolia, perché il sole stava tramontando, dietro la casa.

Allora Giulia venne lungo il sentiero, e appena la vide da lontano, egli cominciò a sorridere. Essa veniva avanti adagio, troppo adagio. Portava su di un braccio la roba lavata. E aveva il vestito grosso, da inverno.

Il sorriso si fece sempre più vivo sul viso di Daniele, ma poi si gelò e si spense. Perché Giulia stava male, si vedeva subito che stava male. Aveva gli occhi cerchiati e le labbra come senza sangue, e tutto il viso pallido e sudato. Lo sguardo di lei sfuggiva, e tuttavia essa sorrise. « Sono andata a lavare » disse rapidamente.

« Stai poco bene, non è vero? »

« Sì. »

« Non avresti dovuto andare a lavare » disse Daniele.

« Forse è stato il caldo che mi ha fatto male » disse Giulia. « Prima mi pareva di stare bene, e allora sono andata a lavare. Invece mi sono stancata. Ha fatto troppo caldo, oggi. » Parlava sempre rapidamente, ma con poca forza.

Daniele le prese dal braccio la roba lavata, e subito essa si sedette sul gradino.

« Hai lavato tutto » disse Daniele. « Anche il vestito. »

« È stato per il caffè » disse Giulia. « Volevo appendere la pentola del caffè, e ho sbagliato, e mi è caduta addosso. Per questo ho dovuto lavare tutto. »

Daniele entrò nel corridoio e stese sulla fune la roba bagnata e poi tornò da lei. Essa pareva stare un po' meglio, adesso che era seduta.

Anche Daniele si sedette sullo scalino. « Mi son sentito vuoto, quando non ti ho trovata in casa » disse, e le prese una mano e la mano era troppo calda. « Hai la febbre » disse.

« Dev'essere stato il caldo. »

« Vorrei andare a cercarti un medico. »

Giulia sorrise, in un tentativo di essere disinvolta. « Non occorre il medico. È una cosa da niente, domani starò meglio. Starò meglio di sicuro, non essere così preoccupato. »

Anch'egli cercò di sorridere. « Non sono preoccupato. »

Aspettarono ancora un poco, così seduti, mentre l'ombra cominciava a salire dalle rovine. Era lenta e calda, la sera d'estate.

« Daniele? » chiamò Giulia sottovoce.

« Cosa? »

Essa esitò un poco. « Niente » disse. Poi accennò vagamente al cielo o alle rovine. « È bello, vero? »

« Sì. »

« È perché noi due siamo vivi, che è così bello » disse Giulia. « Siamo vivi e insieme. »

« Sì. »

« Noi due dobbiamo stare sempre insieme. »

I grilli cantavano, sparsi nell'ombra, e anche una zanzara volò vicino all'orecchio di Daniele, ed egli la scacciò con un gesto della mano. « Ci sono le zanzare » disse. « Fanno pensare all'autunno. »

« Adesso è ancora estate » disse Giulia.

In silenzio aspettarono un altro poco, guardando le cose della sera. Poi si alzarono per rientrare, e Giulia si alzò stentatamente, perché era molto debole. Si mise in piedi di fronte a Daniele, appoggiata a lui, e gli cinse il collo con le braccia. « Mi porti? » domandò.

« Dammi un bacio, prima. »

« No, questa sera. »

Daniele fece un viso dolente. « Perché? » domandò.

Giulia lo baciò su una guancia. « Ecco, così basta. »

Daniele la sollevò in braccio per portarla dentro, ed essa gli si stringeva al collo con tutte le sue povere forze. « Vorrei stare sempre così » disse.

La depose a terra, quando furono in cucina, e Giulia vide le pesche sulla tavola. « Come sono belle » disse con riconoscenza.

« Sono per te » disse Daniele. « Le più belle che ho trovato oggi. »

La piccola Maria venne dal posto dove stava seduta. « Lui me ne ha data una » disse.

« L'hai mangiata? »

« Sì. »

« Brava » disse Giulia, e l'accarezzò sul viso, ed essa parve contenta. « Facciamo da mangiare, prima che venga buio » disse poi a Daniele.

« Tu mettiti a sedere e dimmi quello che devo fare » disse Daniele. « Vuoi che facciamo uova con la verdura? »

« Troppo tardi per la verdura » disse Giulia. « Cuoci le uova e prendi una scatola di carne. Puoi fare anche tutto insieme, se vuoi. »

In poco tempo Daniele preparò il cibo, ma poi Giulia non volle mangiare niente, e neanche bere il latte. « Prenderò solo una pesca » disse.

Prese una pesca e la morse senza voglia e poi la lasciò da parte. Daniele si fece più triste e preoccupato. « Bisognerebbe cercarti un medico » disse.

« No, domani starò meglio. » Alzò una mano e con le dita gli tolse i capelli dalla fronte, teneramente. « Ti sei fatto scuro per il sole » disse. « E più bello e più forte, anche. Ti fa bene andare in giro con la bicicletta. »

« Verrai anche tu, prima che finisca l'estate. »

« Sicuro, verrò. »

Caddero ancora nel silenzio, e ciascuno aveva una profonda preoccupazione che non voleva disperdersi.

« Vai a portare a casa Maria » disse Giulia. « Poi parleremo un poco, prima di dormire. »

« Sì » disse Daniele, e subito si alzò e andò a portare la bambina alla sua casa.

Quando tornò, Giulia era già a letto, ma con le coperte del riparo tirate da parte, perché voleva vedere l'ultima luce del giorno. « Vieni » essa disse. « Siedi qui sul letto. Parleremo un poco. »

Daniele la guardò con ansietà.

Essa appariva come smorta nella luce del crepuscolo, con solo gli occhi vivi e luminosi.

« Ti senti peggio? » egli domandò.

« Soltanto stanca » disse Giulia. « Perché ha fatto così caldo, oggi. »

Quand'egli fu seduto sul materasso, essa alzò una mano e gli accarezzò i capelli sulla fronte, come prima. E gli occhi lo fissavano in viso, ed erano pieni di un disperato amore. « Raccontami cos'hai fatto oggi. »

« Siamo andati a prendere le pesche. »

« Lontano? »

« Non lontano. Cinque chilometri di strada. Abbiamo fatto quattro viaggi, col professore. Adesso ci sarà lavoro per molto tempo con le pesche. »

« È bene, così » disse Giulia.

Seguì un silenzio pesante. Giulia chiuse gli occhi, e li tenne chiusi a lungo, e li riaprì. « Parla ancora » disse.

« Il professore mi ha promesso che mi aiuterà a studiare » disse Daniele. « Non mi darà proprio lezioni, ma ha detto che se non capisco qualche cosa posso domandare e lui mi spiegherà. »

« Sono contenta che tu abbia trovato quel professore. »

« Dev essere bravo, sai » disse Daniele. « Prima insegnava al liceo, in una città, non mi ha detto dove. E quando l'han mandato via dalla scuola non riusciva più a vivere, e allora è venuto da suo cognato. Si vergognava a mostrare la sua miseria in quella città dove aveva fatto il professore. »

Nella pausa, Giulia disse di sì con la testa. Gli aveva preso una mano e la teneva fra le sue, ma senza forza.

« Sa tante cose sul commercio, ma poi non è capace di far gli affari » disse Daniele, e non ebbe più voglia di andare avanti, perché capiva che Giulia non stava attenta a quello che lui diceva. Certo, un pensiero grave doveva occupare la sua mente e spaventarla.

Si era fatto quasi buio nella stanza, ed egli non poteva veder bene l'espressione del suo viso, e neanche gli occhi, perché essa li teneva di nuovo chiusi. Aspettò per un lungo tempo che lei parlasse, e lei non parlò né si mosse. Allora credette che si fosse addormentata, e provò a ritirare la mano che era chiusa fra le sue, ma essa la trattenne. « Daniele » disse debolmente.

« Dimmi. »

Ma Giulia non disse niente.

« Cos'hai? dimmi cos'hai. »

Essa riaprì gli occhi. « Volevo dirti » disse, e fece una lunga pausa, e poi continuò. « Volevo dirti, » disse « che quando noi due stiamo insieme la notte, non c'è niente di più bello per me, allora son sicura che noi due siamo una cosa sola, e niente può separarci. Ma io adesso sto poco bene, e allora non potremo più dormire insieme per qualche tempo, fino a quando non starò meglio. »

« Starai meglio presto. »

« Sì, domani starò meglio » disse Giulia. « Ma anche dopo, per qualche tempo, non dovremo stare insieme la notte. Solo per qualche tempo. »

« Fa niente, questo. »

« No, è importante, e tu devi capire che se potessi lo farei. Non c'era cosa che mi facesse più contenta di quello. E adesso non potrò più farlo, per qualche tempo, perché non mi fa bene. Ma tu non devi pensare che sia perché ti amo meno di prima. Ti amo con tutte le mie forze, ogni minuto ti amo di più. E tu devi credermi, anche se non potremo stare insieme la notte. »

« Ti credo. »

« E non ti stancherai, vero? Non penserai di andartene perché non potremo più stare insieme la notte? »

« Il mio posto è questo » disse Daniele. « Non potrei vivere in un altro posto senza di te. E anche se dovessimo star sempre come fratello e sorella, io continuerei ad amarti e resterei con te fino alla fine della nostra vita. »

« No » disse Giulia. « Sarà solo per qualche tempo. » E si portò la sua mano alla bocca, e cominciò a baciarla, e non ebbe vergogna di fargli sentire che piangeva.

XIV

Giulia tossiva spesso durante la notte, e Daniele qualche volta la sentiva e qualche volta no, essendo abituato a quel rumore. Ma una notte, dopo un accesso di tosse, Giulia cominciò a rantolare perché non trovava respiro, e allora egli fu bruscamente sveglio. La chiamò gridando e le corse vicino e ancora la chiamò, ma essa non poteva rispondere. Moriva, ed egli non sapeva cosa fare. Non vedeva niente nel buio né si ricordava dove fossero i fiammiferi. E Giulia rantolava ancora, non era morta. Abbassò le mani per cercarla, e sentì caldo e bagnato. Tutto dove toccava, il viso e le coperte, era caldo e bagnato. Si rizzò con spavento ed angoscia, e tremava incontrollabilmente in ogni parte del corpo. Il rantolo di lei cessò, e riprese, e poi si cambiò in respiro affannoso. Di nuovo la chiamò più volte, e peggio di ogni cosa era non sentirla rispondere e non vederla. Allora risolse di andare a cercare i fiammiferi. Fuori dalle finestre aperte si vedeva il leggero chiarore delle stelle. Ma dentro la cucina faceva buio ed egli non riusciva a trovare i fiammiferi. Andò a prenderli nella camera di Carla, sopra il tavolino. Ne accese uno, con le mani che tremavano. Vide solo il colore rosso, sulla faccia e sulle coperte. Tutto era sporco di rosso vivo, e lui non riusciva a vedere nient'altro che sangue. Il fiammifero gli si spense tra le dita. Stette smarrito nel buio, con la grande macchia rossa che gli durava davanti agli occhi.

Il respiro di Giulia continuava affannoso.

Accese un altro fiammifero. Essa stava con gli occhi chiusi e la bocca aperta, nel tentativo di trovar fiato.

Il fiammifero si consumò e si spense. Rimase ancora nel buio, senza coraggio per accendere altri fiammiferi.

Dopo un poco parve che Giulia respirasse meno affannosamente. Allora egli accese il lume e lo portò vicino al letto. Con un fazzoletto le pulì le labbra dal sangue. Essa aprì gli occhi e li fissò per un attimo su di lui, e non parevano neanche i suoi occhi, così dilatati e spauriti com'erano.

« Giulia, senti male in qualche posto? » domandò.

Essa richiuse gli occhi. Tentò miseramente un sorriso e mosse appena la testa per dire di no. Poi stette immobile, nel suo mondo lontano. Ed egli con disperazione cercava qualcosa che si potesse fare per lei, perché non andasse lontana. Poteva farle bere dell'acqua, forse. Andò a prendere una tazza d'acqua. « Giulia, bevi un po' d'acqua, Giulia » disse.

Essa riaprì gli occhi e fece un gesto come per allontanare il lume.

« Perché? Ti fa male la luce? »

« Fa fumo » essa disse.

Daniele portò fuori il lume per spegnerlo nel corridoio. Poi tornò con una delle candele di Carla.

« Vuoi bere un po' d'acqua? » domandò.

Giulia rispose di sì con gli occhi.

Egli la aiutò a bere sorreggendole la testa, e dopo che ebbe bevuto appena un sorso, essa non ne volle più e si abbandonò spossata. Andava di nuovo lontano, dov'egli non poteva seguirla. Si sedette accanto al letto, aspettando. I capelli di Giulia erano sparsi sul cuscino. Li toccò all'estremità, con timore, e poi ne prese molti in una mano e li strinse, ma non osava arrivare con le dita dove i capelli erano caldi, vicino alla pelle. Adesso Giulia sarebbe morta, così. Il suo respiro si era un poco calmato, ma era diventato troppo debole. Sarebbe finito anche quel debole respiro, e poi sarebbe stata morta. Egli la guardava, e si aspettava di vederla morire. Il sangue si seccava intorno alla bocca e prendeva un colore scuro, ma il resto del viso, dove non c'era sangue, appariva paurosamente pallido alla luce della candela. Intanto egli le accarezzava i capelli, ma aveva paura di toccarla in qualche altra parte. Una paura come se essa fosse fatta di qualcosa che poteva dissolversi, se egli l'avesse toccata.

Tuttavia Giulia a poco a poco riprese forza. Teneva gli occhi più lungamente aperti, adesso, anche se li teneva fissi al soffitto.

Poi ad un tratto disse: « È passato ormai ». Aveva una voce debole che appena si sentiva.

« Sì, è passato » disse Daniele.

« Allora vai a letto, Daniele » essa disse.

« No, non ti lascio più sola. »

Essa stette un poco in silenzio e cercò di sorridere. Faceva male vederla sorridere, con il viso così sporco di sangue. « Vai a letto, per piacere, Daniele » disse. Si fermava tra una parola e l'altra per inghiottire e riprendere fiato.

« Perché mi vuoi mandar via? » domandò Daniele.

Ancora essa stette in silenzio. E quando rispose, disse: « Mi vergogno di essere così malata ».

« Non sei malata. Adesso è passato. Solo non devi far fatica a parlare. »

« Sono malata dentro » disse Giulia.

Daniele non poté dir nulla. Se avesse tentato di parlare avrebbe pianto, e non bisognava piangere.

« Va via per un poco » disse Giulia. « Lascia solo che mi lavi, e dopo tornerai. »

« Non ti fa male lavarti? »

« No » disse Giulia. « Voglio lavarmi. »

« Allora scaldo un po' d'acqua. È meglio che ti lavi con l'acqua calda. »

« Sì, per piacere » disse Giulia.

Daniele si alzò e accese il fornello e sopra vi mise una pentola con l'acqua. Quindi venne di nuovo a sedersi accanto a Giulia. Essa allora girò la testa verso di lui e mosse le labbra parlando, ma non si poteva sentire a causa del rumore della fiamma. Daniele abbassò la testa vicino alla sua bocca.
« Morirò presto » essa disse.

« Non parlare, Giulia » disse Daniele. « Non far fatica per parlare. »

« Morirò presto » essa disse. Poi chiuse gli occhi e stette lungo tempo senza riaprirli. E Daniele non sapeva far altro che accarezzarle i capelli e guardarla con una disperata intensità, quasi avesse speranza che in qualche modo si annullasse quello che era accaduto e sparisse il sangue e Giulia non fosse così terribilmente ammalata.

Dopo, Giulia fece un cenno di parlare, ed egli abbassò di più la testa. « L'acqua » essa disse. « Dev'essere pronta. »

Daniele andò a spegnere il fornello e portò l'acqua.

« Che ora sarà adesso? » domandò Giulia.

« È ancora notte. »

« È una notte lunga » disse Giulia, e chiuse gli occhi.

Quando l'acqua fu calda, Daniele la versò in un catino, poi aiutò Giulia a mettersi a sedere sul letto. « Adesso va fuori » essa disse.

« Perché? Ti lavo io. »

« No, non tu. »

« Hai vergogna? Una volta hai detto che non avevi nessuna vergogna con me. »

« Non pensavo di essere così malata, allora. »

« Non importa, se sei malata. Non devi aver vergogna. »

Essa non fece resistenza. Era talmente debole che compiva a stento i pochi movimenti che Daniele le chiedeva di fare. Egli le tolse la camicia e la lavò con un asciugamano. Dovunque, sul viso, sul petto e sulle braccia, la sua carne appariva paurosamente bianca, come se tutto il sangue le fosse uscito dalla bocca e non ne restasse più sotto la pelle. Egli la lavò e la asciugò, poi la prese in braccio e la portò nell'altro letto.

Essa stette qualche tempo immobile, sfinita. Ma appena poté parlare disse: « Non dovevi portarmi nel tuo letto, Daniele. Potresti prendere questa malattia. Non voglio che tu ti ammali ».

« Non prenderò niente » disse Daniele. « E anche tu guarirai. Andrò a cercare un medico, e ti farà guarire. »

Giulia lo fissò con occhi spauriti e gli prese una mano per trattenerlo. « Non andare » disse.

« No, non adesso » disse Daniele. « Quando farà giorno. »

Gli occhi di Giulia imploravano. « Non andare dal medico » disse. « E non dire a nessuno che sono malata. Neanche a Carla, devi dirlo. Nessuno può far niente per questa malattia. Allora voglio morire qui vicino a te. »

« Non parlare, Giulia, per piacere » disse Daniele.

« Devi solo aver riguardo per non prendere la malattia » disse Giulia. « E aspettare un po' di tempo. Dopo quando sarò morta, potrai andare. È meglio che tu non stia più qui, dopo che sarò morta. »

« Non parlar di morire » disse Daniele. « Non morirai. Ma devi star buona e dormire. Adesso chiudi gli occhi e cerca di dormire. »

« Sì » disse Giulia, e chiuse gli occhi, ma volle tenere una mano di Daniele fra le sue. L'agitazione e la fatica di parlare l'avevano spossata e respirava di nuovo con affanno. Impiegò molto tempo a calmarsi. Poi rimase immobile, e solo di tanto in tanto stringeva la mano di Daniele con una scossa nervosa.

Lentamente passò la notte. Dalle finestre filtrò la luce del giorno. Daniele soffiò sulla candela e la spense.

« Giulia aprì subito gli occhi, perché non dormiva. « È giorno » disse.

« Sì. »

« Apri le finestre. »

La luce del mattino e l'aria fresca entrarono dalle finestre aperte.

« Apri bene anche le coperte » disse Giulia.

Daniele fece scorrere le coperte sulla corda. Giulia s'incantò a guardare il cielo chiaro attraverso la finestra. Era calma, adesso, e rassegnata. « Daniele? » chiamò, senza guardarlo.

« Sì » rispose Daniele.

Essa non parlò subito. Gli occhi le divennero lucidi per delle lacrime che si stavano formando. « Se tu vuoi andare via, » disse « io non posso tenerti. »

« Non andrò via, lo sai. »

« Lo so » disse Giulia. « E guarirò, forse. Già mi sento meglio. »

« Sì » disse Daniele.

« Potrei anche alzarmi, se volessi. »

« Aspetta » disse Daniele. « Prima verrà il medico, e dopo ti alzerai, se lui ti dirà di alzarti. »

Giulia divenne di nuovo inquieta. « Non voglio il medico » disse. « Ormai mi sento meglio. Cosa potrebbe fare il medico? »

« Non è la prima volta che ti viene questo male, non è vero? » domandò Daniele.

Essa continuò a fissare il cielo chiaro attraverso la finestra. Pareva ancora più bianca e smorta, a causa di quella luce.

« Quante volte l'hai avuto ancora? » domandò Daniele.

« Una volta. »

« È stato quel giorno che sei andata a lavare il vestito, vero? Perché non me l'hai detto allora? »

« Pensavo che non sarebbe più venuto » disse Giulia.

« Era perché avevi paura che lo sapessi, non è vero? »

« Sì. »

« Non dovresti aver paura. Io ti voglio bene anche se sei malata. Ti voglio più bene ancora, adesso che so. Ma bisogna che tu guarisca. Forse non è tanto grave il tuo male. Devi solo curarti e starai meglio, è una malattia che si può guarire. Il medico dirà quello che bisogna fare, e le medicine che devi prendere. Guarirai di sicuro. »

Giulia distolse gli occhi dalla finestra e li fissò nei suoi. Due o tre lacrime le vennero giù per le guance.

« Devi guarire per me, solo per me » disse Daniele.

« Sì » disse Giulia.

« E devi lasciare che io vada a cercare un medico » disse Daniele.

« Non può venire, il medico » disse Giulia.

« Verrà » disse Daniele. « Quando uno sta male, il medico deve venire. »

« Ma non può venire qui » disse Giulia. « Se vede che abitiamo qui ci farà andar via. »

« Ti porterò dal calzolaio » disse Daniele. « Prima andrò a dire al medico di venire, e dopo ti porterò dal calzolaio. »

Giulia disse di no con la testa. « Non mi vorrà » disse. « È una malattia questa che nessuno vuol avere in casa. »

« Non gli diremo che hai avuto sangue dalla bocca » disse Daniele. « Diremo solo che stai poco bene, e che il medico deve visitarti. »

Giulia non disse nulla, e Daniele fece per alzarsi.

Ma essa lo trattenne. « Aspetta » disse. « Andrai dopo, quando verrà Maria. Non lasciarmi sola. »

« Vado a chiamarla » disse Daniele.

« Aspetta ancora un poco » disse Giulia.

Daniele rimase seduto.

Essa diresse di nuovo gli occhi al cielo fuori dalla finestra, con un'espressione pensosa. « Ascolta, Daniele » disse. « Se dovesse venirmi ancora questo sangue dalla bocca, può darsi che io debba morire senza poter parlare. Già questa notte mi pareva di morire, e non avrei potuto dirti niente. O può darsi che io muoia quando tu sei fuori. Allora bisogna che ti parli subito, prima di morire. »

« Non parlar più di morire. Non morirai. Lo sento che non morirai. »

« Forse non morirò » disse Giulia. « Ma devo dirti lo stesso quello che penso, perché potrebbe mancarmi il tempo, se non lo faccio subito. »

Daniele stette in silenzio.

« Tante volte ho pensato a queste cose, » disse Giulia « e le avevo tutte chiare nella mente, e adesso che devo dirtele non sono più chiare come prima. Ma cercherò di dirle lo stesso, e tu devi capire bene. È importante che tu capisca bene. »

« Sì » disse Daniele.

« Si tratta di come io ti amo » disse Giulia. « Non son capace di dirti quanto bene ti voglio, ma è così grande che non può finire. Neanche se io morissi, potrebbe finire. Tu credi che ci sarà qualche cosa, dopo che noi saremo morti? »

« Non so » disse Daniele. « Mia mamma diceva che c'era un'altra vita. Anche i preti dicevano così. E Tullio diceva che non c'era niente. »

« Io credo che ci sarà qualche cosa » disse Giulia.

Daniele esitò un poco, perché non avevano mai parlato di quelle cose. Quindi domandò: « Vuoi che vada a cercare un prete, Giulia? ».

« No » disse Giulia. « Non è questo che voglio dire. Voglio dire solo che se c'è qualche cosa al di là, noi forse continueremo ad essere col pensiero di quando moriamo. Allora io continuerò ad amarti sempre, e ad aspettarti fino a quando tu non verrai. E bisognerebbe che tu vivendo su questa terra continuassi ad amarmi come se io ci fossi, e allora quando verrà il momento passerai di là dove sarò io ad aspettarti, e verrai col pensiero di unirti a me, e staremo insieme senza fine. »

« Lo sai che ti amerò sempre » disse Daniele.

« Sì, lo so » disse Giulia, e sorrise verso il cielo, tranquilla.

Il giorno era alla sua fine, quando Daniele bussò alla porta della camera. Da dentro il vecchio gli rispose di entrare, ma non si alzò dalla poltrona. Voltò la testa verso la porta e subito riconobbe Daniele, benché lo avesse visto soltanto quella volta, quando era venuto con Tullio. « Ah, sei tu » disse.

« Sì » disse Daniele. Si era fermato sulla soglia, dopo aver chiuso la porta. Pareva non aver voglia di andare avanti.

« Siediti » disse il vecchio.

Daniele avanzò di qualche passo e si fermò di nuovo in mezzo alla camera. Non vedeva dove avrebbe potuto sedersi. I mobili di prima erano stati portati via, e ora c'era una branda di tipo militare lungo la parete, e una grande cassa in un angolo.

« Siediti sulla branda » disse il vecchio.

Daniele si sedette sulla branda. Aveva un aspetto cupo e stanco.

« Sei venuto per Tullio, forse? » domandò il vecchio. « Hanno trovato che eravate insieme? »

« Sono venuto per Giulia » disse Daniele. « È malata. »

« Come malata? »

« Ha avuto sangue dalla bocca. È la seconda volta che le viene sangue dalla bocca. »

Il vecchio chinò la testa sul petto e chiuse gli occhi come se dormisse. Non aveva il cappotto, ma per il resto era vestito come l'altra volta, con la giacca e la cravatta e il berretto senza tesa in testa. Non si capiva cosa stesse a pensare.

« Bisogna fare qualche cosa per Giulia » disse Daniele.

Il vecchio non si mosse.

« Bisogna fare qualcosa per lei » disse ancora Daniele.

Il vecchio alzò la testa. « Che si può fare? È una brutta malattia. Avrebbe bisogno di tante cose, e forse egualmente non guarirebbe. »

Daniele cominciò a tormentarsi con le dita. Non era più lo stesso vecchio. L'altra volta che era stato lì con Tullio, aveva avuto l'impressione che ci fosse una qualche forza in lui. Era confuso nelle idee, ma aveva una forza, o almeno un interesse per gli altri uomini. E invece s'era sbagliato. Oppure in quel tempo erano capitate altre cose al vecchio, cose che lo avevano reso così indifferente e lamentoso. Perché stava parlando di sé, il vecchio, e si lamentava di essere solo e inutile, e Daniele non lo ascoltava quasi, perché non gli importava niente delle sue disgrazie, che fosse tanto disperato da perdere l'interesse per gli altri uomini. Non avrebbe dovuto fare così, se Giulia stava male. Stava male, Giulia. Poteva darsi che fosse già morta. Due volte che era andato a casa durante il giorno, l'aveva trovata immobile, perduta in una specie di sognare, un mondo lontano da cui non tornava che a stento. Forse era l'agonia, quella, l'ora che precede la morte, e allora era senza scopo cercare un aiuto per lei.

Ormai il vecchio non parlava più, e Daniele stava seduto sulla branda e si tormentava le dita. Avrebbe voluto andarsene via.

Ma ad un tratto il vecchio domandò: « Cosa posso fare per lei? ».

Daniele si scosse con speranza. « Bisogna trovarle un medico » disse. « Tutto il giorno ho girato per trovarle un medico e non sono stato capace. Mi mandano dall'uno all'altro, e nessuno vuol venire. Dicono che hanno troppo da fare. »

« Ci sono tanti ammalati » disse il vecchio.

« Ma non dovrebbero fare così » disse Daniele. « Quando i malati sono poveri li lasciano morire come cani. »

« Il mondo si è messo su questa strada » disse il vecchio. « E non è colpa mia. Cosa vuoi da me? »

« Dovete aiutarmi a trovare un medico » disse Daniele. « Voi di sicuro conoscete qualche medico. Ditegli di venire. Non possiamo lasciar morire Giulia come un cane. »

Il vecchio ripeté le sue parole pensosamente. « Non possiamo. »

Daniele si alzò in piedi per la rabbia. « Perché fate così anche voi? » disse. « Sapete che non è giusto. Non potete dar ragione a loro. »

« Non do ragione a loro » disse il vecchio. « Solo uno si perde, a forza di star solo e pensare. Viene il momento in cui si perde. »

« Fate qualche cosa per Giulia » disse Daniele.

Il vecchio abbassò la testa chiudendo gli occhi, come prima. E Daniele si mosse per andarsene. Ma prima che arrivasse alla porta il vecchio lo fermò. « Aspetta » disse. « Ti scriverò un biglietto per un medico. Una volta eravamo buoni amici. »

« Perché non andate da lui a parlargli? » disse Daniele.

Parve che il vecchio ridesse. « Come vuoi che faccia a muovermi? » disse. « Sono mesi che non esco più di casa. E non uscirò più fino alla mia morte, se non mi cacceranno via prima. Ma ormai non dev'essere molto lontana. »

Daniele provò un nuovo impulso di rabbia. Adesso che il mondo in cui aveva creduto era scomparso, non voleva più uscire, neanche per fare quel po' di bene che avrebbe potuto.

« Ti scriverò un biglietto » disse il vecchio. « Forse non servirà a niente, ma è l'unica cosa che posso fare. » Si alzò e uscì dalla camera.

Allora Daniele non sentì più odio per lui, ma solo compassione, perché vide com'era cambiato in quei pochi mesi. Certo non doveva essere molto lontano il giorno in cui se ne sarebbe andato.

Arrivò fino alla finestra aspettando. Nel giardino di sotto era cresciuta l'erba, e anche qualche fiore, da poche piante sopravvissute.

E si faceva notte. Un medico non sarebbe andato da loro di notte, e Giulia intanto poteva morire, se non era già morta.

Il vecchio tornò con un foglio di carta piegato, su cui era scritto un indirizzo. « Prova da lui » disse. « Ma non sperare che venga. Non subito, a ogni modo. » Stava in piedi, appoggiandosi con una mano alla parete.

« Grazie » disse Daniele.

« Torna presto da me » disse il vecchio. « Torna a dirmi come sta Giulia. »

« Tornerò » disse Daniele.

Appena sulla strada provò a correre, ma non poteva. Non aveva mangiato niente dalla sera prima, e non aveva dormito molto durante la notte, ed era accaduta una cosa spaventosa, che portava via la voglia di andare avanti nella vita. Giulia poteva morire, e non si trovava nel mondo aiuto per lei. Ogni uomo non pensava che a se stesso, anche il vecchio pensava solo a se stesso, con la sua paura di restar solo.

Tuttavia aveva ancora speranza quando arrivò alla casa del medico. Una donna si affacciò alla finestra del piano di sopra, e disse subito che il medico non era in casa.

« Ho un biglietto per lui » disse Daniele. « È un biglietto di un suo amico. »

La donna si ritirò dalla finestra e poco dopo apparve sulla porta. « Dammi il biglietto » disse.

« Devo consegnarlo proprio a lui » disse Daniele. « Devo anche parlargli. »

« Bene, non è in casa » disse la donna. « Come te lo devo dire? »

« Posso aspettarlo » disse Daniele. « È una cosa importante. Bisogna che gli parli. »

« È per te? »

« Per mia sorella. Sta molto male. »

« Bene, vieni domani, allora. Domattina alle otto. »

Daniele si avviò verso casa. Le lampade si accesero nelle strade, e non avevano più lo schermo azzurro. Anche molte finestre erano aperte e illuminate, perché c'era la pace nel mondo.

Daniele camminava adagio. Due volte cambiò strada, e poi si fermò davanti ad un caffè, dove alcune persone ascoltavano la radio. Un uomo dava le notizie e aveva una voce chiara e forte, ma Daniele non capiva. Piangeva, invece, senza accorgersene. E poi una di quelle persone che ascoltavano lo guardò stranamente, e allora egli si accorse di piangere, e riprese a camminare adagio per la strada. Non aveva voglia di arrivare.

A casa Carla lo aspettava. Stava seduta in cucina, ed una delle sue candele era accesa sulla tavola. Le coperte dell'angolo di Daniele erano chiuse.

« Come sta? »

« Dorme. Ti ha aspettato, ma adesso dorme. »

Andarono a sedersi sul letto, nella camera di Carla. Prima di sedersi, essa aveva chiuso la finestra e acceso l'altra candela sul tavolino. Aveva fatto quelle cose rapida e sicura, come sempre. Ma il suo sguardo si incantava spesso su qualche oggetto intorno, senza motivo. Comunque ci si sentiva meglio, vicino a Carla.

« Tutto il giorno ho cercato un medico » disse Daniele. « Nessuno vuol venire. Ma domani ne troverò uno, son già d'accordo di andare alle otto. »

« È venuto, un medico. »

« L'hai portato tu? »

« Sì. »

« Io non sono stato capace. »

« Per me è stato facile. Lo conoscevo da prima. »

Daniele aspettò perché lei parlasse.

« È tisica » disse Carla. « Sua madre è morta tisica, e c'era da aspettarselo che sarebbe finita così anche lei. »

« Deve morire? » domandò Daniele.

« Il medico non ha detto questo » disse Carla. « Ha detto che potrebbe anche star meglio. Ma adesso è debole perché ha perduto troppo sangue. »

Daniele si mise a guardare la candela. « Morirà » disse.

« Forse non morirà » disse Carla. « E non dobbiamo far vedere a lei che abbiamo paura che muoia. Dobbiamo trattarla sempre come se fossimo sicuri che starà meglio presto. Dice il medico che noi possiamo aiutarla a vivere in questo modo. È per farle coraggio. »

« Ha fatto qualche cosa il medico? » domandò Daniele.

« Le ha fatto delle punture » disse Carla. « E ha ordinato delle medicine, e bisogna metterle impacchi freddi sul petto. E deve star ferma nel letto, anche. Ma dice che la cosa più importante è che lei abbia voglia di vivere, e che abbia fiducia di poter vivere. Tu puoi fare molto per lei, Daniele. »

« Ho paura » disse Daniele. « Ho paura che se lei parla di morire io mi metto a piangere. »

« Devi farti coraggio » disse Carla. « Tu devi avere coraggio se vuoi aiutarla a vivere. Dobbiamo fare con lei come se non fosse molto malata. »

« Proverò » disse Daniele.

Ci fu una lunga pausa, poi Carla disse: « Il medico ha detto che le farà le carte per il sanatorio, Daniele. Forse non servirà a niente, perché non c'è posto nei sanatori. Ma anche se va bene, bisognerà aspettare il posto per molti mesi ».

Gli occhi di Daniele si volsero a lei. « Guarirà, andando in sanatorio? »

« Sua madre l'avevano mandata in sanatorio, ed è stato tutto inutile. Ma altri guariscono, per un po' di tempo. »

« Potrebbe guarire » disse Daniele.

« Sì » disse Carla. « Ma quello che volevo dirti è che non bisogna farle capire che il medico le farà le carte per il sanatorio. Son sicura che non ci vorrebbe andare. L'unica cosa che le importa è di non staccarsi da te, per questo non vorrebbe andare in un sanatorio. »

« Deve andarci, se può guarire » disse Daniele. « Io saprò convincerla ad andare. »

« Bene, se verrà il momento tenterai di convincerla » disse Carla. « Ma per adesso non parlarne, di questa cosa. Forse il medico non riuscirà a far nulla con le sue carte, e allora è inutile parlarne. Le daresti un dolore per niente. »

Ancora ci fu una lunga pausa, e ciascuno di essi stava con la testa bassa e seguiva i propri pensieri. Alla fine Carla domandò: « Tu le vuoi bene sul serio? ».

« Perché me lo domandi? »

« Allora non pensi di andartene via, no? »

Daniele sollevò il viso. « Come puoi credere una cosa simile? »

« Non la credo » disse Carla. « Ma lei ha paura. Mi ha detto solo poche parole nel tempo che le sono stata vicina, e ho capito che ha paura e che pensa continuamente a quello. Quando uno è malato in quel modo, pare che ci provi gusto a pensare alle cose più cattive. E tu devi far di tutto perché lei non abbia di questi pensieri. Anche se ti capitasse di avere paura, o di avere schifo della sua malattia, non devi farglielo capire. Son sicura che morirebbe subito, se non avesse più fiducia in te. »

« Tu non hai capito quanto le voglio bene » disse Daniele.

Carla ebbe un sorriso curioso, quasi sofferente. « Io l'ho capito » disse. « Ma quello che importa è che lei ne sia sicura. Allora ci vuole il modo per farglielo sentire, ed è difficile far sentire queste cose nel modo giusto, ad uno che è malato come lei. Anche senza volere si potrebbe sbagliare. »

« Come posso fare meglio? » domandò Daniele.

« Non so » disse Carla. « Finora hai fatto bene con lei. Devi continuare ad essere buono come prima, e devi fare tutto quello che vuole, solo bisogna aver riguardo per la malattia, e allora non devi baciarla o andare a letto con lei. Questo non dovresti farlo neanche se lei volesse. »

« È lei che non lo vuole più. »

« Sì. » disse Carla. « Capisce tante cose. Del resto farebbe male anche alla sua salute se tu andassi a letto con lei. »

« Lo so. »

« Ma soprattutto non devi mai parlarle di andar via » disse Carla. « Anche se ti passasse in qualche momento per la testa, non devi farglielo capire. Questo è importante. Perché, vedi, potrebbe durare anche molto tempo così malata. Potrebbe anche peggiorare e continuare a vivere lo stesso per molto tempo. Allora potresti stancarti di stare con una moribonda che continua a vivere. »

« Non parlare così, Carla. »

« L'ho detto tanto per dire. Non credo che succederà con te. Ma alle volte capitano delle cose che uno non avrebbe mai immaginato prima. »

« Io non la lascerò mai. E vorrei morire io al suo posto, se deve morire. »

Carla sorrise, ancora con sofferenza. « Bene, son contenta che tu pensi così » disse.

Di nuovo ricaddero ciascuno nei propri pensieri. La casa era silenziosa, e anche fuori tutto era silenzioso, eccetto il canto di qualche grillo. In un angolo della camera, sul pavimento, Carla aveva portato un barattolo con delle magnolie un po' appassite, che prima era stato in cucina.

« Dobbiamo decidere quello che si deve fare » disse ad un tratto Daniele. « Ora bisogna che uno di noi stia sempre vicino a lei e non la lasci mai sola. Allora sei tu che devi stare con lei. Sei più adatta per queste cose, e non ti perdi mai di coraggio, e anche sai meglio di me come curarla. Non preoccuparti di altro, per adesso. Non c'è più bisogno che tu vada fuori a lavorare. Quello che guadagno io basterà per tutti, e anche se occorrono medicine che costano molti soldi, io so come trovarle. E Antonio potrà aiutarci, se sarà necessario. Son sicuro che ci aiuterà in un caso come questo. Del resto non mi occorre altro che la bicicletta. In questa stagione si guadagna abbastanza, col mio lavoro. »

Carla aveva ascoltato pensierosamente. « Faremo in modo che uno di noi resti sempre vicino a lei » disse.

Daniele voltò la testa e la guardò con durezza. « Sei tu che devi stare con lei » disse. « Non vuoi proprio lasciare quel tuo mestiere? »

Carla si ribellò. « Perché me lo dici in questo modo? Non hai diritto d'intrometterti nella mia vita. Cosa importa a te? »

Il viso di Daniele si contrasse dolorosamente. « Bene, non ho diritto » disse, e si alzò e si mosse per uscire.

Anche Carla si alzò. « Aspetta » disse con una voce cambiata, che le tremava. Gli andò vicina, guardandolo dritto negli occhi. « Aspetta » disse ancora. « Non dovresti essere cattivo. Hai sempre un modo così sbagliato di fare le cose con me. E io ti voglio bene. » Fece una pausa e mosse una mano come per accarezzarlo, e sempre lo guardava dritto negli occhi. « Non vorrei far niente che ti dispiaccia » disse. « E quanto a quello, se potessi fare a meno di farlo, non lo farei. Devi credermi. »

Daniele non rispose.

« Perché non mi credi? »

« Non c'è bisogno che tu faccia quel mestiere » disse Daniele, ostinato.

Carla piegò la testa, e parve che non avesse nulla da dire. Poi d'improvviso alzò gli occhi nei suoi, strinse le labbra con esasperazione. « A cosa credi che bastino quei quattro soldi che guadagni? » disse. « Hai visto cos'hai combinato oggi col medico. E prova ad andare a comprar la roba fuori. E domanda al calzolaio quanto vuole per farci star qui. Vedrai a cosa bastano i tuoi soldi. »

Daniele ebbe sul viso un'espressione di meraviglia dolorosa, o forse incredula. Si allontanò da lei. « Mi dispiace » disse, e non si capiva cosa intendesse dire precisamente.

E subito uscì, ed essa si sedette di nuovo sul letto, e rimase a guardare il pavimento per molto tempo con uno sguardo fisso e quasi insensato. Poi si alzò e spense la candela. Si avviò verso la cucina. Ma il suo volto era ormai indifferente.

Daniele appoggiò la bicicletta al muro e si affrettò verso casa portando il cesto con la verdura e le uova e la bottiglia di latte per Giulia. Uscì dal cortile del calzolaio attraverso la breccia del muro, e appena avanti sul sentiero cominciò a guardare in direzione della casa. Ogni sera al ritorno faceva così, ansiosamente.

La casa era contro la luce del sole sul tramonto, e non si riusciva a veder bene. Solo quando fu vicino scorse Carla sul gradino.

Stava seduta sul gradino della soglia, guardando basso, e non si accorgeva di lui che si avvicinava. Ma quando udì il rumore dei suoi passi, allora alzò il viso senza meraviglia, come se si aspettasse di vederlo lì in quel posto. Daniele si fermò. Il viso di Carla era incantato. Gli occhi fissi e molto aperti, e la bocca ferma e leggermente aperta. Un viso che non voleva dire niente. Ma poi un labbro sulla bocca si mise a tremare, ed essa, non subito, ma dopo un poco, fece una smorfia per tenerlo fermo e di nuovo abbassò il viso.

Così Daniele seppe che Giulia era morta.

Andò avanti e passò accanto a Carla senza dir niente, e arrivò in cucina. Le finestre erano aperte, e la cucina piena della luce del tramonto. Depose il cesto sulla tavola e tirò fuori le uova e la verdura e la bottiglia del latte per Giulia. Ogni cosa mise in ordine sulla tavola. Le coperte dell'angolo di Giulia erano chiuse. Lo colpiva il silenzio e il grande senso di vuoto che era nel silenzio.

Avanzò fino all'angolo e scostò piano piano le coperte per guardare. Giulia stava distesa sul materasso, sopra le coperte. Aveva il suo vestito chiaro da estate, e i piedi e le gambe nude, e vicino alla sua testa vi erano le due candele di Carla, una per parte. La piccola Maria era seduta su di uno sgabello accanto al letto.

Essa alzò gli occhi, appena si accorse di Daniele. Aveva la solita aria grave e un po' sciocca, e i suoi occhi erano asciutti. « È morta » disse.

« Sì » disse Daniele.

Si avvicinò per guardarla meglio. Carla doveva averla lavata e pettinata, e le aveva chiuso gli occhi e chiusa la bocca, e così essa era dolce e serena, come se fosse stata viva e dormisse. Solo i suoi lineamenti erano un poco più rigidi, e il viso più bianco e affilato. Daniele abbassò una mano per toccarle la fronte, e sentì freddo, e non poté fermarsi con la mano sulla fronte. « È morta » disse.

La bambina continuava a fissare lui. « È vero che non parlerà più? » domandò.

« Sì » disse Daniele.

« E non si muoverà più? »

« Non si muoverà più. »

La bambina girò lo sguardo su Giulia, quietamente. « La metteranno sotto terra » disse.

Daniele non disse nulla per qualche tempo, ma poi d'improvviso si chinò a prendere la testa della bambina fra le mani, e gliela sollevò per guardarla dentro gli occhi. « Non ti dispiace che sia morta? » domandò. « Non ti dispiace che la mettano sotto terra? »

La bambina pensò, e disse: « Sì » quietamente, e i suoi occhi rimasero senza espressione.

Allora Daniele le lasciò andare la testa e uscì dalla cucina. Fece qualche passo lento nel corridoio. Carla stava ancora seduta sullo scalino, e non si voltò sentendolo camminare. Egli non ebbe voglia di andare da lei, subito. Non aveva voglia di far niente. Si appoggiò alla parete aspettando qualche pensiero, e non venne, forse perché lo stomaco gli faceva male, e tutto ciò che lui poteva pensare era per il male nello stomaco. Entrò nella camera di Carla. Si guardò allo specchio, e vide gli occhi e il viso, ed era come se fossero gli occhi ed il viso di un altro. Non volle guardarsi allo specchio. Sopra il tavolino v'era un catino pieno d'acqua. Immerse una mano nell'acqua e la tenne per qualche tempo. Poi si passò la mano sui capelli e tornò ad immergerla nell'acqua, e poi a passarla ancora sui capelli, e così fece fino a che ebbe i capelli tutti bagnati. Poi si staccò dal tavolino, e uscì, e andò a sedersi sullo scalino accanto a Carla. « Hai una sigaretta? » domandò.

Essa si volse e si guardarono. Lei allungò una mano e gli portò via una goccia d'acqua dalla tempia. Poi tirò fuori dalla tasca del vestito il pacchetto delle sigarette. Ne prese una per sé e il resto lo porse a lui. Accese prima la propria sigaretta, e quindi quella di lui, ma mentre facevano quelle cose evitarono d'incontrarsi ancora con gli occhi.

Daniele aspirò profondamente due o tre volte. Però non aiutava per niente. E il male dentro lo stomaco si faceva più forte. Pareva che tutto il dolore per la morte di Giulia si fosse accentrato dentro lo stomaco, e non serviva fumare. Tuttavia continuò. E presto la sua bocca fu piena di sapore acido, e tutto il suo essere fu invaso dalla nausea. Allora buttò la sigaretta e si alzò e barcollando andò lontano di pochi passi. Vomitò per terra appoggiandosi al muro. Carla volse gli occhi verso di lui, ma non si mosse. Ed egli finì di vomitare, poi entrò in cucina per bere un po' d'acqua, e in cucina non poté restare. Aveva l'impressione di non poter restare in nessun luogo. Tornò a sedersi sullo scalino della soglia, accanto a Carla.

« Ti è passato? »

« Sì. »

Stavano seduti tutti e due nello stesso modo, abbracciandosi i ginocchi e guardando per terra davanti a sé. Carla teneva ancora la sigaretta fra le labbra, in un angolo della bocca. E subito dopo che l'ebbe finita ne accese una nuova.

« Prova a darmene un'altra, Carla » egli disse.

« No » disse Carla. « Per te non serve. »

E Daniele non gliela chiese più, ma disse: « Pareva che stesse meglio, e invece è morta ».

« Era il suo male » disse Carla.

« Ma non doveva morire » disse Daniele disperatamente. E poi subito domandò: « Non ha detto niente prima di morire? ».

« Niente » disse Carla. « Non ha potuto dir niente. Le è venuto uno sbocco di sangue, ed era tutta piena di sangue nella bocca e nei polmoni, ed è morta soffocata. Il medico l'aveva detto che poteva morire anche così. »

Daniele tacque, pensando a quelle cose. E dopo un poco domandò: « Sei stata tu che l'hai lavata, Carla? ».

« Sì. »

« L'avrei fatto io. Anche l'altra volta l'ho fatto io. »

Carla si voltò per guardarlo. « Non devi prenderla così » disse. « Quando capitano delle cose come questa, pare che tutto sia finito e non ci sia più nessun rimedio per la nostra vita. Invece bisogna lasciar passare del tempo e intanto capitano delle altre cose, e un poco alla volta tutto si mette di nuovo a posto. Solo lasciar passare il tempo. »

« Non doveva morire » disse Daniele.

Carla continuò a guardarlo per un altro poco, ma non disse più nulla.

Il sole era tramontato da qualche tempo, e veniva la sera. Le giornate erano molto più corte che non nell'estate, e anche il crepuscolo era più rapido. La parte di cielo che essi potevano vedere aveva già delle stelle.

« Bisognerà anche andarlo a dire al calzolaio » disse Carla. « Forse lui dovrà fare delle carte, adesso che è morta. Ci saranno delle carte da fare. »

« Non lo sa ancora? »

« No. »

Dei grilli cantavano nel silenzio, ma si sentiva anche il silenzio oltre il loro canto. Daniele non aveva mai percepito tanto acutamente quel silenzio, il silenzio di tutti quei morti. E la sera veniva rapida.

« Vuoi che vada io? »

« Dove? »

« Dal calzolaio, a dirglielo » disse Daniele.

« Forse è meglio » disse Carla. « Tu sei un uomo. »

Daniele si alzò e si allontanò verso la casa del calzolaio. E Carla accese un'altra sigaretta. Stava immobile, facendo solo quei pochi movimenti che erano necessari per fumare.

Poco dopo Daniele tornò insieme al calzolaio, ed era quasi buio.

« Vorrei vederla » disse il calzolaio. « Siete proprio sicuri che sia morta? »

« È morta di sicuro » disse Carla.

« Vorrei vederla » disse di nuovo il calzolaio, ed entrò nella casa.

« Vai anche tu, Daniele » disse Carla. « Vai a chiudere le finestre. Ormai si è fatto scuro. »

Daniele entrò nella cucina per mettere lo schermo di cartone alle finestre. L'uomo stava dietro il riparo di coperte. Quando le finestre furono chiuse, si vide l'ombra della sua testa sul soffitto, e talvolta anche l'ombra delle sue braccia che si muovevano. Forse egli stava toccando Giulia, ma Daniele non aveva voglia di vedere.

Poi l'uomo uscì. « Adesso avremo un mucchio di seccature col municipio » disse. « E anche coi preti, per il funerale. »

« Non so » disse Daniele.

« Lo so io » disse l'uomo. « Bisognerà portarla nella mia casa e pensare al funerale. Forse dovrà venire anche un medico a vederla. »

« Occorreranno dei soldi? » domandò Daniele.

« Sicuro. Ma non è solo per i soldi. Ci sono anche le seccature. »

« Non so » disse Daniele.

L'uomo lo guardò e fece per dire qualche cosa, ma poi uscì senza dir nulla. Anche Daniele si mosse per uscire. Tuttavia sulla porta si fermò e si volse indietro. « Maria? » chiamò.

« Cosa? »

« Hai paura a star qui sola con Giulia? »

« No » rispose la bambina.

Allora Daniele andò di nuovo a sedersi sullo scalino, accanto a Carla. L'uomo era ancora là, si vedeva la sua ombra nel buio. E dopo un poco egli disse: « Ci sarebbe un modo per evitare tutto, le spese e le seccature ».

« Che modo? » domandò Carla.

« Giulia non ha nessuno che possa venire a cercarla, non è vero? »

« No. Non ha nessuno. »

« Neanche il medico, vero? » domandò l'uomo.

« Non credo che verrà » disse Carla. « È venuto una volta sola, adesso saranno venti giorni. Si dev'essere dimenticato di lei. Doveva farle le carte per il sanatorio, e poi non le ha fatte. »

« Sei sicura che non le ha fatte? » domandò l'uomo.

« Sì, sono sicura » disse Carla.

« Allora si potrebbe fare come penso io » disse l'uomo.

« Come? »

« Seppellirla dentro la zona » disse l'uomo. « Qua ci son già tanti morti, che uno in più non fa proprio caso. L'importante è che nessuno venga a cercarla. »

« Penso che non verrà nessuno a cercarla » disse Carla.

« Sarebbe meglio anche per le tessere » disse l'uomo. « Se non facciamo la denuncia che è morta, quelli del municipio continueranno a darmi le sue tessere. Mi danno ancora le tessere di Tullio, e nessuno dice niente. »

« Ma se dopo dovessero accorgersene? » domandò Carla.

« Se nessuno la cerca non se ne accorgeranno » disse l'uomo. « Caso mai, diremo che è andata via senza dir niente.

Quante ragazze non spariscono di questi tempi, e non si sa dove vanno a finire? Così potremo dire che è stato anche di lei. »

Ci fu qualche istante di silenzio, quindi Carla domandò: « Cosa ne pensi tu, Daniele? ».

« Non so » disse Daniele, e di nuovo ci fu silenzio.

Quindi Carla disse: « Forse Giulia non sarebbe scontenta di essere sepolta qui vicino ».

« Forse non sarebbe scontenta » disse Daniele.

Carla allora alzò la testa verso l'ombra dell'uomo. « Ci vorrebbe qualche cosa per scavare la buca. »

« Vuoi seppellirla subito? » domandò Daniele.

« Se si deve fare, è meglio subito. »

« Sicuro, meglio subito » disse l'uomo. « Ormai è abbastanza scuro per poterlo fare, e più tardi ci sarà anche la luna. Vado a prendere un piccone e un badile e scaveremo la buca. Sceglieremo un buon posto in mezzo alle rovine, e dopo ci metteremo delle pietre sopra, così non si vedrà più niente. E se la troveranno, potranno pensare che è morta sotto il bombardamento. »

« Si può fare così » disse Carla.

« Vado a prendere gli attrezzi, allora » disse l'uomo, e subito si allontanò verso la sua casa per andare a prendere gli attrezzi.

Essi rimasero soli e insieme nel buio.

« Più tardi verrà la luna » disse Daniele guardando nel cielo sereno.

Anche Carla guardò nel cielo, dove sarebbe sorta la luna.

« Carla, » disse Daniele « non ti pare brutto seppellirla così di nascosto? »

« È quello che noi possiamo fare di meglio » disse Carla. « Sarà più contenta di restare vicino a noi. »

Daniele continuò a guardare nel cielo. E disse: « Se qualche cosa di noi vivesse anche dopo che siamo morti, gli altri la dovrebbero sentire, non è vero? ».

« Non so » disse Carla.

« A me pare come se dovesse uscire e venire a sedersi qui con noi » disse Daniele. « Tante volte siamo stati seduti io e lei su questo scalino. Mi parlava di tutto quello che le passava per la mente. Aveva un modo di dire le cose che io capivo subito, e così stavamo bene insieme. »

« Sì » disse Carla.

« E adesso che è morta ho paura » disse Daniele. « Avrei potuto fare tante altre cose per lei. Adesso ho la testa piena di tutte le cose che avrei potuto fare, o che avrei potuto dire. Mi sembra di non essere stato capace di farle sentire quanto le volevo bene. »

« Hai fatto tutto quello che dovevi fare » disse Carla.

« No » disse Daniele. « C'era sempre qualche cosa dentro di me che non riuscivo a farle sentire. Adesso invece potrei farle capire tutto. Penso che sia così solo perché è morta. Se fosse ancora viva non potrei dirle niente di tutto questo. »

« Ha capito tutto di te » disse Carla. « Poteva capire tutto perché ti voleva bene, e succede così che quando due persone si vogliono veramente bene capiscono anche le cose che non vengono dette. Io lo so che capiva tutto. E con te è stata contenta come si può essere contenti su questa terra. Tu non sai com'era prima che tu arrivassi da noi. »

« Ma non doveva morire » disse Daniele. « Era tanto buona che non meritava di morire. »

« Tutti muoiono » disse Carla. « I buoni e i cattivi. »

« Ma non doveva morire così presto » disse Daniele, e poi tacque perché sentì il passo dell'uomo che tornava.

L'uomo venne e depose a terra gli attrezzi che aveva portato. « È troppo scuro » disse. « Bisognerà aspettare la luna. »

« Non dovrebbe mancare molto alla luna » disse Carla.

L'uomo si volse a guardare il cielo verso la sua casa. « Non si vede ancora segno » disse. « È meglio che andiamo dentro. Per me fa troppo umido qua fuori. »

« Sì, andiamo dentro » disse Carla alzandosi.

Sulla tavola, in cucina, erano disposte in ordine le uova e la verdura e la bottiglia di latte per Giulia.

« Vuoi mangiare qualche cosa, Daniele? » disse Carla. « Non hai mangiato niente da questa mattina. »

« Ho mangiato fuori » disse Daniele. « Adesso non ho più fame. »

L'uomo e Daniele si sedettero. Carla portò sulla tavola del pane e una tazza e un cucchiaio. Poi chiamò Maria perché venisse a mangiare.

La bambina venne a sedersi alla tavola e cominciò a mangiare il pane inzuppato nel latte.

« Bevi anche tu almeno un po' di latte, Daniele » insistette Carla.

« No, » disse Daniele « non ho voglia. »

« Ci vorrebbe un buon fiasco di vino » disse l'uor

« Non abbiamo vino » disse Carla.

« Oh, lo so » disse l'uomo. « Dicevo così perché tutte le volte che mi è capitato di vegliare un morto c'era del vino da bere. »

Nessuno parlò dopo di lui. L'aria era calda, dentro la stanza. La fiamma delle candele faceva ballare le ombre delle coperte sul soffitto.

Quando la bambina ebbe finito il pane col latte, Carla bucò un uovo da due parti, e glielo fece bere. Poi lei si mise a fumare. Anche l'uomo si mise a fumare, prendendo una sigaretta dal pacchetto di Carla. « Sei fortunata, tu, che hai sempre del tabacco » disse.

Fumando, l'uomo guardava Daniele con curiosità. Poi domandò: « Tu eri il suo amico, non è vero? ».

« Cosa? » disse Daniele.

« Non eri l'amico di Giulia? »

Daniele guardò altrove senza rispondere.

« Sicuro che dispiace quando muore una persona così » disse l'uomo.

« Deve dispiacere a tutti quando muore una persona come Giulia » disse Carla.

« Sicuro » disse l'uomo.

« Posso portare a casa la bambina, Carla? » domandò Daniele. « È ormai venuta la sua ora di dormire. »

« Sì » disse Carla. « Se vuoi andare. »

Daniele si alzò in fretta. « Vuoi che andiamo a casa, Maria? » disse. « È tempo di dormire. »

« Va bene » disse la bambina, e si alzò preparandosi ad andare.

« Non vuoi salutare Giulia, prima? » domandò Daniele.

La bambina parve indecisa e guardò Carla.

« Vai a salutarla » disse Carla. « Domani andrà via e non la troverai più. »

Daniele entrò con lei dietro il riparo delle coperte. Le due candele erano molto consumate. Una era più consumata dell'altra, e la cera colava tutta da una parte. Daniele aggiustò il lucignolo perché non si consumasse così male. La bambina aspettava senza saper che fare.

« Vuoi darle un bacio? » domandò Daniele.

La bambina guardò Giulia, e poi Daniele, esitando.

« Dalle un bacio sulla fronte » disse Daniele. « È contenta, se tu la baci. »

La bambina si chinò a baciare la fronte di Giulia, quindi Daniele la prese per mano e insieme andarono verso casa. Adesso la luna era sorta, bassa sulle rovine.

Daniele camminava lentamente, tenendo stretta la mano della bambina. « Tu non piangi mai? » domandò ad un tratto.

« Cosa? »

« Perché non piangi mai? » disse Daniele. « Non ti viene mai da piangere? »

« Sì » disse la bambina.

« Quando ti vien da piangere? »

La bambina pensò molto, prima di rispondere. « Quando mi faccio male » disse.

Daniele non le chiese più nulla. Entrando nel cortile la lasciò andare da sola, e stette ad aspettare fino a che non sentì la porta della casa aprirsi e richiudersi. Poi tornò indietro, ma non entrò in cucina. Si sedette sullo scalino della soglia e guardò verso la luna. Saliva sopra le rovine in un pulviscolo dorato. Era una grossa luna, e le mancava solo una sottile striscia da una parte. E la notte era un po' umida e non molto calda. Ormai erano così le notti, perché l'estate era alla sua fine.

E quando la luna fu un po' alta, egli entrò in cucina e disse all'uomo: « Possiamo andare. Ormai è venuta la luna ».

« Sì » disse l'uomo, e si alzò.

Carla volle restare in casa. « Vi preparo un po' di caffè, » disse « per quando avrete finito. »

L'uomo e Daniele uscirono e presero gli attrezzi e si allontanarono un poco dalla casa, verso il centro della zona dei morti.

L'uomo scelse il posto, dove finivano le rovine di un muro crollato. « Leviamo le pietre e scaviamo qui. »

« Va bene. »

« Poi rimettiamo le pietre sopra e non si vedrà più niente. »

« Sì » disse Daniele.

Sgombrarono un tratto di terreno dalle macerie, poi l'uomo pensò alle misure. « Era lunga » disse. « Lunga e magra. »

« Era alta quasi come me » disse Daniele.

L'uomo cominciò a battere col piccone nella terra, e bestemmiò perché la terra era troppo dura. « Se sotto non si fa più tenera, » disse « domattina saremo ancora qui a scavare. »

Daniele non parlò, aspettando che l'uomo smuovesse la terra col piccone. Poi egli l'avrebbe buttata da una parte con la pala.

« Possiamo fare in due maniere » disse l'uomo. « Metterla appena sotto terra, in maniera che se la trovano sembrerà che sia morta sotto le rovine. Oppure scavare almeno un metro, così non la troveranno, neanche se vengono a cercare tutti questi morti. »

« È meglio metterla profonda » disse Daniele.

« Per la puzza? » domandò l'uomo.

« No » disse Daniele. « Non pensavo a quello. »

« Avresti dovuto sentire che puzza c'era qui, i primi tempi dopo il bombardamento » disse l'uomo.

La luna era molto alta nel cielo quando essi smisero di scavare e tornarono nella casa. Carla stava seduta vicino a Giulia. Aveva acceso due candele nuove, al posto di quelle consumate. Daniele andò da lei, e allora essa domandò: « È pronto? ».

« Sì » disse Daniele.

Carla si alzò in piedi e con una mano gli spostò i capelli dalla fronte. « Vuoi che andiamo? » domandò.

Daniele guardava Giulia. « Mi lasci un po' solo con lei, Carla? » domandò.

Carla indugiò qualche istante con la mano sulla sua fronte, poi uscì in silenzio e preparò il caffè per il calzolaio. L'uomo era stanco e seccato. « Sarà ormai mezzanotte passata » disse.

Carla guardò il suo orologio. « Sì » disse.

L'uomo bevve una tazza di caffè, e Carla gliene versò un'altra. La tazza di Daniele era sulla tavola, piena. « Ma cosa fa là dentro? » domandò l'uomo.

« Adesso verrà » disse Carla.

L'uomo bevve la seconda tazza di caffè, quindi disse: « È meglio che ci sbrighiamo, già che tutto è pronto ».

« Non c'è fretta » disse Carla.

« Perché aspettare? » disse l'uomo. « Io son pieno di sonno. »

« Se volete andare, faremo noi soli » disse Carla.

« No » disse l'uomo. « Voglio vedere, io. Sono io che vado in galera per primo, se si accorgono di qualche cosa. »

Carla entrò nel riparo delle coperte. Daniele si era seduto sul materasso, e guardava Giulia.

« Daniele » chiamò Carla sottovoce.

Egli rivolse a lei degli occhi meravigliati.

« C'è il caffè, Daniele. »

« Bene » disse Daniele, e tornò a guardare verso Giulia.

Carla abbassò una mano e gliela posò sulla fronte. « Adesso devi essere bravo. »

Daniele alzò di nuovo il viso verso di lei, ed era tranquillo. « Sì » disse. « Non aver paura. »

« Allora dobbiamo andare. Quell'uomo è stanco, non vuole aspettare. »

« Va bene » disse Daniele alzandosi. « La porterò io. Digli di andare avanti. »

« Non ti stancherai a portarla tu? »

« Pesa così poco » disse Daniele. « Digli di andare avanti. »

Carla uscì per parlare all'uomo, e quando tornò, Daniele era ancora seduto sul materasso di Giulia. Le accarezzava i capelli con la punta delle dita, un poco sopra le tempie.

« Andiamo, Daniele » disse Carla.

Egli non si volse, ma disse: « Guarda. Così è stato la prima volta, quando ci siamo accorti ».

Carla aspettò un poco, quindi disse di nuovo: « Andiamo, Daniele ».

« Sì » disse Daniele, e si alzò e mise le mani sotto il corpo di Giulia. « È tutta dura » disse.

« È perché sono diverse ore che è morta » disse Carla.

Daniele fece forza con le braccia e sollevò il corpo di Giulia. Le gambe si piegarono e un braccio cadde inerte e la testa penzolò un poco all'indietro. Dalla bocca uscì una bava di sangue e sporcò il viso.

« Guarda, Carla » disse Daniele. « Puliscile la bocca. »

Carla pulì il viso di Giulia con un fazzoletto.

« Anche il braccio » disse Daniele. « Tirale su il braccio. »

Carla prese il braccio e lo piegò sopra il corpo. Allora Daniele cominciò a camminare con Giulia sulle braccia. Carla spense le candele e lo seguì da vicino.

L'uomo aspettava impaziente vicino alla buca. « Bisogna far presto » disse.

« Tienila tu un momento, Carla » disse Daniele.

Carla prese Giulia sulle braccia, e Daniele scese nella buca, che non era molto profonda. « Adesso calatela » egli disse.

L'uomo e Carla calarono il corpo nella buca, sostenendolo per le braccia. Daniele lo prese e lo stese sul fondo. « Ci siamo dimenticati, Carla » disse. « Potevamo portarle qualche magnolia. »

« Adesso è tardi » disse Carla. « Lo faremo domani. »

« Sì » disse Daniele. « Le piacevano tanto le magnolie. » Poi salì e con la pala cominciò a riempire la buca di terra. E quando la buca fu riempita, vi montarono sopra con i piedi per spianare il terreno, e poi con le pietre coprirono dove la terra era stata smossa. E dopo che tutto fu finito, rimasero a guardare, alla poca luce della luna.

« Una pioggia, e non si vedrà più niente » disse l'uomo.

Gli altri non dissero nulla.

L'uomo allora raccolse gli attrezzi e se li caricò su una spalla. « Bene, io me ne vado » disse. E se ne andò.

XV

Appena sentì Carla muoversi, Daniele accese il fornello e preparò il caffè. Mise la tazza sulla tavola, in attesa di Carla. Per un po' di tempo un po' di vapore continuò a levarsi dalla tazza, quindi finì. Carla di quando in quando faceva rumore, muovendosi nella sua stanza. Poi venne in cucina. Aveva il vestito buono e i capelli ben pettinati e le labbra dipinte, e così era preparata per uscire. Si affaccendò come distrattamente intorno a qualche oggetto che non era al suo posto.

« Se vuoi, ti riscaldo il caffè » disse Daniele.

« No, non importa. » Prese la tazza e si portò vicino alla finestra. Cominciò a bere a piccoli sorsi, guardando fuori. « Daniele » disse. « Forse non tornerò questa sera. »

Daniele volse il viso verso di lei, e non poté vedere che la schiena e i capelli. « Va bene » disse.

Lentamente Carla finì di bere e si volse e venne a posare la tazza vuota sulla tavola. Non lo guardò, ma disse: « Perché non torni a lavorare, Daniele? ».

Egli parve cercare la risposta. « Non ho voglia » disse.

Carla si mosse per prendere la borsa della spesa che era appesa a un chiodo. La rovesciò e si mise a pulirla, senza fretta. « Non dico che tu debba andare a lavorare per i soldi » disse. « Ma penso che ti farebbe bene lavorare, solo per fare qualche cosa. Non si può continuare a vivere come fai tu. »

« No, non si può » disse Daniele.

Carla si fermò a fissarlo, e i suoi occhi si fecero intensi. Tuttavia quando parlò la sua voce fu quasi senza espressione. « Se non dovessi tornare questa sera, » disse « penserai tu a preparar da mangiare, per te e per Maria. »

« Va bene. »

« C'è ancora qualcosa da mangiare nella cassa. »

« Va bene » disse Daniele, e alzò il viso verso di lei, e il loro sguardo s'incontrò per un attimo e subito tutti e due distolsero gli occhi.

« Bisognerà anche andare a prendere acqua, questa sera » disse Carla. « Posso dire al calzolaio che venga ad aiutarti. »

« No, ci penserò io » disse Daniele.

Carla uscì portando la borsa per la spesa, ed egli si sedette su di uno sgabello e rimase così seduto per un lungo tempo. Quindi si alzò, e dopo essersi guardato intorno decise di lavare la tazza che Carla aveva lasciato sulla tavola. Lavò la tazza e la mise al suo posto sopra la mensola, e tornò a sedersi sullo sgabello di prima. Dai campanili della città le campane cominciarono a suonare mezzogiorno, non tutte insieme, ma alcune prima e altre dopo, più vicine o più lontane. Quando smisero, Daniele si alzò e cambiò posto, andando a sedersi sullo scalino della soglia. Guardò lungamente la terra, poi le rovine, poi il cielo. Delle striature bianche rigavano il cielo. Forse il tempo sarebbe cambiato.

Si provava una specie di smarrimento a guardare il cielo che era così grande, e Daniele tornò sulla terra. Parve interessarsi alle sue scarpe che avevano la suola consumata. Toccò il cuoio nel punto più sottile, e lo sentì molle e pieghevole. Non sarebbero durate molto, quelle scarpe. Anche sopra, sulla tomaia, si erano spaccate. Poi perdette d'un tratto l'interesse per le scarpe, e si appoggiò con la testa al muro e chiuse gli occhi. Le sue mani e le sue braccia restavano completamente inerti. E la sua mente andava, senza che egli la controllasse o la seguisse, nella sua strada.

Improvvisamente un pensiero gli diede un rapido senso di gioia, e subito si dimenticò di quel pensiero, e per quanto vi meditasse sopra non riuscì più a ricordarsene. Allora riaprì gli occhi. Si mise a fissare un punto del terreno, e con ostinazione considerò tutti i pensieri che avrebbero potuto dare gioia. Che sua mamma fosse ancora viva, e che fosse viva Giulia, e che non ci fosse mai stata la guerra. Ma nessuna gioia veniva dallo sforzo di fare quei pensieri. Non era stato un pensiero, quello di prima, solo un'impressione, come se la mamma e Giulia fossero appena dietro l'angolo e stessero facendo qualcosa canticchiando. Richiuse gli occhi e tentò di portare immagini alla mente. La mamma e Giulia erano insieme, sedute su di un divano a fiori, che era nella casa al quinto piano del grattacielo. Erano sedute insieme e parlavano fra di loro pianamente e parevano contente. E tutto ciò era inutile, perché una bomba aveva fatto cadere il grattacielo e Giulia era morta tisica, e la mamma e Giulia non si erano mai conosciute. Nessuna gioia poteva venire da quei pensieri senza senso.

Tornò ad aprire gli occhi e a fissare il punto sul terreno e a cercare dei pensieri diversi. Doveva fare qualche cosa. Scavò nella mente, per cercare cosa dovesse fare. Si ricordò che doveva preparar da mangiare, per sé e per Maria. Carla non sarebbe tornata, quella sera. E bisognava andare a prendere l'acqua. Ma non erano cose che avessero importanza, quelle. Le avrebbe fatte comunque, anche senza pensarci. Qualche altra cosa bisognava fare, e non gli veniva alla mente. Il sole era passato sopra la casa e una striscia d'ombra cadeva per terra. Delle striature bianche rigavano il cielo. Forse per questo si poteva pensare che il tempo sarebbe cambiato.

Sentì fame. Doveva essere a causa della fame che la sua mente se ne andava senza ubbidirgli, così stordita. Si levò in piedi ed entrò in cucina. Dalla cassa prese pane e formaggio e mangiò avidamente e bevve avidamente molta acqua. Poi tornò a sedersi sullo scalino. Si sentiva meglio, adesso. A poco a poco nella sua mente prese forma la cosa importante che aveva da fare. Allora si alzò e uscì nella strada passando per la casa del calzolaio e camminò senza fretta per le vie della città, diretto alla piazza del mercato.

L'uomo che vendeva la verdura era al suo posto, seduto sulla cassa dietro il banco. Egli sorrise appena scorse Daniele venire, ma quando lo ebbe vicino la sua faccia cambiò espressione. « Sei stato malato? » domandò.

« No, non malato. »

« È quasi un mese che non ti fai più vedere. »

Sul banco vi erano solo dei sedani da vendere, non molto belli. Nella piazza non c'era quasi nessuno in giro a quell'ora, perché faceva caldo. Daniele guardava assorto nella piazza. « Son venuto per salutarvi » disse. « Domani vado via. »

« Dove vai? » domandò l'uomo.

« A Roma » disse Daniele. « Quei miei parenti di Roma sono venuti a sapere che mi trovavo qui, e m'hanno scritto di andare. »

« Meglio così » disse l'uomo.

Una donna venne per comperare sedani. Era una piccola donna con un vestito leggero e logoro, e una faccia sofferente. Guardò per un poco i sedani e s'informò del prezzo ed esitò prima di prenderne cinque.

Daniele riprese a guardare nella piazza. « È fuori vostro cognato? » domandò.

« Se venivi mezz'ora fa lo trovavi » disse l'uomo. « Adesso è tornato fuori. »

« Sì » disse Daniele.

Anche l'uomo guardava nella piazza, ora. « Forse cambierà il tempo » disse. « Fa troppo caldo per questa stagione. »

« Sì » disse Daniele.

Poi la voce dell'uomo si fece viva ad un tratto. « È meglio

per te, se vai a Roma » disse. « Non avrai più tante preoccupazioni per vivere. E riprenderai ad andare a scuola. Restando qui saresti diventato un vagabondo. »

« Sì » disse Daniele.

L'uomo lo guardò attentamente. « Non sei contento di andare a Roma? »

« Sì » disse Daniele. « Son contento. »

Si capiva che non era vero, ma l'uomo non disse niente a questo proposito. Invece disse: « Io ti devo del denaro, ancora dall'ultima volta ».

« Fa niente, il denaro » disse Daniele. « Penso che non mi servirà, ormai. »

« Io te lo darò in ogni modo » disse l'uomo. « Il denaro serve sempre. » Cercò nel portafogli una carta dov'erano scritti dei numeri. Poi prese del denaro e lo diede a Daniele. « Non è molto » disse.

« Io non ero venuto per questo » disse Daniele. « Non ci pensavo neanche. Ero solo venuto per ringraziarvi. Voi mi avete aiutato dandomi lavoro. »

« Ci siamo aiutati l'un l'altro » disse l'uomo. « Il tuo lavoro mi serviva, e sarei contento che tu potessi lavorare ancora per me. »

« Ora non posso più. »

« Bene. Per te è meglio così. »

« Sì » disse Daniele, con fretta di andarsene. « Dite a vostro cognato che ero contento di andare in giro con lui. Mi insegnava tante cose. »

« Glielo dirò » disse l'uomo.

Daniele stette ancora alquanto assorto, quindi all'improvviso tese la mano e l'uomo gliela strinse.

« Buona fortuna. »

« Buona fortuna a voi » disse Daniele, e subito si volse per andare attraverso la piazza del mercato in direzione della porta di San Tommaso.

L'uomo lo guardò andare, commosso dentro di sé. Poi qualcun altro venne a comperare sedani ed egli non pensò più al ragazzo per qualche minuto. Dopo, quando tornò a pensarvi, non fu più con la stessa intensità di prima. Ormai se n'era andato.

Daniele uscì dalla porta di San Tommaso, e passò la larga strada della circonvallazione, e poi prese un viale a sinistra, che aveva delle villette a due piani ai lati, ciascuna con un piccolo giardino davanti. Ora doveva andare dal vecchio. Gli pareva almeno di dover andare. Le cose gli si presentavano alla mente ad una ad una, e il resto del mondo rimaneva come sfumato o ignorato. Ora gli pareva necessario andare dal vecchio, perciò camminava per il viale, diretto alla sua casa. Ogni tanto guardava il cielo con le striature bianche. Il tempo sarebbe cambiato perché faceva caldo. Egli non se n'era accorto, prima, ma faceva caldo.

Trovò il vecchio nella sua poltrona, e niente era mutato nella camera.

« Siediti » disse il vecchio, e Daniele sedette sulla branda.

Rimasero a lungo silenziosi, ma senza imbarazzo, come se ciascuno di loro due fosse stato solo nella camera. Soltanto più tardi Daniele cominciò a interessarsi al vecchio. Gli diedero fastidio le mani posate sui braccioli, con le vene troppo grosse. Gli dava anche fastidio il fatto che il vecchio se ne stesse così assente, guardando fuori dalla finestra. Provò il desiderio di fargli qualcosa di male. « Giulia è morta » disse.

« Lo so. »

« Chi ve l'ha detto? »

« Carla » disse il vecchio. « Carla viene a trovarmi, qualche volta. Ma tu non vieni mai. Si ha voglia di restar legati alla vita, in qualche modo. »

Daniele lo guardava sempre. Era stato stupido a venire. Non c'era nessun obbligo di venire a salutare il vecchio, non si erano mai trovati bene insieme. Provò più forte il desiderio di fargli male. « Li avete venduti, i mobili che c'erano prima? » domandò.

Il vecchio volse la testa, meravigliato. « Sì » disse.

« Li avete venduti per mangiare? »

« Per vivere » disse il vecchio.

Daniele fece una smorfia. « È proprio importante vivere? » domandò.

« Dobbiamo vivere » disse il vecchio. « Siamo venuti al mondo con dei doveri da compiere, verso noi stessi e gli altri. Ognuno deve fare lo sforzo che gli spetta per il bene degli altri. »

La smorfia sul viso di Daniele si accentuò, come se egli ridesse. « Perché dite delle cose senza crederci? »

Il vecchio non rispose, e di nuovo si mise a guardare fissamente fuori dalla finestra.

« Perdonatemi » disse Daniele.

« Anche tu hai capito » disse il vecchio.

Daniele stette con la testa bassa. Non voleva fargli del male, sinceramente non voleva.

« È perché siamo soli » disse il vecchio. « E tu sei sperduto come me, adesso. Carla mi ha detto come passi le tue giornate. Pare facile trovare qualcuno che ci voglia bene in mezzo alla gente del mondo, e non si trova. Oppure siamo noi che siamo incapaci di voler bene agli altri, io non so. Ma così si resta soli e si è come morti, anche se non si ha il coraggio di ammazzarsi. »

« Perdonatemi » disse Daniele nuovamente.

Il vecchio volse verso di lui la testa, e aveva gli occhi lucidi. « Sei tu che devi perdonarmi » disse. E dopo qualche tempo domandò: « Cosa sei venuto a fare? ».

« Son venuto a salutarvi. Vado via. »

« Dove? »

« Dai miei parenti, a Roma » disse Daniele. « Ho dei parenti di mia madre, a Roma. »

Il vecchio lo guardò a lungo, con attenzione. « Vieni qui vicino » disse.

Daniele si alzò e si avvicinò alla poltrona. Il vecchio gli prese le braccia e lo osservò direttamente negli occhi. « Tu non hai intenzione di andare a Roma » disse.

« No » disse Daniele.

« Dove vuoi andare, allora? »

« In giro » disse Daniele. « Non so dove. »

« Perché vai via? »

« Non so » disse Daniele. « Non posso più stare qui. »

« Ma ci sarà pur qualche motivo per farti andar via » disse il vecchio.

« È morta Giulia » disse Daniele.

« Non è una ragione » disse il vecchio. « Se Giulia è morta, qui o altrove fa lo stesso. Non la ritroverai viva, andando in un altro posto. »

« No » disse Daniele.

« E allora perché vai via? » domandò il vecchio.

Daniele fece un brusco movimento con la testa. « Ma devo andare » disse. « Io non so spiegare perché, ma devo andare. Prima, quando ero in collegio e mia mamma era viva, io potevo stare in collegio. E dopo non ci potei più stare. Feci di tutto per starci ancora. Capivo che in qualsiasi altro posto dove fossi andato, sarei stato peggio. Ma proprio non ci potevo più restare e son scappato. E così è adesso, dopo che è morto Tullio ed è morta Giulia. Io sento che non posso più stare in quella casa. Non importa se sarà peggio dove andrò a finire. »

« Bene, è così » disse il vecchio pensierosamente.

« Sì, è così » disse Daniele. « E voi potete capire meglio di ogni altro, e lo fate apposta, se tentate di confondermi. »

Il vecchio sollevò gli occhi dolorosi e tranquilli. S'accorse che Daniele stava ancora in piedi, vicino alla poltrona. « Siediti » disse.

Daniele tornò a sedersi sulla branda e si mise a guardare fuori dalla finestra. Si vedeva un pezzo di cielo con delle striature bianche, e forse il tempo sarebbe cambiato. Ad un tratto il vecchio cominciò a parlare, e si sentiva in lui lo sforzo per dire le cose che diceva. Daniele ascoltò sempre guardando fisso fuori dalla finestra.

« Tu sei disperato, ora » disse il vecchio. « Sei proprio disperato, come me. Ma c'è una differenza fra noi due, perché tu sei giovane e non è giusto che tu ti perda. Così forse non è un male che tu parta. Dopo potrai tornare, o andare a Roma, o stare in qualsiasi altro posto, ma intanto troverai la forza per superare questo momento, muovendoti. Bisogna avere una grande forza per continuare a vivere, perché non siamo solo io o tu ad essere perduti, ma tutta la gente è come noi, sola e sperduta, e nessuno può darci aiuto. Questo è il frutto della guerra, e non trovare sostegno in nessuno. »

Daniele ascoltava senza muoversi, e gli sembrava che le parole venissero ad accumularsi con ritardo nella sua mente. Tuttavia capiva bene.

« Ma l'umanità non può andare avanti nel male in questo modo » disse il vecchio. « Bisognerà che un giorno ritrovi se stessa, e allora un più grande bene verrà a tutti gli uomini, ai poveri e ai ricchi, a quelli che hanno perso e a quelli che hanno vinto. Io penso continuamente a queste cose, e son certo che verrà un tempo migliore. Non so quando, ma verrà. E se io non avrò la forza di arrivare a quel punto, non importa. Ma tu devi arrivare, e tutti quelli che sono come te, giovani con la bontà nel cuore. Voi non dovete lasciarvi andare. Avete la vostra missione da compiere nel mondo, perché gli uomini diventino più buoni e dimentichino la violenza e l'odio, e sappiano perdonarsi il male che si sono fatto. »

« Io non ho fatto male a nessuno » disse Daniele. « E neanche Giulia. E Tullio rubava solo per aiutare gli altri, solo per quello. E intanto sono morti. »

« Il male non è in te o in me » disse il vecchio. « È in tutti gli uomini insieme. E tutti dobbiamo patire per il male di tutti, anche quelli che non ne hanno colpa. »

« Non è giusto » disse Daniele.

« Lo so » disse il vecchio. « Ma per questo non c'è rimedio, all'infuori dell'aspettare. Vi è il male e il bene mescolato negli uomini. Quando si saranno stancati del male, forse salterà fuori il bene. Questa è la fede che bisogna avere nell'umanità. Non è grande cosa, una fede come questa, ma bisogna avere almeno questa, in mancanza di meglio, almeno voi giovani dovete averla e dovete fare ciò che potete per i tempi che verranno. »

Daniele non disse nulla, nella lunga pausa che seguì.

« Non devi lasciarti vincere dalla disperazione » disse il vecchio.

« Non sono disperato » disse Daniele. « Sono solo confuso. »

« Allora aspetta che passi del tempo » disse il vecchio. « E cerca di credere in qualche cosa. Vedrai che tutto si chiarirà. »

« Sì » disse Daniele. Poi gli venne improvviso il desiderio di andarsene. Si alzò in fretta dalla branda e si avvicinò alla poltrona. « Adesso devo andare » disse.

« Noi non ci vedremo mai più » disse il vecchio. « Ormai non mi resta molto tempo da vivere. Ma sarei contento se ti ricordassi delle mie parole. Ti aiuteranno. »

« Va bene » disse Daniele, e tese la mano, come aveva fatto prima con l'uomo che vendeva verdura.

Ma il vecchio alzò le mani e gli prese la testa. Era come se volesse baciarlo sulla fronte, ma poi non lo fece. « Buona fortuna » disse.

« Buona fortuna » disse Daniele, e uscì.

Andò per le strade lentamente. Per un pezzo continuò a pensare al vecchio, e quasi rideva dentro di sé. Voleva fargli coraggio, il vecchio, e intanto aveva detto solo delle cose senza senso per loro due, delle cose in cui non credevano. Tullio avrebbe potuto dire cose come quelle, e parlare del grande giorno in cui il bene sarebbe venuto sulla terra per tutti gli uomini. Ma Tullio non era uno sperduto. E tuttavia era morto lui, invece di qualcun altro. Cacciò dalla mente i pensieri di Tullio e del vecchio. Seguitò a girare per le strade senza interessarsi alla gente o alle cose, senza neppur sapere dove andava. Si lasciava guidare da una volontà che era dentro di lui, ed egli non ne aveva percezione.

Uscì infine sulla piazza del Duomo e guardò verso le rovine dei grattacieli. Bene, se era là che doveva andare, era ancora troppo presto. Adesso doveva solo andare a casa, e preparare da mangiare, per sé e per Maria. E poi prendere l'acqua.

Camminò per la strada giusta, e passando dalla casa del calzolaio prese la piccola Maria. E arrivato in cucina la fece sedere. « Carla non tornerà questa sera » disse.

« Va bene » disse la bambina con la faccia grave.

Con lei non si poteva parlare, ed era meglio così.

Guardò nella cassa cercando roba da mangiare. V'era del pane, e due scatole di carne con verdura. Accese il fornello e mise a scaldare dell'acqua in una pentola. Sentiva lo sguardo della bambina che lo seguiva, mentre egli faceva quelle cose. Due volte provò a sorriderle, ed essa non rispose. Allora s'interessò soltanto al proprio lavoro. Prese una delle due scatole, fece un foro nel coperchio e la mise a scaldare nell'acqua della pentola. L'acqua non era molta, così che il coperchio bucato non restava sommerso. Si sedette vicino al fornello, voltando le spalle alla bambina. L'acqua cominciò a fumare e dopo un poco a bollire. Non si sentiva il rumore dell'acqua che bolliva, perché la fiamma soffiava forte. Si vedeva però l'acqua muoversi e il vapore salire. E quando fu passato un po' di tempo egli spense il fornello e prese la scatola e l'aprì. Preparò il pane sulla tavola, e due piatti e due forchette. Divise a metà la carne con la verdura. Mangiarono senza parlare, immergendo il pane nel sugo della carne. Poi Daniele lavò i piatti con l'acqua calda, e li mise al loro posto, sopra la mensola. Nel frattempo il sole era tramontato, fuori, ma l'aria era ancora chiara.

Scelse tra i bidoni quello che aveva la croce bianca. La bambina si alzò, vedendolo prendere il bidone. Andarono insieme verso l'uscita, ma nel corridoio Daniele si fermò e depose il bidone sul pavimento e s'inginocchiò davanti alla bambina. Stando egli così inginocchiato, le loro facce erano alla stessa altezza, e vicine. « Adesso dobbiamo salutarci, Maria » egli disse.

La bambina lo guardava stupita, senza dir niente.

« Ti ricordi l'albero delle magnolie? » domandò Daniele.

Ancora la bambina non rispondeva

« Le magnolie » disse Daniele. « Possibile che non ricordi l'albero delle magnolie che sta nel cortile, dietro la tua casa? »

« Lo so, l'albero » disse la bambina.

« Bene » disse Daniele. « Adesso non ha più fiori, perché l'estate è passata. Ma un altr'anno verrà ancora l'estate, e ci saranno ancora i fiori. Allora tu devi prendere i fiori e portarli qui e metterli nei barattoli con l'acqua, come faceva Giulia. »

La bambina fece di sì con la testa. « Come faceva Giulia » disse.

« Non ti dimenticherai? » domandò Daniele.

« No » rispose la bambina.

Daniele parve pensare un poco, poi domandò: « Sai qual è il mio nome? ».

« Daniele. »

« Non ti dimenticherai il mio nome? »

« No. »

« Dillo un'altra volta. »

« Daniele » disse la bambina.

Daniele sorrise. Non si sarebbe dimenticata. Perché faceva fatica a capire le cose, ma poi non andavano più via dalla sua testa. « Bene » egli disse. « Adesso dammi un bacio. »

La bambina circondò il collo di Daniele con le braccia e gli diede un bacio. « No, non così » disse Daniele. « Più forte. »

La bambina strinse le braccia con maggiore forza, e lo baciò di nuovo. Ed egli la tenne stretta a sé lungamente e la baciò più volte, sui capelli e sul viso. Era calda e faceva piacere sentire la vita in lei, benché fosse una vita inutile, fatta solo di sangue che batteva in qualche posto. La lasciò e disse: « Bene, così va bene. Andiamo, adesso ».

Si alzò e prese il bidone vuoto e con l'altra mano tenne stretta la mano della bambina e la condusse alla sua casa. Il calzolaio e sua moglie stavano mangiando. L'altra porta era aperta sulla strada.

Depose il bidone vuoto al suo posto, vicino alla porta. « Quello pieno lo prenderò dopo » disse. « Adesso devo andar fuori. »

« Non star via molto » disse il calzolaio. « Noi vogliamo andare a letto presto. »

« Non starò via molto » disse Daniele.

Le strade erano immerse nella penombra del crepuscolo, e nel cielo si vedevano sempre striature di nubi. E l'aria era afosa, troppo calda per quella stagione. Anche per questo si poteva esser sicuri che il tempo sarebbe cambiato. Continuamente quel pensiero gli tornava alla mente, e provava in esso una specie di contentezza, anche se non era importante.

Arrivò troppo presto nella piazza del Duomo, quando era ancora chiara per una bassa striscia di luce sull'orizzonte. Si sedette su di un gradino del pronao, aspettando, e intanto guardava verso i mucchi di rovine. Qualcuno era seduto non molto lontano da lui ma non si parlarono. Anche in basso il cielo si faceva bruno, a poco a poco. E già grande e luminosa era la stella della sera.

Poi si levò in piedi e camminò verso il primo mucchio di rovine. Girò dietro dov'era stata la sua casa. Forse stavano a letto, suo padre e sua madre, quando era caduta la bomba. E adesso stavano morti proprio in quel punto, sotto le macerie. Si sedette, e pensò intensamente a loro, e domandò loro la forza necessaria.

Quando si alzò era ormai notte. Ritornò a casa camminando in fretta per le strade illuminate dalle lampade. Si potevano tener accese le lampade senza schermo, perché non c'era più la guerra.

L'uomo lo aspettava, ma la donna e la bambina erano già a letto, nel grande letto matrimoniale contro la parete. Prese il bidone pieno d'acqua e lo portò nella cucina.

Poi si sedette, e rimase a lungo seduto. Ora la cosa da fare era di andare al fiume a prendere l'acqua per lavare. Voleva riempire tutti e quattro i bidoni. Con due viaggi ci sarebbe riuscito, forse. Ma si sentiva stanco, specialmente nella testa. Tuttavia non riusciva a riposare neanche stando seduto. La preoccupazione di andare a prender l'acqua pareva che fosse più faticosa del lavoro di andarla a prendere. Allora si alzò e andò a prender l'acqua, con due bidoni alla volta. Si fermava continuamente, quando i bidoni erano pieni, e ascoltava il silenzio, il silenzio di tutti quei morti che era tanto pauroso da quando Giulia era stata sepolta in mezzo a loro. Era sepolta sotto qualche pietra, e doveva piovere e poi non si sarebbe visto più niente.

Quando tutti i bidoni nella cucina furono pieni egli non riposò. Doveva andare da Giulia, adesso.

Trovò facilmente il posto, e la pietra più grande dove era solito sedersi. Tentò di parlare con lei, ma forse era sbagliato ciò che Giulia aveva detto, che qualcosa di lei sarebbe durato, dopo. Niente di lei era rimasto sulla terra, altrimenti lui l'avrebbe sentito, ora. Oppure per sentirlo bisognava diventare come lei, passare al di là della vita col pensiero di amarla. Cercò nel cielo. Quella stella non c'era più, essendo ormai tramontata, ma ce n'erano tante altre. Non tutte, a causa delle striature di nubi, ma tante ce n'erano, ed erano già le stelle dell'inverno, ed essi ne conoscevano qualcuna. Un gruppo di stelle piccole piccole, che si chiamavano Pleiadi, e tre più basse e più splendenti, messe in fila, che si chiamavano Orione. Sua mamma gli aveva insegnato quei nomi, ed egli li aveva insegnati a Giulia, nelle sere in cui si fermavano lungo il sentiero quando portavano l'acqua. Egli era stato il legame che aveva unito sua mamma e Giulia, nell'infinito dei tempi. Le aveva unite col suo amore, e a niente era servito, perché esse erano andate via, e lo avevano lasciato solo e sperduto sulla terra.

Si alzò stancamente. Adesso doveva andare a dormire. Guardò ancora le pietre sparse sotto le quali stava Giulia, e le domandò la forza necessaria. Molta forza era necessaria a lui per la grande cosa che doveva fare.

Le finestre della cucina erano aperte, ma l'aria dentro era ancora calda. Troppo calda per quella stagione. Si stese sopra le coperte e s'addormentò. Si svegliò una volta che era notte, e sentì freddo. Si mise sotto le coperte e si riaddormentò subito.

Si svegliò di nuovo che era giorno, e allora si alzò. La borsa che Carla aveva portato con sé il giorno prima era al suo posto, appesa al chiodo del muro. Guardò nella cassa della roba da mangiare. Vi era del pane e delle scatole di latte e dei biscotti, e il barattolo di vetro dove mettevano lo zucchero era pieno. Carla aveva guadagnato quelle cose col suo lavoro. Cose che servivano per mangiare. O per vivere, aveva detto il vecchio, ma era lo stesso.

Andò a sedersi sullo scalino della soglia. Il cielo era coperto, ed egli fu contento di ciò. Non aveva molta importanza per quello che aveva da fare, se il cielo era nuvoloso o sereno. Solo, tutto il giorno prima aveva pensato che il tempo sarebbe cambiato, e così fu contento di vederlo cambiato. Forse anche sarebbe piovuto, prima di sera, perché l'aria era ancora troppo calda per quella stagione. La pioggia aveva più importanza per una certa cosa, e poi uno qualunque non si sarebbe accorto di dove stava sepolta Giulia, neanche passando vicino. Mancava il segno del sole, perciò egli non aveva idea di che ora fosse. Per tutto il tempo che rimase seduto, aspettò che da qualche campanile le campane cominciassero a suonare. Tuttavia le campane non suonavano. Forse mezzogiorno era passato mentre egli ancora dormiva.

Poi sentì Carla muoversi nella sua camera, e allora tornò in cucina per preparare il caffelatte. E appena il caffelatte fu caldo egli ne bevve una tazza, e mangiò anche dei biscotti. Cose che Carla aveva guadagnato col suo lavoro. Ma ciò non importava granché ormai, perché era l'ultima volta. Dopo se ne sarebbe andato.

Carla impiegò molto tempo a vestirsi e venne in cucina preparata per uscire, come il giorno prima. E come il giorno prima essa si mise a bere il caffelatte guardando fuori dalla finestra, e disse, come distrattamente: « Forse non tornerò a casa, stasera, Daniele ».

E Daniele domandò: « Che ore sono, Carla? ».

« Le tre » disse Carla.

E Daniele disse: « È tardi ».

Carla finì di bere il caffelatte, prese la borsa della spesa, e prima di uscire dalla cucina disse: « Arrivederci Daniele ».

Egli la seguì nel corridoio. La richiamò quando essa era ormai vicina alla porta. « Carla » disse.

Carla si fermò voltandosi indietro. A passi lenti egli le andò vicino. « Carla » disse esitando. « Dobbiamo salutarci, perché io vado via. »

Carla non disse nulla per qualche istante. Guardò la borsa che era di tela greggia, e aveva due anelli di ferro per prenderla in mano. Girò uno degli anelli fino a che non si fermò con la cerniera contro la tela. « Quando vai via? » domandò.

« Oggi, devo andare. »

« Per sempre? »

« Sì » disse Daniele.

Carla chiuse gli occhi e abbassò le braccia che stettero inerti lungo il suo corpo. Poi aprì gli occhi e lentamente tornò in cucina. Daniele rimase senza muoversi, appoggiato con la schiena alla parete del corridoio. Carla venne subito dopo, e non si capiva cosa fosse andata a fare in cucina. « Sediamoci » disse.

Si sedettero sullo scalino e Carla si mise a fumare.

« Vuoi anche tu una sigaretta? » domandò.

Daniele sembrava indeciso, ma poi fece di no con la testa.

Carla fumò una sigaretta e ne accese subito un'altra, e quando ebbe finito la seconda ne accese una terza, e non parlò mai durante tutto quel tempo.

« Non vai più fuori? » domandò Daniele.

Carla fece segno di no con la testa.

Ancora del tempo passò, ed essi rimasero in silenzio.

« Si fa tardi » disse ad un tratto Daniele.

« Perché tardi? »

Daniele non rispose.

Improvvisamente Carla si voltò verso di lui. « Parti per causa mia, vero? » disse. « Perché io faccio quel mestiere? »

« No. Non c'entra niente. »

« Perché vai via, allora? »

« Non posso più restare qui. Ogni momento che resto qui

è pieno di disperazione, perché non c'è più Giulia. E non riesco a far niente, in questa disperazione. Non riesco più neanche a pensare. »

« Devi lasciar passare ancora del tempo » disse Carla. « Lascia passare del tempo e guarirai. Cerca di tornare al tuo lavoro. Non puoi lasciarti andare. Tutta la gente è come te, e tutti non fanno che tribolare per i dolori e la miseria, ma non si lasciano andare. Tullio diceva sempre che vi era qualcosa di meraviglioso nella forza che ha la gente a tener duro. E diceva che fino a quando la gente era così, neanche lui poteva lasciarsi andare, e trovava uno scopo per stare al mondo. »

Daniele mosse la testa sconsolatamente. « Tu pensi che sia come Tullio » disse. « Anche tu sei come Tullio, e mi credi eguale a voi. Perché vai a trovare quel vecchio? »

« Quale vecchio? »

« Quel maestro in pensione. Perché vai a trovarlo? »

« Così » disse Carla.

« Anche tu sei come Tullio » disse Daniele. « Piena di forza e di vita e di interesse per gli altri. Io invece non riesco a sentire le tribolazioni degli altri. Non è una bella cosa, ma questo è proprio il modo in cui sono fatto. Io so solo che vi erano delle cose che amavo, e me le hanno portate via tutte, mia madre e mio padre e la mia casa, e Tullio, e Giulia. E così son rimasto vuoto, dentro. Non posso farci niente. »

« Pensi che sarà diverso, in un altro posto? » domandò Carla.

« Non so » disse Daniele. « Forse non sarà diverso, ma devo tentare. Fin che resto qui è come se fossi morto. Da quando è morta Giulia è come se fossi morto anch'io. »

Egli tacque, e si mise a guardar per terra, abbracciandosi i ginocchi. Anche Carla guardava per terra, in un modo assorto e doloroso.

Poi Daniele disse di nuovo: « Si fa tardi ».

Carla si scosse. « Ascolta, Daniele » disse. « Se io lasciassi quel mio mestiere, e mi mettessi a fare una vita diversa, allora resteresti con me? »

Daniele non rispose.

« Si potrebbe lasciare questa casa » disse Carla. « Andare in un altro posto, magari in un'altra città. E tu troveresti lavoro, e si potrebbe vivere insieme, col tuo lavoro. Non m'importerebbe niente di vivere male. »

« Saresti capace di farlo? »

« Potrei provare. Sento che sarei capace di fare qualsiasi cosa, se tu mi aiutassi. »

« Col mio lavoro? »

« No » disse Carla. « Non col lavoro soltanto. »

Daniele volse lo sguardo verso di lei. « E come, allora? » domandò.

Sempre con la testa bassa, Carla disse piano: « Dovresti amarmi come amavi Giulia, Daniele ».

Daniele tornò con gli occhi a terra. « Come potrei? »

Carla stette molto tempo in silenzio. Poi disse: « Non importa, Daniele. Ho parlato perché mi pareva una bella cosa, ma non importa. Ormai non sono più adatta per delle cose così belle ».

« Non è questo » disse Daniele. « Non dipende da quello che tu fai. È perché sono vuoto, dentro, ecco tutto. Non potrò più amare nessuno. »

« Sì, è così » disse Carla con la voce bassa.

« Devi credermi » disse Daniele. « Non è come tu pensi. Se non ci fossero state tutte queste disgrazie, e se io non fossi così vuoto, potrei amarti, sono sicuro che potrei amarti. »

« Grazie » disse Carla. « Ma non importa. »

« Devi credermi » disse Daniele.

« Ti credo. Solo non dovevo parlarti di queste cose, perché capisco che è inutile. Anche se tu mi volessi bene non porterebbe a niente, forse. Quando una comincia un mestiere come il mio è difficile che si tiri fuori. Non ci si pensa neanche. Solo qualche volta ci si pensa, quando capitano delle cose come questa con te. Ma poi si casca di nuovo. »

« Così pensava anche Tullio » disse Daniele.

« Hai parlato di queste cose con Tullio? »

« Sì. »

Carla alzò la testa. « Quando? »

« Una sera, forse due mesi prima che morisse. »

« È stata quella volta che compivo gli anni? »

« Sì. »

Carla stette alquanto immersa in un suo pensiero. Quindi disse: « Ho sbagliato, quella volta ».

Daniele non disse nulla. Dopo un poco le chiese che ora fosse, e lei rispose che erano le quattro passate.

Passò del tempo, e Carla domandò: « Hai deciso dove andare? ».

« Non importa, il posto. »

« Non andrai a Roma? »

« No. »

Di nuovo Carla tacque per qualche tempo. Poi disse: « Dovrei procurarti un po' di soldi. Se mi aspetti, vado a cercare qualcuno che me ne presti. Non starò via molto tempo ».

« Non servono, i soldi » disse Daniele.

Carla lo studiò a lungo, forse cercando di capire qualche cosa. O forse voleva guardarlo solo per ricordarsi meglio, dopo, ricordarsi com'era fatto, col suo viso troppo dolce e i capelli sempre un po' in disordine, che gli ingombravano la fronte. Erano anche troppo lunghi sul collo, i capelli. « Forse potrai comprare un biglietto per il treno, con i soldi » essa disse.

Daniele sorrise svogliato. « Bisognerebbe saper dove andare per comprare un biglietto » disse « Io non so dove andare. Prenderò un treno merci, a caso. Dove mi porta mi porta. »

« Bisognerà preparare la tua roba » disse Carla. « Forse avrai della roba da lavare, e non si asciugherà oggi, con questo tempo senza sole. »

Daniele non aveva ancora pensato alla roba. « La laverò io, dove andrò » disse.

« Non puoi aspettare un altro giorno? Solo fino a domani. »

« Non serve a niente un giorno in più. Quando uno ha deciso di andare è meglio che vada subito. »

« Sicuro » disse Carla. Essa non lo guardava più, ora, ma muoveva lo sguardo a lunghi intervalli sulle cose intorno. E aveva un'espressione amara.

E ad un tratto egli disse: « Tu stavi per andar fuori, prima. Forse è meglio se vai fuori, Carla. Ci salutiamo così, e sarà più facile ».

« Hai paura? »

« No. Ma sarà più facile, per tutti e due. »

« Sarà facile lo stesso, non aver paura. »

« Ma non devi più domandarmi di restare. Anche a me dispiace dirti di no. »

« Non te lo domanderò più » disse Carla. E poi si mise di nuovo a guardarlo, ma con gli occhi attenti adesso, non in quel modo sognante di prima. « Dovresti tagliarti i capelli, prima di partire » disse.

Daniele alzò le spalle, ma sorrise con riconoscenza.

Carla continuò ad osservarlo. Il vestito era ancora abbastanza buono. Era il vestito color nocciola, di stoffa pesante, buono per la stagione che stava per venire. Ma le scarpe erano troppo vecchie e consumate. « Le scarpe » disse, e si alzò.

« Dove vai? »

« Aspetta un momento. » Andò in camera sua e tornò poco dopo con un paio di scarpe basse, quasi nuove.

« Che fai, Carla? » domandò Daniele.

Essa sorrise, e si sedette per terra davanti a lui e cominciò a slacciargli una delle scarpe troppo consumate.

« Lascia, Carla » disse Daniele. « Lascia che faccio io. »

« Son contenta di farlo io » essa disse.

Egli la lasciò fare, e tuttavia si sentiva a disagio.

Carla gli tolse la scarpa vecchia e si preparò a calzargliene una nuova. « Speriamo che ti vadano bene » disse. « Erano di Tullio, prima. »

Il piede di Daniele entrò facilmente nella nuova scarpa.

« Come ti va? »

« Bene » disse Daniele. « Solo un po' grande. »

« È meglio se sono un po' grandi » disse Carla. « Così ti

potrai mettere anche due paia di calze, quando verrà freddo. »

Essa cominciò a slacciare l'altra scarpa vecchia. « Tullio non voleva portare queste scarpe » disse. « Diceva che gli andavano strette. Ma io penso che era perché erano troppo nuove. E poi, sono un tipo di scarpe da signori. Lui non voleva roba da signori. »

Daniele sorrise, non sapendo che dire.

« Aveva una testa così stramba, per certe cose » disse Carla, e intanto allacciava le nuove scarpe ai piedi di Daniele. « Prova a camminare, adesso » disse quand'ebbe finito.

Daniele si alzò e fece qualche passo.

« Vanno bene? »

« Sì » rispose Daniele. Poi il suo sguardo andò alle scarpe vecchie, ed egli le confrontò con le nuove. « Non era necessario » disse.

« Bisogna avere un paio di scarpe buone per andare in giro » essa disse.

Daniele sembrava come meravigliato. « È vero. Non ci pensavo. »

Carla venne a prenderlo per una mano, ed era chiaro che cercava di non essere troppo triste. « Andiamo dentro » disse. « È meglio preparare la roba, prima che faccia scuro. »

« Sì, è meglio » disse Daniele.

Entrarono in cucina e prepararono insieme la roba sopra il materasso di Daniele. Vuotarono prima la valigia, e Carla osservò con cura la biancheria. Erano indumenti ormai logori, ma non c'era niente da fare, perché la roba che aveva lasciato Tullio era più logora ancora.

« Adesso dimmi cosa vuoi mettere nel fondo » disse Carla.

« Non porto via la valigia » disse Daniele. « E neanche i libri. Vorrei fare solo un pacco, con un po' di biancheria e la roba per lavarmi. »

Carla andò in camera sua e tornò portando una specie di sacchetto di tela grossa e grigia, come un tascapane militare. Cominciò a metterci dentro la roba. Si muoveva con sufficiente disinvoltura, e a tratti rideva, anche, un poco forzatamente, e parlava quasi di continuo. Ma Daniele non aveva voglia. E così anch'essa, quand'ebbe finito di preparar la roba, non cercò più di nascondere la sua tristezza. Stettero seduti sul materasso, l'uno accanto all'altra, senza parlare. Fuori faceva buio rapidamente, perché mancava il sole. E ognuno di essi stava con i propri pensieri, e Daniele nella sua mente ricordava l'altra volta, quando la roba era ormai quasi pronta, e poi era entrata Giulia, e lui non aveva più avuto voglia di andar via, ma di restare con lei per sempre, comunque fosse la vita, e invece era finito così presto.

Sentirono il passo della piccola Maria che veniva per mangiare, e Carla si alzò. « Bisogna che prepari da mangiare » disse.

Daniele allora si sdraiò sul materasso e chiuse gli occhi, ascoltando i rumori. Sentì il soffiare del fornello e il rumore di Carla che chiudeva le finestre, e i suoi passi sul pavimento, e le poche parole che scambiava con la bambina. Parole qualsiasi, che essa si sforzava di dire, ed era subito stanca di dire. L'aria fu piena dell'odore del cibo che cuoceva. Aprì gli occhi, e vide il chiarore giallastro del lume sul soffitto. E la sua roba era pronta in quella specie di sacchetto di tela. Gli pareva che non occorresse, la roba. E bisognava esser riconoscenti a Carla per quello e per le scarpe, e per tutti gli sforzi di apparire disinvolta e rendere ogni cosa più facile.

« È pronto, Daniele » disse Carla.

Mangiarono poco, parlando poco, di cose da nulla. La tristezza cresceva in loro sempre più pesante, e neanche Carla aveva più forza per nasconderla. La bambina cominciò a guardare con occhi assonnati. Nessuno si muoveva per lavare i piatti.

« Metti la testa sulla tavola e dormi, Maria » disse Carla.

La bambina si affrettò ad ubbidire.

E Daniele domandò: « Che ore sono, Carla? ».

Carla guardò l'orologio. « Quasi le otto » disse.

« Si fa tardi » disse Daniele.

« No » disse Carla.

Caddero lungamente nel silenzio. Poi d'improvviso Carla disse: « Devi promettermi una cosa, Daniele ».

« Cosa? »

« Tu vai lontano per guarire, vero? Solo per guarire. »

« Sì. »

« Non è perché tu senti vergogna di stare con me. »

« Non devi più pensare così. »

« Bene » disse Carla. « Allora può darsi che dopo qualche tempo che sei lontano, tu ti senta meglio, e allora dovresti tornare. Non importa, anche se non mi ami. A me basta che tu mi stia vicino. Farò tutto quello che vuoi, se tu sei vicino a me. »

Daniele stette senza rispondere.

« Me lo prometti? »

« Sì. »

Di nuovo caddero nel silenzio. La bambina dormiva con la testa posata su di un braccio, e respirava calma, con la bocca aperta.

E dopo Carla disse: « Può darsi anche che tu ti accorga che è inutile andar via. Quando abbiamo il dolore così dentro di noi, ce lo portiamo sempre dietro, non serve cambiar posto. Può darsi che tu ti accorga presto di questa cosa. Può darsi anche che appena uscito di qui tu ti senta più disperato di prima. Allora dovresti tornare indietro. Non dovresti aver vergogna di tornare indietro subito. Io capirei. »

« Tu capisci » disse Daniele.

« Me lo prometti allora? »

« Lo farò, se sarà così. »

« Grazie. Così potrò aspettarti. Adesso mi pare importante aspettarti. »

Daniele non disse nulla. Guardava fissamente il tavolo, e sentiva che qualsiasi tentativo di dire qualche cosa, o anche solo di guardare Carla, lo avrebbe portato a piangere, ed egli disperatamente voleva non piangere. Avrebbe rovinato tutto, piangendo. Poi, appena si sentì la forza di parlare, disse: « Si fa tardi, Carla ».

« No » disse Carla.

Vi era tanta implorazione nella sua parola, che Daniele ancora per qualche tempo stette silenzioso. Quindi disse: « Si fa tardi, Carla. Il calzolaio vorrà andare a dormire. Adesso porterò a casa la piccola, e uscirò di lì, per andar via ».

« Potrai uscire per i reticolati. »

« Non so la strada. »

« Ti accompagnerò io fin là. »

Daniele rimase indeciso.

« Ti accompagnerò, non aver paura » disse Carla.

Daniele si alzò. « Va bene, allora » disse. « Intanto porterò a casa la piccola. »

Prese la bambina sulle braccia, piano piano perché non si svegliasse. Camminò adagio fuori dalla casa. Era buio profondo, e la bambina era una cosa buona nelle sue braccia, ed era leggera da portarsi, tuttavia non fredda e rigida come Giulia l'ultima volta. Era calda, invece, per quella sua vita inutile. Si fermò per baciarla sui capelli, e lo fece prima piano, e poi più forte, finché la bambina non si lamentò un poco. Allora smise di baciarla, ma ormai era troppo tardi per lui per non piangere. Le lacrime gli scendevano dagli occhi senza che egli potesse frenarle. Lacrime dolci e senza speranza. Arrivò alla casa e si appoggiò al muro, aspettando che finissero. Poi si avvicinò alla porta e bussò battendo con un piede. Il calzolaio venne ad aprire, ed una striscia di luce gialla uscì dalla porta. Egli non voleva entrare nella luce. Depose la bambina sulla soglia, sorreggendola fin tanto che non fu capace di stare in piedi da sola.

Il calzolaio aveva fretta. « Su, a letto » disse.

La bambina fece qualche passo sulle gambe incerte.

« Maria, Maria » chiamò Daniele.

Essa si fermò voltandosi a metà. Con le dita si sfregava gli occhi, a causa della luce e del sonno. Poi subito riprese a camminare verso il letto, sulle gambe incerte.

« Maria » chiamò ancora Daniele.

« Cosa c'è? » domandò il calzolaio.

« Niente » rispose Daniele.

Allora il calzolaio chiuse la porta e Daniele si trovò solo nel buio. Aspettò a lungo, prima di ritornare a casa. Non voleva far vedere a Carla i segni del suo pianto.

Quando egli entrò, Carla stava in piedi, appoggiata alla tavola, e voltava le spalle al lume. Non si guardarono. Sulla tavola era pronta la roba perché egli partisse, il sacchetto e il mantello.

« I guanti e la sciarpa li ho messi dentro il sacchetto » disse Carla. « E anche qualcosa da mangiare, quello che c'era. »

« Non dovevi, Carla » disse Daniele.

« Perché? » disse Carla. « Io ne troverò ancora. Ci sono anche due pezzi di sapone nel sacchetto. Uno per lavarti e uno per la biancheria. »

« Grazie » disse Daniele.

Egli si era fermato in piedi, dopo essere entrato, e non si era più mosso.

« Siediti un poco » disse Carla.

Egli sedette. Per molto tempo non trovarono niente da dire. Poi Daniele domandò: « Che ore sono? ».

Senza voltarsi, Carla alzò il braccio per guardare l'orologio alla luce. « Le dieci » disse.

Daniele non parlò. Fissava la fiamma del lume, gialla e con molto fumo. Poi, soffiandosi il naso, uno trovava il fazzoletto tutto sporco di quel fumo. Carla non si muoveva per niente. Stava con la testa bassa, e il suo viso era in ombra. Non si sentiva alcun rumore.

« Che ore sono? » domandò ancora una volta Daniele.

« Quasi le dieci e mezzo, adesso. »

« Bisogna che vada. Si fa sempre peggio, aspettando. »

« Sì » disse Carla, ma non si mosse subito. Stette ancora con la testa bassa, pensando. Poi con uno scatto si staccò dalla tavola. « Andiamo » disse.

Daniele si guardò intorno, come sorpreso. Quindi indossò il mantello e prese dalla tavola il suo sacchetto di roba. Carla soffiò sul lume, quasi avesse fretta di trovarsi nel buio. Non si vedeva assolutamente niente.

« Dove sei? » domandò Carla.

« Qui » rispose Daniele. La sentì camminare cauta verso di lui, e poi sentì una mano di lei posarsi sulla sua persona. Tutti e due tremavano un poco.

Essa gli circondò le spalle con un braccio. « Andiamo, se vuoi » disse.

Andarono così uniti fino alla porta di casa. Fuori ci si vedeva meglio, anche se non c'erano le stelle. « Cammina dietro di me, adesso » disse Carla.

Essa si avviò per il sentiero in mezzo alle rovine. Vi erano ancora dei grilli sparsi che cantavano, non numerosi come nell'estate, tuttavia. Quando essi si avvicinavano, i grilli smettevano di cantare, e si sentivano solo quelli più lontani. Forse era lo stesso sentiero che Daniele aveva percorso con Tullio, la prima volta, ma egli non poteva sapere. Delle rovine e degli avanzi di case si profilavano incerti, e la notte subito li riassorbiva in un'oscurità uniforme.

Alla fine Carla si fermò. « Siamo arrivati » disse.

Daniele cercò il segno del reticolato senza vederlo.

« Il reticolato è un poco più avanti » disse Carla.

« Va bene » disse Daniele. Adesso bisognava andare e sarebbe stato bene dirle qualche cosa, non sapeva precisamente cosa. Ci sarebbero volute delle parole giuste, in quel momento. Sentì Carla allontanarsi di due o tre passi.

Poi essa lo chiamò. « Vieni » disse. « Sediamoci un momento. »

Daniele le andò vicino.

« Attento, ci sono delle pietre » disse Carla.

Toccò con le mani le rovine, prima di sedersi. Carla gli si sedette accanto.

« Io... » disse Daniele, e tacque.

« Non dir niente, Daniele » disse Carla. « Non importa, anche se non dici niente. »

Egli non tentò più di parlare. Forse lei capiva lo stesso, o forse non capiva, questo non contava molto per ciò che loro sarebbero stati domani, o fra una settimana, o fra un mese. Un braccio di Carla gli circondò il collo, teneramente, ed egli lasciò fare ed appoggiò la testa sul petto di lei. Poteva sentire il suo cuore come batteva, e anche il suo respiro caldo sul viso, e il cuore e il respiro erano leggermente affannati. Piano piano Carla cominciò ad accarezzargli i capelli sulla fronte, con un movimento lento delle dita, e poi non fece più neanche quel movimento, solo rimase con la mano sulla fronte di lui, dove cominciavano i capelli, ed era una cosa che non aveva senso, per due che si lasciavano come loro si lasciavano. Ed era anche penosa da sopportarsi, per la sua volontà di andare. Perché stando così posato sul suo petto, egli non sentiva più alcun affanno, ma solo la pace che sperava, e nello stesso tempo capiva che ciò non sarebbe potuto durare. Solo per pochi istanti sarebbe durato. Eppure, se lei gli avesse chiesto di restare, ora, egli non avrebbe più avuto la forza di andar via. Ma Carla non chiedeva niente. Stava silenziosa e immobile, solo stringendolo piano tra le braccia.

Ad un tratto ebbe paura di piangere e di perdersi. Si liberò da lei. « Devo andare » disse.

« Aspetta. »

« No. »

« Va bene, allora » disse Carla sommessamente.

Daniele si levò in piedi, e anche lei si levò in piedi. « Prendi la tua roba, Daniele » essa disse.

Daniele prese in mano il sacchetto. Camminarono fino al reticolato e si fermarono per ascoltare. Nessun rumore si udiva. Carla si chinò e sollevò il filo spinato sul passaggio. Egli depose a terra il sacchetto e il mantello e passò strisciando. Guardò in giro e ascoltò, prima di alzarsi.

« Tutto bene? » domandò Carla.

« Tutto bene » egli rispose.

Essa gli passò la roba sotto il reticolato. « Cammina a destra e arrivi nella piazza di Sant'Agnese » disse.

« Sì, lo so » disse Daniele. Si era messo il mantello sulle spalle, e restava fermo, con il sacchetto della roba in mano.

« Fa' presto adesso » disse Carla.

« Sì » disse Daniele, e cominciò ad andare.

« Buona fortuna, Daniele » disse Carla.

Egli si fermò e si voltò dalla parte dove essa stava, e guardò, anche se era sicuro di non poterla vedere. « Buona fortuna, Carla » disse, e riprese ad andare.

Camminò lungo il reticolato senza pensare a nulla, come stordito. Non incontrò nessuno sul sentiero. Poi giunse nella grande piazza. Vi erano quattro lampade agli angoli della piazza, e altre lampade si vedevano sulla via di Sant'Agnese che portava alle mura. Gli venne improvviso il senso di ciò che stava facendo. Andò avanti cauto, e ogni tanto si fermava ad ascoltare, come gli aveva insegnato Tullio. Tutte le volte che guardava il cielo lo vedeva nero, e lo strato di nubi doveva essersi fatto più spesso.

C'era più di un chilometro da fare, per giungere all'incrocio delle linee fuori dalla stazione, dove si fermavano i treni merci. Uscito dalle mura, camminò più in fretta. Due o tre volte gli capitò di sentire dell'altra gente, e si nascose fino a che non furono lontani. Calcolò che doveva essere già passata la mezzanotte.

Poi cominciò a cadere una pioggia leggera e non molto fredda. Si coprì meglio con il suo mantello. Abbandonò la strada e camminò nei campi. Già si vedevano lontane le lampade che segnavano la linea ferroviaria. Quando fu più vicino, scelse un punto fra due lampade, e camminò dritto verso di quello. Improvvisamente scorse davanti il rialzo della ferrovia con la linea dei carri fermi sul binario morto. Ascoltò a lungo. Un treno si muoveva lontano, dall'altra parte della stazione, poi si fermò. Ora non si sentiva che qualche grillo, e qualche rana, anche, che cantava chiamando la pioggia.

Cautamente si mosse e passò sotto i carri fermi sul binario morto e passò anche i binari liberi. Al di là vi era un prato, e poco più avanti un'altra linea. Si fermò ad eguale distanza fra le due linee, in mezzo al prato. Ora avrebbe preso il primo treno che fosse passato. Guardando verso la stazione si vedevano le luci rosse dei semafori e file di lampadine che in lontananza parevano tremare.

Pioveva leggermente, ma con insistenza, e la pioggia non faceva rumore sull'erba del prato. Aspettò un poco in piedi, e poi si sentì stanco e si sedette sopra il sacchetto della roba. Il mantello teneva ancora l'acqua.

Più tardi un treno venne dalla stazione, e passò sulla linea alla sua destra, ma non si fermò. La locomotiva soffiava forte per avviarsi. Doveva essere un treno per viaggiatori o per militari, perché le carrozze erano illuminate. A lungo durò il silenzio. In qualche punto il mantello non teneva più.

Avrebbe potuto prendere la sciarpa da dentro il sacchetto per coprirsi la testa, o anche mettersi tutto sotto il mantello. Ma non aveva importanza. Piuttosto era contento di aver la pioggia sulla testa, perché in qualche modo ciò lo aiutava a tener a posto i pensieri. Non era una grande pioggia, ma se fosse durata molto, avrebbe potuto egualmente cancellare i segni dov'era sepolta Giulia. E Carla doveva essere arrivata a casa prima della pioggia. Certo, era passata più di un'ora da quando lui e Carla si erano lasciati, e lei era a letto, adesso, e forse dormiva e forse non dormiva, neanche questo aveva importanza. E intanto non arrivava nessun treno, e alle sei sarebbe cominciato il nuovo giorno.

Poi sentì un treno avvicinarsi alle sue spalle. Non si voltò a guardare, ma nella sua mente pregò perché il treno si fermasse. I semafori della linea erano rossi. Il treno veniva avanti adagio, e fischiò più volte, e finì per fermarsi davanti ai semafori che erano rimasti rossi. Continuò a fischiare con insistenza.

Egli era già pronto sulla linea e camminò in cerca di un carro dove salire. Verso la coda del treno una luce bianca si muoveva. Certo era il frenatore, tuttavia non era possibile che potesse vederlo.

Tentò le porte di alcuni carri coperti e le trovò sempre chiuse. Poi arrivò ad un carro scoperto, e salì scavalcando la sponda. Il carro era vuoto. Andò a sedersi in un angolo sopra il suo sacchetto. Il piano di tavole era tutto bagnato, e anche sporco, ma non si vedeva di che cosa fosse sporco. La locomotiva fischiava a brevi intervalli per chiedere via libera, con fastidiosa insistenza.

Poi il semaforo scattò e la sua luce divenne verde. Allora si sentì la locomotiva forzare ed il treno ebbe delle lunghe scosse mettendosi in movimento. Le luci dei semafori cominciarono a passare sopra la sua testa. Ogni tanto la luce di una lampadina arrivava dentro il carro. Il fondo era sporco di polvere nera, forse carbone. E contro la luce la pioggia cadeva fitta, più di quanto si potesse pensare al buio.

Tuttavia il treno non andava forte, e pareva che si sarebbe fermato poco più avanti. La locomotiva cessò ad un tratto di soffiare, e il convoglio perdette a poco a poco velocità, e ci fu un lungo stridere di freni verso la coda, mentre si fermava. Egli non riusciva a vedere fuori, stando così seduto, né poteva alzarsi per guardare, altrimenti l'avrebbero visto. Vi erano molte lampadine là intorno. Forse il treno era fermo in stazione.

Si sentivano delle voci lontane, e un uomo passò lungo i carri gridando qualcosa. Poi si sentì anche il rumore di una locomotiva che si muoveva, ma il treno rimase fermo. Si sarebbe fatto giorno, e l'avrebbero messo in prigione.

Il mantello ora era tutto inzuppato d'acqua. Ed egli stava seduto, senza aver paura o preoccupazione. Aveva già dimenticato che l'avrebbero messo in prigione. Era completamente vuoto di pensieri, e guardava i fili di pioggia lucidi contro la luce. Qualcuno gridò ancora, vicino a lui. Poi il suono di un fischietto si ripeté lungamente. E infine il treno si mosse e andava non nel senso che lui pensava, ma in senso contrario, come tornando indietro. Tuttavia ciò non aveva importanza. Purché andasse, non importava dove.

La locomotiva forzava, e i semafori passarono di nuovo sopra la sua testa. Gli venne ad un tratto voglia di guardar fuori. Avrebbe potuto vedere le luci, dalla parte della città. Delle lampadine allineate avrebbero segnato una strada della periferia riflettendosi sull'asfalto bagnato di pioggia. Ci poteva essere magari qualche finestra illuminata, benché fosse così tardi. Adesso che la guerra era finita, si poteva tenere le finestre aperte anche con le luci accese.

Si fece forza per non alzarsi a guardare. Era inutile guardare. La città era com'era, egli l'aveva ben chiara nella sua mente, con le torri e i campanili che uscivano dai tetti, e molti tetti rovinati, e mucchi chiari e scuri di macerie dov'erano cadute le bombe.

Anche la gente egli sapeva com'era, l'aveva vista bene nelle strade e nel mercato. Gente che si affannava solamente a procurarsi il cibo per non morire, e che andava in una rovina sempre più grande, perché non aveva altra ragione di vivere che cercarsi il cibo per non morire. Sembrava perfino un gioco. Ed era inutile pensare alla gente.

Il rumore sulle giunture delle rotaie si faceva rapido, ed ogni tanto c'era il rumore diverso degli scambi. La pioggia gli cadeva in faccia, ora.

Si alzò e camminò traballando verso l'altra estremità del carro. Vide davanti un chiarore di fuoco che si rifletteva nel cielo. Anche contro quel chiarore le gocce di pioggia sembravano più fitte. Forse pioveva più forte di prima. Il fuochista stava caricando carbone nella macchina. E che piovesse più forte era un bene, se ciò serviva a cancellare i segni di una tomba che doveva sparire.

Il treno passò sopra degli altri scambi, per prendere la sua strada nella notte. Egli si sedette contro la sponda del carro, il più possibile al riparo dalla pioggia, e si chiuse bene nel mantello ormai bagnato, coprendosi anche la testa. Non aveva importanza quale strada prendesse il treno. La sua strada era ovunque. Fissò la mente in quel pensiero, adattandolo al ritmo delle rotaie.

Quando si scoprì la testa, vide il cielo di un colore grigio scuro, e da ciò capì che si stava facendo giorno. Non pioveva più, ma l'aria era umida e fredda. Ed egli si sentiva intontito e intirizzito. Forse aveva dormito a lungo, nel fragore del treno che andava. Doveva essere lontano dalla città, ormai. Forse cento chilometri. Forse anche duecento, se il treno aveva continuato ad andare per tutta la notte.

Dal suo posto egli non poteva vedere nulla, all'infuori del cielo grigio che correva all'indietro. Il fondo del carro era sporco di poltiglia nera, polvere di carbone e pioggia. Si guardò a lungo le mani sporche, con un senso di crescente pena. La locomotiva fischiò. Il treno andava, ed egli non sapeva dove.

Improvvisamente fu certo di non aver risolto nulla, partendo. Egli si sentiva vuoto e solo e desolato, come mai gli era accaduto di sentirsi prima. Ci doveva essere qualcosa che non andava ancora. Cercò di mettere ordine nella sua mente, considerando i pensieri uno alla volta. Giulia era morta, e anche sua madre e suo padre erano morti. Se dipendeva da loro non si poteva trovare rimedio, perché loro non c'erano più. E Carla era perduta, anch'essa senza rimedio. Egli non aveva niente a che fare con Carla, nonostante qualche momento di debolezza. Non poteva tornare da lei e dirle di trovare insieme uno scopo per vivere, essendo così vuoto. Non aveva senso. E il vecchio aveva detto tante parole, parole che avrebbero aiutato, aveva detto. Bisognava avere fede nell'umanità, aveva detto, e aveva parlato del grande giorno in cui il bene sarebbe venuto sulla terra per tutti gli uomini. Lui non aveva voglia di aspettare il grande giorno, non ci credeva. E neanche il vecchio ci credeva, e d'altronde non ci sarebbe arrivato, perché ormai aveva venduto perfino il letto per mangiare. Ora sarebbe morto, ed era per lui la cosa migliore, morire, perché era solo e sperduto. E del resto, a lui non sarebbe importato niente, anche se il vecchio fosse morto di fame. Non avrebbe provato dolore. Era indifferente, come tutto il resto del mondo, all'infuori di se stesso. Si sentì cattivo verso il resto della gente.

La locomotiva avanti fischiò di nuovo. Gli restava ancora qualcosa da fare. Ma frattanto sentiva troppo freddo. Si alzò. Il vento della corsa, sopra le sponde del carro, lo colpì sul viso e gli mosse i capelli. Tremava per il freddo. Il giorno era già abbastanza chiaro. Il treno stava correndo ai piedi di una catena di monti. Batuffoli di nebbia bianca e densa erano appesi ai fianchi dei monti.

Di nuovo la locomotiva fischiò. Si sporse per guardare avanti. Vide un casello di colore giallo, con un numero dipinto in nero. Fuori dal casello vi era una donna spettinata, con una specie di grosso bastone in mano. Egli non ebbe paura di farsi vedere da lei. Mentre il suo carro passava, la donna fece un gesto con quella specie di bastone, di saluto o di minaccia. Guardò la donna fin che poté. Ed essa continuò ad agitare quel suo bastone, e non si capiva cosa volesse. Pensò agli altri esseri umani che erano più vicini a lui. Il macchinista, i frenatori, i soldati che forse erano sul treno per far la guardia. Se lo avessero visto, lo avrebbero messo in prigione, senza badare a come egli si sentisse dentro, così vuoto e solo e desolato. Non c'era rimedio per quelle cose. Guardò in basso. L'orlo erboso della linea correva sotto di lui, e appariva come una striscia verde. Il mondo non aveva rimedio per il male degli uomini, per l'incomprensione e la solitudine e l'indifferenza. Non c'era rimedio, così che uno veniva spinto fuori dagli altri uomini, lontano. E improvvisamente seppe quello che gli restava da fare. Era una grande cosa, ma si sentiva abbastanza calmo per essa.

Si sedette per pensare, ma nella sua mente ormai non c'era posto altro che per quel pensiero. Cominciò a slacciarsi le scarpe, se le tolse e si tolse anche le calze, e affondò i piedi nudi nella poltiglia nera e fredda. Legò le scarpe insieme e le buttò fuori. Si tolse il mantello e la giubba, e li buttò fuori. Ecco che era tornato buono verso il resto degli uomini. Non gli importava più cosa gli uomini avrebbero fatto di lui, se lo avessero trovato sul treno. Quella roba sarebbe potuta servire a qualcuno. Era difficile trovare scarpe e vestiti e biancheria. Si tolse anche i pantaloni e li buttò fuori. Compiva ogni gesto rigidamente e con lentezza, spaventato di perdere quel senso di calma che aveva dentro per la gran cosa che gli restava da fare. Ecco che sentiva un gran freddo, perché si era fatto nudo per amore degli altri uomini. Come Gesù e anche altri santi, adesso non ricordava bene chi.

Si affacciò alla sponda, fra un carro e l'altro. Tutto correva, sotto, ed era una striscia grigia fra le due rotaie. Si sentiva ancora grandiosamente calmo. Adesso la cosa importante era cadere giusto sulla rotaia. Scavalcò la sponda e scese sull'asse di un respingente, sostenendosi con le mani alla parete del carro. Il treno traballava, e un rumore spaventoso saliva da sotto, ma ormai egli non poteva aver paura. Solo bisognava far presto, perché sentiva troppo freddo. Si calò aggrappandosi ad un gancio che sporgeva. Poi si lasciò andare.

Era verso la fine di settembre, quando piovve sulla città. Il cielo fu nuvoloso per qualche giorno. La gente tirò fuori gli stracci avanzati dall'inverno precedente e andò girando nel grigiore e nella tristezza, per l'affannosa ricerca del cibo quotidiano. Facce stanche si aggiravano per la città. Ascoltando il battito della pioggia sui tetti e sui selciati, sentendo il freddo e l'umidità della pioggia penetrare nelle case e nei corpi, la gente aveva cominciato ad aver terrore del nuovo inverno.

Era passato un anno e la miseria sovrastava sempre più grande. Ancora la gente non aveva altro scopo di vivere che quello di procurarsi il cibo per non morire. Ognuno doveva lottare per quel cibo, fare in modo che se qualcuno doveva restar senza, non fosse lui a restar senza. E intanto veniva un nuovo inverno, e tutti sapevano che in quel nuovo inverno molti sarebbero dovuti morire di fame e di stenti e di malattie che non si potevano curare. Eppure la guerra era finita, da diversi mesi ormai. Eppure si era tanto parlato, prima, del bene che sarebbe venuto dopo quella guerra.

A poco a poco la gente capiva. Non era più una guerra da sopportare, era una guerra perduta. Nonostante tutto quel che si diceva, bisognava pensare che quella era una guerra perduta. Ed essi erano stati lasciati soli a sopportare il peso della disfatta, un peso troppo grande per un popolo povero, in un paese devastato e isterilito dalla guerra. E non si poteva neanche prevedere quando sarebbe finito il peso di una disfatta. Forse non sarebbe finito nel periodo della vita di un uomo, e allora tutti quegli uomini che vivevano e pensavano, non avrebbero mai più potuto essere contenti durante la loro vita, avere cibo sufficiente e vesti e riparo contro il freddo, e sufficiente speranza di essere ancora vivi il giorno dopo.

Ma poi le nubi se ne andarono dal cielo, e l'aria fu più limpida che nell'estate, e il sole più splendente, anche se meno caldo. I suoi raggi penetravano ormai profondamente entro i portici esposti a mezzogiorno, e le ombre erano lunghe sul terreno, anche quando il sole si trovava al culmine del suo giro. Guardandosi intorno dopo la pioggia, gli uomini seppero che l'estate se n'era andata, ed era venuto l'autunno, la stagione piena di frutti e di tepore malinconico e di terribile ansietà per l'inverno che sarebbe venuto dopo. Ogni cosa era più bella, di una bellezza un poco malata. I colori della città si ravvivarono, nei viali e nei piccoli giardini, nei panni stesi ad asciugare, perfino nelle case troppo vecchie e nei mucchi di macerie.

Lungo le grandi strade della pianura, qualche foglia seccata dall'estate cadde dagli alberi e si posò sull'asfalto o sui lati erbosi o nei fossi asciutti. Sull'anello delle mura, e ovunque erano rimasti ancora gli ippocastani, qualche frutto dalla buccia spinosa cadde e si spaccò sul terreno, e qualcuno passò a raccogliere la buccia e il frutto, che servivano per far fuoco.

Uomini seduti al sole aspettavano con stanca pigrizia.

Finito di stampare nell'ottobre 2006 presso
Legatoria del Sud - via Cancelliera, 40 - Ariccia RM
Printed in Italy

ANNOTAZIONI

ANNOTAZIONI

ANNOTAZIONI

ANNOTAZIONI

ANNOTAZIONI

ANNOTAZIONI

ANNOTAZIONI

ANNOTAZIONI

ANNOTAZIONI

ANNOTAZIONI

ANNOTAZIONI